2004 '작가'가 선정한

오늘의 소설

작가

2004 '작가'가 선정한 오늘의 시

2004년 3월 12일 초판 1쇄 인쇄
2004년 3월 15일 초판 1쇄 발행

지은이 | 이윤기 외
펴낸이 | 孫貞順
펴낸곳 | 도서출판 작가
서울 서대문구 북아현3동 180-22 (우120-193)
전화 | 365-8111~2 팩스 | 365-8110
이메일 | morebook@korea.com
홈페이지 | www.morebook.co.kr
등록번호 | 제13-630호(2000. 2. 9.)

기획위원 | 문흥술 방민호 백지연
편집 | 이형선 김이하
디자인 | 오경은
영업 | 이경민 설동근
사진 | 남종역

ISBN 89-89251-22-2

값 9,500원

■ 펴내면서

영화 한 편이 천만 관객을 동원했다는 소식을 접하면서 그 관객의 백 분의 일, 아니 천 분의 일만이라도 소설책을 읽는다면 얼마나 좋을까라는 생각을 잠시 해 본다. 그러다가 곧 그런 생각을 떨쳐버리기 위해 고개를 세차게 흔든다. 불가능한 공상을 하면서 가슴 아파하기보다는, 그런 시간에 차라리 좋은 소설작품 한 편을 더 읽는 것이 낫겠다는 생각으로 책상 앞에 앉는다.

소설을 비롯한 문학 전체가 대중의 관심 밖으로 밀려난 지는 꽤 된 것 같다. 여러 이유가 있겠지만, 아마 멀티미디어 상상력의 세계에 그 일차적 원인을 둘 수 있을 것이다. 영화, 비디오, 인터넷 등의 영상언어(이미지)가 우리네 삶의 세목에까지 깊숙이 침투하여 우리들의 몸과 마음을 지배하게 되면서, 스스로도 모르는 사이에 모든 관심이 그쪽으로 쏠리게 되는 것이 아닐까? 아마도 시간이 지나면 지날수록 멀티미디어 상상력의 세계는 엄청난 힘으로 모든 것을 흡수할 것이고, 이에 따라 소설은 점점 더 위축될 것이다.

그렇다면 머지않아 소설은 그 수명을 다하고 박물관의 유품이 되어 역사의 뒷전으로 사라져버릴 수도 있을 것이다. 과연 그러한가. 그럴지도 모른다. 그러나 소설이 본래적으로 가지고 있는 몫을 충실히 수행한다면 소설은 결코 우리들 곁에서 사라지지 않을 것이다. 좋은 소설 한 편은 삶과 인생과 사회에 대해 우리가 무심하게 지나쳐버리거나 혹은 잊어버리고 있던 진지하면서도 중요한 어떤 측면을 뼈아프게 일깨워준다. 이를 통해 우리네 삶이 얼마나 황폐하고 무미건조한가를 반성하게 되고, 보다 인간다운 삶을 영위하기 위해 진정 우리가 추구

해야할 고귀한 가치는 무엇인지를 자각하게 된다.

소설이 갖는 이런 본래적 몫이 작품 속에 생생하게 살아 숨쉬는 한 소설은 그 어떤 예술보다 긴 생명력과 큰 감흥력을 지닐 것이다. 그래서 영화 한 편에 천만 명이 몰려 야단법석을 벌인다 하더라도, 초라한 귀퉁이에서나마 소설이 몇몇 독자들에 의해 열렬한 사랑을 받는다면, 그 어찌 행복하지 않겠는가. 소설을 지극정성으로 애독하는 독자분들이야말로 이 삭막한 시대에 아름다운 생명의 향기를 갈망하는 고결한 이들일 것이다. 이분들에게, 그리고 이분들과 같은 잠재 독자들에게 좋은 소설작품을 선물해줄 방법이 없을까 고민하다가, 이 책을 세상에 내놓게 된 것이다.

2004년 '작가'가 선정한 오늘의 소설은 이런 취지에서 출발하였다. 일체의 상업주의와 문단패권주의를 배세하고, 오로지 좋은 작품을 선정하기 위해 100여 명의 소설가, 평론가에게 2003년에 발표된 모든 작품과 작품집(장편 포함)에 대한 설문을 의뢰했고, 그 결과를 투명하게 반영하였다. 이 글을 빌어, 좋은 작품을 추천해주신 분들께 감사를 드린다.

추천된 횟수에 따라 8편의 작품을 실었고, 동시에 작품집 8권에 대한 서평을 실었다. 가장 많은 추천을 받은 작품은 정지아의 「행복」이며, 작품집은 방현석의 『랍스터를 먹는 시간』이다. 좋은 소설을 쓴 작가들에게 축하와 함께 감사를 드린다.

이 책은 소설을 사랑하는 이들에게 드릴 수 있는 최고의 선물일 것이다. 앞으로도 '작가'는 계속해서 매년 좋은 작품을 발굴해서 더욱 값지고 귀한 선물을 독자 여러분들께 드릴 수 있도록 최선을 다할 것이다.

2004년 2월 기획위원회

목차

■펴내면서

오 늘 의 소 설

오늘의 시집 · 서평

오늘의 소설

이윤기 김남일

알타이아의 장작개비_사북장 여관

정지아 공선옥

행복_영희는 언제 우는가

한창훈 김연수

바위 끝 새 단편_쉽게 끝나지 않을 것 같은, 농담

오수연 정미경

달이 온다_달은 스스로 빛나지 않는다

이윤기

1947년 경북 군위 출생.
1977년 《중앙일보》 신춘문예로 등단.
소설집으로 『숨은 그림 찾기』 등이 있음. 동인문학상 수상.
ekwine@hanmail.net

이제부터가 큰일이다

신문에 글 쓰기, TV 출연, 여성 잡지 인터뷰, 나는 정말 싫어한다. 하지만 쓰지 않을 수도, 출연하지 않을 수도 없었다. 도서 시장을 죽이려고 하느냐는 협박에 굴복해 얼굴을 팔았다. 끔찍한 사태가 벌어졌다. 얼굴이 알려지고 만 것이다. 내 고장에서는 물론, 서울에서도 인사를 건네는, 생면부지의 독자들이 있다. 외국의 공항에서도 좀 시달린다. 엄살이 아니다. 나는 이런 사태에 경악한다. 나는 이제 〈익명성의 즐거움〉은 누릴 수 없는가? 묘령의 여인과의 밀애하는 꿈은 이제 물거품이 되었다. 5년 뒤, 지금보다 5년어치쯤 늙어 사람들이 알아보지 못할 때 나는 꿈을 이룰 수 있으려나? 한 5년 동안 미디어와의 인연을 끊으려 한다. 양해하시라, 알타이아의 장작개비여.

알타이아의 장작개비

이윤기

"부장!"

"응."

"부르기 나름 아닐까요. 요새는 여기서 베끼고 저기서 베끼는 걸 〈표절〉이라고 하지 않고 〈혼성 모방〉이라고도 한다니까 아주 〈혼성 모방〉이라고 밝히면서 치고 나가죠. 〈동초서초(東抄西抄)〉는 또 어때요? 한자로 부르니까 뭐 같네."

"말썽나면 자네가 책임질 거야?"

"상금 나눠줄 겁니까? 그러면 책임지지요."

30대 초반의, 새파랗게 젊은 기자 김미산이 40대 후반의 문화부장 박해인을 〈부장님〉이라고 부르지 않고 〈부장〉이라고 부른다. 예전 같으면 있을 수 없는 일이다. 군대에다 견주어 본다면 새카만 졸병이 중대장을 〈중대장!〉 하고 부르는 것과 비슷한데, 군대에서라면 생각에 머물 때만 겨우 용서를 받을 수 있는 사안이다. 하지만 언론사, 특히 큰 신문사에서는 이런 호칭이 일반화해 있는 모양이다. 신문사 근처에서 술이나 밥을 사먹다 보면, 젊은 기자들이, 환갑이 내일모레인 국장을 〈국장, 국장〉하고 부르는 걸 자주 볼 수 있다. 저 사람들, 대통령 앞에서 〈대통령!〉하고 부르려나? 듣는 이방인은 무안해서 어쩔 줄을 모르겠는데 부르는 기자, 듣는 국장 모두 습관이 꽤 된 것 같다. 주간 잡지 〈메디아〉의 문화부 기자 김미산과 문화부장 박해인은 그러니까 막강한 언론기관의 풍습을 좇는 것으로나마 이름이 크게 나지 않아 살림살이가 〈알탕갈탕〉하는 잡지 〈메디아〉를 대신문과 동일시하고 싶은 것이다.

"심사위원들이 고약해. 표절의 혐의가 있으면 다른 작품을 골라주든지 해야지 우리에게 넘기고 손을 씻으면 어떻게 해? 자기네들이 뭐 본디오 빌라도라던가?"

"흉작이라서 대안이 없다고 하지 않았습니까? 이 작품, 『내 사랑 아탈란테』, 밀고 나가죠. 말썽이 난다면 결국 표절 시비 아니겠어요? 표절 시비에 반드시 부정적인 요소만 있는 것은 아닙니다. 입소문은 긍정적인 요소로 작용할 수도 있습니다."

"젊은 친구가 한심하기는. 부도덕으로 찍혀봐. 현상금으로 내건 1억 그냥 날리는 거야."

심사위원들 손에서 〈메디아〉 창간 한 돌맞이 1억원 현상 소설 공모의 당선 후보작으로 넘어온 작품이 연애소설 『내 사랑 아탈란테』였다. 심사위원들은, 무거운 소재를 날렵하게 다루어 잘 읽힌다는 장점이 있는 대신 남의 나라 옛이야기 짜깁기가 너무 심하다는 점, 신화를 소재로 많은 시를 쓴 18, 19세기의 영국 시인들을 꼼꼼히 읽고 모방한 듯한 문체, 특히 수사(修辭)가 마음에 걸린다고 했다. 한 심사위원은 작가가 정독한 듯한 텍스트의 저자들 이름(가령 바이런, 밀턴, 토머스 그레이, 키츠, 셸리, J. R. 로웰)까지 거론함으로써 불편한 심사를 드러내었다. 억대 상금이 걸렸는데도 불구하고, 바로 그 점이 부담으로 작용했던지 응모 작품 수가 아주 적었고, 심사 위원의 말에 따르면 본선에 올라온 작품 중에서도 대타로 낼 작품이 없을 정도의 흉년이었다.

"부장, 부도덕의 도덕적 측면, 혹은 도덕의 부도덕적 측면을 한번 변호해 볼까요?"

"그런 측면도 있던가?"

"통념에 딴지걸기, 제 전공이 그거 아닙니까? 그렇거니, 한 종교학자가 학회에서 〈원불교는 종교가 아니다〉라고 주장했답니다."

"원불교에서 가만히 있었대?"

"발제자로 나와 있던 원불교 교무가 발끈했죠. 원불교가 왜 종교 아니냐, 종교가 아니면 그러면 뭐냐, 하고 따지고 들었죠."

"그래서? 종교학자가 뭐라고 했대?"

"종교학자 왈. 원불교에는 부도덕이 없다, 부패가 없다!"

"……말 되네."

"부도덕이나 부패를 아름다움이라고 부를 수는 없죠. 하지만 아름다움은 부도덕이나 부패를 향한 프로세스 어느 한 지점에 있다, 이게 저의 생각입니다. 예수님 따라다니던 막달라 마리아. 아름답잖아요? 자꾸 표절, 표절 하시는데, 카를 융이 니체의 표절을 변호한 거 아세요?"

"원불교에서 한달음에 니체까지?"

김미산 기자가 인용한 카를 융의 글에 따르면 니체의 『짜라투스트라는 이렇게 말했다』에는 다음과 같은 대목이 나온다.

…… 그런데 짜라투스트라가 지복의 섬에 당도했을 때의 일이다. 어느 날 한 척의 배가, 화산이 있는 그 섬에 닻을 내리고 토끼를 사냥할 뱃사람들을 상륙시켰다. 그런데 정오가 되어 집합한 뱃사람들 눈에, 하늘을 날아오는 한 사나이의 모습이 보였다. 그 사나이는 분명히 이렇게 외쳤다.

"그때가 왔다, 지금이야말로 바로 그때다!"

사나이는 뱃사람들 그림자처럼 뱃사람들 위를 지나 화산 쪽으로 날아갔다. 뱃사람들은 그 사나이가 바로 짜라투스트라인 것을 알고는 경악했다. 늙은 키잡이가 외쳤다.

"보았지? 짜라투스트라가 지옥으로 갔다!"

김미산 기자가 인용한 카를 융에 따르면 이 대목은 J. 케르너의 『항해일지』 한 대목과 거의 정확하게 일치한다. 케르너 『항해일지』의, 문제의 구절은 다음과 같다.

……뱃사람 넷과 상인 벨 씨는 스토롬보리 산이 있는 섬에 이르러 토끼 사냥을 하기 위해 이 섬에 상륙했다. 3시가 되어, 승선하기 위해 뱃사람들을 소집했을 때, 섬에 상륙한 사람들은 뜻밖에도 두 사람이 하늘을 날아 그들에게로 오는 것을 발견했다. 둘 중 한 사람은 검은 옷차림이고, 또 한 사람은 회색 옷차림이었다. 두 사람은 빠른 속도로 뱃사람들 위를 지나갔다. 뱃사람들을 더욱 놀라게 한 것은 이 두 사람이 스트롬보리 산의 화구로 들어갔다는

점이다. 뱃사람들은 그 두 사람이 런던에서부터 알고 지내던 사람들이라는 것을 인정했다.

김미산 기자가 자료실에서 들고 나온 책에 따르면 카를 융은 니체를 변호하면서 이렇게 쓰고 있다.

……우리가 알게 되었거나 경험한 것을 잊어버리는 데엔 많은 이유가 있다. 그러나 이러한 것들이 다시 우리 마음의 표면으로 떠오르는 양상 또한 다양하다. 그 흥미로운 한 예가 〈잠재 기억〉, 혹은 〈숨겨진 기억〉의 경우이다. 보통 책을 쓰는 사람들은 처음에 세워진 계획에 따라 논의를 진행시키고 이야기의 줄거리를 발전시켜 나간다. 그러나 그러다 갑자기 이야기가 옆길로 새는 수가 있다. 대개 새로운 생각이 솟아올랐거나 이미지가 달라졌거나 전혀 새로운 곁가지 줄거리가 생겼을 때 그런 일이 일어난다. 그러나 쓰는 사람 자신은, 그 같은 탈선의 요인을 설명하라는 요구를 받아도 제대로 설명하지 못하는 경우가 많다. 쓰는 사람은, 설사 그 전에 알지 못하던 내용을 전혀 새롭게 창작하고 있으면서도 그런 변화조차 알지 못하는 경우도 있다. 그런데 놀랍게도, 그 사람이 쓴 내용이 다른 사람의 작품(쓰는 사람 자신은 읽어본 적도 없다고 믿는 작품)과 놀랄 만큼 비슷할 때도 종종 있다.

나는 이같이 흥미 있는 예를 니체의 『짜라투스트라는 이렇게 말했다』에서 본 적이 있다. 니체는 이 책에서 1686년의 『항해일지』를 통해서 보고된 한 이야기를 거의 그대로 재생시키고 있다. 우연한 기회에 나는 1835년(니체가 이 책을 쓰기 반세기 전쯤인)에 발행된 책에서 이 뱃사람의 허풍을 읽을 수 있었는데, 그 뒤 『짜라투스트라는 이렇게 말했다』에서 똑같은 이야기를 읽었을 때 나는 니체가 평상시에 쓰던 것과 다른 이상한 문체에 놀라고 말았다. 니체 자신은 여기에 대해 아무런 언급도 하지 않았지만 나는 그가 이 낡은 책을 읽었으리라고 확신한다. 나는 당시 생존 중이던 니체의 누이에게 편지를 썼는데, 니체의 누이는 니체의 나이 열한 살 때 자기와 둘이서 그 책을 읽었다는 사실을 확인시켜 주었다. 전체의 문맥을 따져보았지만 니체에게 이 책을 표절할 의도가 있었던 것으로는 보이지 않았다. 그러니까 50년도 더 지난 어느 날 그의 의식 가운데서, 옛날에 읽었던 그 대목이 떠올랐던 것 같다.

글을 다루는 동네에서만 그런 것은 아닐 것이다. 응모자들 입장에서 본다면, 응모 작품들이 예심에 붙여지고, 예심에서 걸러진 다음 본심 위원들에게 넘어가고, 본심에서 작품들의 절대 우위 혹은 상대 우위가 논의되고, 마지막 수상작이 가려지는 상황, 이거 나다니엘 호오돈의 짧은 소설 〈데이비드 스완〉에서 벌어지는 상황과 아주 흡사하다. 우리의 지력이나 시력이 미치지 않는 곳에서 일어나는 일에 관한 한 우리는 까막눈이다, 라고 말할 수도 있다. 운명아, 비켜라 내가 나간다, 베토벤은 이렇게 호기를 부렸다지만, 인간인 이상, 우리의 운명은 우리가 결정하는 것은 아닌 모양이다.

대개의 경우, 예심 위원들은 집으로 혹은 일터로 전해지는 응모 작품들을 미리 보거나 읽는다. 신문이나 잡지를 보면, 예심 위원들이 큰 방에 모여 앉아, 수북하게 쌓인 응모작을 하나씩 보거나 읽는 사진이 실리는데 이런 사진은 그리 믿을 바가 못 된다. 응모 작품이 소설일 경우 예심 위원들이 읽어야 하는 원고의 양은 방대하다. 몇날 며칠을 읽어야 하는 경우도 있다. 예심 위원들이 격론을 벌이는 경우는 흔하지 않다.

본심 위원들 역시 집으로 혹은 일터로 전해지는 응모 작품들을 미리 보거나 읽고는 마음속으로 어느 한 작품에 점을 찍는다. 그러고는 현상 공모의 심사 의뢰 당사자가 정한 곳에서 회동하고 의견을 나눈다. 본심 위원들의 의견이 일치하는 경우에는 별 문제가 없다. 의견 일치를 보이지 못해 투표를 통하여 다수결로 당선작을 뽑을 경우도 있다. 소수가 승복한다면 별 문제가 없다. 문제는 소수가 다수의 의견을 수용할 수 없을 경우다. 열띤 토론이 벌어지는 것은 물론이다. 토론 결과 소수가 다수의 의견을 수용해도 별 문제가 없다. 소수가, 다수가 낸 의견의 문제점이나 부당성을 지적하고 나서면 문제가 심각해진다. 다수는 소수의 의견을 경청하고 나서야 자기네들의 의견에 문제가 있었다는 것을 깨달을 수도 있다. 이렇게 되면 처음에는 주목을 받지 못하던 엉뚱한 작품이 당선작으로 뽑힐 수도 있다. 서로가 서로의 의견에 문제점이 있다는 것을 수긍하는 경우 전혀 다른 작품이 당선작으로 떠오를 수도 있다. 작품을 바라보는 심사 위원들 견해의 미세한 차이, 혹은 작품의 평가에 적용되는 미학적 잣대의 변화가, 다수의 의견이 낸 것도 아니고 소수의 의견이 낸 것이 아닌, 처음에는 누구도 예기치 못하던 작품을 당선작으로 선정할 수도 있는 것이다. 요컨대 부지불식간에 한 응모자의 운명을 완전히 바꾸어 버림으로써 천당과 지옥을 오가게 하는 셈인데, 심사 위원들은 그것을 의식하고 있을까? 의식하지 못하기가 쉽다. 그들이 심사하는 것은 응모자들의 작품이지 응모자들의 운명이 아니기 때문이다. 그렇다면 응모자들의 운명은 심사 위원들에 의해 좌우된다고 할 수 있다.

신문사 문화부에 근무하는 한 기자가, 심통이 몹시 난 상태에서 신춘문예 소설 응모작을 예심했더란다. 심통이 났던 까닭은, 결혼을 약속한 애인과 저녁 식사 약속이 되어 있었는데, 회사가 그를 예심 위원으로 찍어 야근을 시켰기 때문이란다. 기자는, 사정을 물어 보지도 않고 야근을 명령한 윗분들에게 골을 내면서 응모작 한 편을 쓰레기통에 처박았더란다. 글씨가 개발괴발이었기 때문이었더란다. 컴퓨터 같은 것은 없던 시절이었더란다. 기자는 〈이 따위 글씨로 소설을 써, 아나, 소설 여기 있다〉, 이러면서 처박았더란다. 합석해 있던 동료 기자가 그 소설 원고를 쓰레기통에서 꺼내어 〈개발괴발〉이 무엇인지 확인하고는 배꼽을 잡았는데……. 그 작품이 그 해의 당선작이 되었더란다. 그러니까 문제의 문화부 기자는 한 작가의 문단 입성을 몇 년 좋이 늦추어 놓을 수도 있었을 것이고, 심하게 말하면 그 사람의 운명을 바꾸어 놓을 수도 있었을 것이 아닌가? 지금은 중견작가 노릇하는 작가에게 실제로 있었던 일, 문단에는 꽤 알려져 있는 이야기다. 응모자의 운명이 한 기자의 감정 상태에 좌우될 가능성이 있었던 이 경우는 어떨까? 이 경우, 응모자에게는 책임이 있다. 운명을 좌우할 수 있는 단서를 그 기자에게 제공한 것이다. 인간인 이상, 우리는 우리의 운명을 결정하지 못하는 것인가? 운명을 결정하는 어떤 힘을 상대로 우리는 끊임없이 운명 결정에 필요한 단서를 제공하고 있는 것인가?

"저는 〈표절〉이라는 말을 듣거나 쓸 때마다, 모든 글은 표절의 운명에서 피할 수 없는 것이 아닐까, 이런 생각이 듭니다. 저는 말 배우고 초등학교 들어가서부터 대학 졸업할 때까지 많은 책을 읽었습니다. 기사를 쓸 때마다 저는 제 기억에 남아 있는 누군가의 글을 인용합니다. 하지만 인용했다는 것을 일일이 고백하지는 않습니다. 표절 아닙니까? 글을 배

운다는 게 뭡니까? 낱말의 용례 좇는 것 아닙니까? 표절 아닙니까?"

"이 사람아, 그건 나도 그래. 하지만 〈표절〉이 뭐야? 남의 시구나 문장이나 이론 같은 것을 가져다 자기 것으로 발표하는 것, 이게 표절 아닌가? 명백한 악의를 전제로 하는 것만을 우리는 표절이라고 부르는 거야. 심사 위원들이 그걸 암시하고 있는 것 같지 않아?"

"〈패러디〉라고 부르면요? 제목부터가 패러디잖아요? 심사 위원들, 유머 감각이 없어서 그런 거 아닌가요?"

"표절은 표절 대상을 숨기고 싶어 하는 반면에 패러디는 패러디 대상을 드러내고 싶어 하는 속성이 있어. 듣는 사람이나 읽는 사람에게 패러디의 대상을 주지시키지 못한 채 하는 패러디를 뭐라고 부르는지 알아?"

"썰렁……."

"아는 사람이 그래? 심사 위원들은 〈18, 19세기의 시인들〉이라면서 이름까지 적시하고 있지 않아?"

"결국 대상을 심사 위원들에게 암시한 셈이군요. 그렇다면 패러디라고 불러주어도 좋겠군요."

"심사 위원들 분위기가 그게 아니잖아?"

"심사 위원 중에 영미시(英美詩) 전공자가 없었다면요? 심사 위원들의 지각 범위 밖에서 이런 일이 있었다면요?"

"표절 사실이 백일하에 드러나는 시점을 늦추어 주기는 하겠지."

김기자가, 위험 부담이 있는데도 불구하고 『내 사랑 아탈란테』를 당선작으로 뽑자고 주장하는 것은 그가 속하는 세대가, 작가가 문장이나 문체로 암시하는 작가 자신의 연령층과 비슷하기 때문일 것이다. 문화부장이 『내 사랑 아탈란테』에 적의를 가지는 것도 같은 이유 때문일 가능성이 있다. 부장은, 자기로서는 도저히 따라잡을 수 없는, 새로운 세대의 속도감에 두려움을 느끼기까지 하는 사람이었다.

김미산 기자가 결국 승리했다. 박해인 부장을 끝까지 미적거리게 했고, 김미산 기자를 계속해서 변호하게 했던 『내 사랑 아탈란테』의, 심사 위원들이 〈마음에 걸린다〉던 부분은 국장에게까지 보고되었다. 젊은이들이 지어내는 전혀 새로운 문화 감각의 판세를 늘 부담스러워하던 국장이 김기자를 편들어 그의 손을 들어준 것이다. 국장은, 40대 후반인 박부장의 문화 감각이 30대 초반인 김기자의 문화 감각에 오래지 않아 밀릴 것임을 예견했던 모양이다.

심사 위원들이 당선작을 최종 결정하지 않고, 〈마음에 걸린다〉는 단서를 달아 당선작 최종 결정을 〈메디아〉 문화부에 맡긴 것을 이상하게 여기는 사람들이 있을 것이다. 그럴 수도 있는가? 심사위원들의 직무유기 아닌가? 잡지사가 자사 광고에다 〈열린 문학을 지향하고자〉 소설을 공모한다고 밝히고 있지만 사실 소설 공모의 목적은 열린 문학의 지향이 아니다. 그 회사에는 출판국이 엄연히 존재한다. 대기업의 문화재단도 아닌, 중소 업체 〈메디아〉가 열린 문학을 지향하는데 그 많은 억대 현상금을 쓸 턱이 없다. 장편 소설 심사위원들은 문학성 심사 전문가들이지 상업성 심사 전문가들은 아니다. 그러니까 심사 위원들은 상대 우위를 따져 『내 사랑 아탈란테』를 선정한 뒤 단서를 달아 문화부에 넘겨 버린 것이다. 심사 위원들이 단 단서는 당선작 선정을 거부하는 의사 표시였을 가능성도 있다. 하지만 〈메디아〉로서는 시끌벅적하게 시작한 행사를 맥 빠지는 〈당선작 없음〉으로 끝맺을 수는 없는 일이다. 문화부장이 전화를 걸어,

〈당선작 없음〉을 의미하는 겁니까, 하고 물었을 때 전화 본심 위원장은, 남의 잔치의 김을 빼기도 뭣하네요, 하고 얼버무리더란다. 〈메디아〉에게 당선작으로 발표해도 좋은 것으로 해석될 여지를 남겨준 셈이다.

이 대목부터 편집국 문화부는 출판국 영업부와 머리를 맞대고 『내 사랑 아탈란테』의 상업성을 따져야 한다. 당선자에게 1억원의 상금을 주고 그것을 선인세로 충당한다면 적어도 10만 부 이상 찍어야 한다. 당선자에게 당선 사실을 통보한 사람은 김기자였다. 김기자는, 당선 통보를 받고, 다 삼신 할매 덕분이라면서 울먹이는 당선자에게 〈메디아〉의 속내를 숨기려 하지 않았다.

"말랑말랑하게 손질해 주셔야 합니다, 아시겠어요?"

그런데 전화 수화기를 제자리에 놓고 돌아서는 김기자의 표정이 심상치 않았다. 반가운 소식이란 듣는 사람에게만 즐거운 것이 아니고 전하는 사람에게도 즐거운 법이다. 그런데 김기자의 표정은, 뭘하려고 일어섰다가 뭘하려고 일어섰는지 잊어버린 사람이 지을 법한 그런 것이었다.

…… 옛날 그리스 땅에 있던 조그만 도시 국가 칼뤼돈에 경사가 났다. 왕비 알타이아가, 왕실이 오래 기다리던 아들을 낳은 것이다. 이 아들이 뒷날 칼뤼돈의 영웅으로 한동안 떠받들어지던 멜레아그로스다.

왕비가 아들을 낳던 날 밤, 침상 머리에는 운명의 여신 세 자매가 와 있었다. 그리스 인들은 이 세 자매 여신이 이 세상에 태어나는 사람의 팔자를 주관한다고 믿었다. 맏이의 이름은 〈클로토〉였다. 이 말은 〈운명의 베를 짜는 여신〉이라는 뜻이란다. 둘째의 이름은 〈라케시스〉였다. 이 이름은 〈복을 나누어주는 여신〉이라는 뜻이다. 막내의 이름은 〈아트로포스〉였다. 〈어느 누구도 거스를 수 없는 여신〉이라는 뜻이란다.

아기가 태어나는 순간 운명의 세 여신 중의 맏이 클로토는 운명의 실로 쫀쫀하게 운명의 베를 짜면서 새 아기를 이런 말로 찬양했다.

"칼뤼돈 땅에서 제 아비의 이름을 가릴 자가 태어났구나."

둘째 라케시스 여신은 이렇게 노래했다.

"물의 강을 건너면 영광을 얻겠고, 피의 강을 건너면 어미를 슬프게 하겠구나."

셋째인 아트로포스는 이렇게 예언했다.

"어쩔꼬, 이 아이 명운이 저 난로에서 타고 있는 마른 장작에서 더도 덜도 아닌 것을……."

이러고는 한숨을 쉬었다.

인간은 신들의 말을 들을 수 없는 법인데, 아기 어머니 알타이아는 귀가 밝은 여자라 이 말을 엿들었다. 운명을 주관하는 여신들이 돌아간 직후 알타이아는 황급히, 난로에서 타고 있던 장작을 꺼내어 물에 넣었다. 장작개비의 불이 꺼진 것은 물론이다. 알타이아는 불 꺼진 이 장작개비를 은밀하게, 혼자만 아는 곳에다 간수했다……

"축하한다는 말은 전화로 다 했고……. 지금부터 너와 나는 서로 모르는 처지다, 알았지?"

회사 엘리베이터 앞에서 기다리던 김미산 기자가, 감사 인사차 감색 투피스 차림으로 회사를 방문한 당선자 강신우를 근처 찻집으로 데리고 가면서 한 말이다.

"어차피 김 선배가 아는 사람은 한영애지 강신우가 아니잖아요?"

"네 목소리 듣는 순간 죽는 줄 알았다."

"저도요……. 김 선배가 이 회사에 근무하는 줄을 알았지만 문화부에, 그것도 이 행사 직접 담당하는 자리에 있으리라는 생각은 꿈에도 못했어요."

"지금부터 너와 나는 서로 모르는 처지다."

"왜 그래요, 자꾸?"

"그럴 까닭이 있다."

"뭔데요?"

"네 작품을 두고 부장과 많이 다투었다. 부장은 네 작품에 시비를 걸었고 나는 시종 네 작품을 변호했다. 그런데 너와 내가 대학 동창, 그것도 같은 과 선후배였다는 걸 부장이 알아봐. 어떻게 되겠어?"

"어차피 알게 될 것 아닌가요? 내 약력과 선배의 약력이 많이 닮은 거, 금방 들통날 거 아뇨? 나이 맞추어 보면 학번이 바로 나오지 않겠어요?"

"이거 고민이네……. 그런데 필명이 왜 그 모양이야? 여자 필명이 〈강신우〉가 뭐야, 강신우가?"

"이름에 여성이라는 〈젠더〉 정보가 들어 있으니까 여러 가지로 불편하더라고요. 그래서 그 정보를 지워 버렸어요."

"아탈란테라……. 이 여자 원래 여성성(女性性)이 모자라도 한참 모자랐어. 그런데 아탈란테의 최후는 비극적이잖아?"

"비극의 아름다움을 요새 사람들 모르잖아요?"

"그러니까 읽히는 소설 쓰기로 마음먹었다는 소리?"

"〈메디아〉가 요구한 것도 바로 그거 아니었어요?"

프랑스 파리의 루브르 박물관에서 콩코드 광장의 우뚝 솟은 오벨리스크를 겨냥하고 공원길을 걷다 보면 가벼운 먹을거리를 파는 노천 음식점이 서너 군데 있다. 음식점은 좌우에 거의 대칭을 이루는 호수를 끼고 있는데 호수 중앙에 세워져 있는 석상 또한 거의 같은 주제를 다루고 있다. 오른쪽에는 쫓고 쫓기는 아폴론과 다프네의 석상이 서 있다. 아름다운 처녀 다프네는, 사랑을 요구하는 아폴론에게 쫓기다 신들에게 기도한다. 아폴론의 사랑이 싫으니 차라리 나무로 변하게 해달라고 기도한다. 신들은 다프네의 기도를 들어, 아폴론의 손에 붙잡히기 직전의 다프네를 월계수로 전신시킨다. 그리스 인들은 지금도 월계수를 〈다프니스〉라고 부른다.

왼쪽 호수에도 쫓고 쫓기는 한 쌍의 남녀 석상이 서 있다. 여성은 남성을 앞서서 질주하고 있다. 이 여성이 바로 아탈란테라는 처녀다. 남성은 여성처럼 질주하면서 오른손에 쥔 사과 한 알을 금방이라도 던질 듯한 자세를 취하고 있다. 이 청년의 이름은 히포마네스다. 아탈란테와 히포마네스의 석상 뒤에는 금방 목욕을 끝낸 듯이 여성이 드러난 엉덩이를 처녀와 총각 쪽으로 향하게 한 채 서 있다. 바로 아프로디테 여신이다. 〈엉덩이가 아름다운 여신 아프로디테〉라는 명품 조각의 모각이다. 원본은 이탈리아의 나폴리 국립 고고학 박물관에 있다. 다프네 이야기가 그렇듯이 아탈란테 이야기도 비극적이다. 아프로디테의 석상이 거기 세워져 있는 것은 이런 비극이 모두 애욕의 여신 아프로디테의 조화라는 것을 암시한다. 다시 읽어보아도 좋겠다.

아탈란테는, 여자라고 하기에는 너무 남자 같고 남자라고 하기에는 얼굴이 너무 여자 같은 처녀였다. 아탈란테는 전에 자기 운명에 관해 신이 맡긴 뜻, 즉 신탁을 물어본 적이 있었다. 신의 뜻을 풀이하면 대충 이러했다.

"아탈란테여! 결혼하면 안 된다. 결혼하면 그 길로 끝장이다."

아탈란테는 이 신의 뜻을 두려워한 나머지 남자들과의 교제를 피하고 오직 사냥에만 열중했다. 그리고 구혼해 오는 남자에게는(아탈란테에게는 구혼자가 많았다), 까다로운 조건을 내걸어 그들의 성가신 요구를 물리쳤다.

"누구든 나와 달리기를 겨루어 이기는 이에게만 상으로 나 자신을 맡기렵니다. 하지만 나를 이겨 내지 못하는 경우 벌로 그 목숨을 맡겠습니다."

이렇게 무시무시한 조건이 붙어 있는데도, 어디 한번 해보자고 나서는 사람들이 있었다. 달리기 시합의 심판은 청년 히포마네스가 맡게 되어 있었다.

히포마네스는 고개를 갸우뚱하면서 이렇게 중얼거렸다.

"여자 하나 얻겠다고 목숨을 걸고 나서다니, 이런 멍청이가 어디 있을까?"

그러나 겨루기에 나서려고 웃옷을 벗은 아탈란테를 보는 순간 히포마네스의 생각은 달라졌다. 생각이 달라졌으니 말도 달라지는 것이 마땅하다.

"여보게들 나의 허물을 용서하게. 이길 경우 자네들이 받을 상을 잘 모르고 한 말이었네."

히포마네스는 젊은이들을 바라보며 그들이 모두 아탈란테에게 패배하고 목숨을 잃었으면 좋겠다고 생각했다. 혹 이길 만한 청년이 나서면 그 청년을 질투하고는 했다.

히포마네스가 이런 생각을 하고 있을 동안 처녀는 질풍같이 내달렸다. 달리는 모습은 여느 때보다 훨씬 아름답게 보였다. 흡사 미풍이 처녀의 발에다 날개를 달아준 것 같았다. 처녀 아탈란테의 머리카락은 어깨 위에서 춤을 추었고 불그레한 옷 가장 자리의 장식 술은 뒤쪽으로 나부꼈으며 새하얀 살갗은 장미빛으로 물들었다. 마치 대리석 벽에 새빨간 휘장이 드리워진 것 같았다. 아탈란테는 겨루는 족족 모두 이겼다. 진 사내는 그 자리에서 죽임을 당했다.

히포마네스는, 패배한 청년들이 죽임을 당하는데도 겁을 먹지 않고 당당하게 나서서 처녀를 바라보면서 이렇게 말했다.

"어째서 이런 느림보들을 이기고 뽐내는 것이오? 내가 상대해 드리리다."

아탈란테는 측은해 하는 듯한 눈길로 잘 생긴 청년 히포마네스를 바라보았다. 어찌나 잘 생겼던지, 이겨 버려야 할지 져 주어야 할지 망설여질 지경이었다.

"어느 신께서, 이같이 젊고 잘난 청년으로 하여금 목숨을 버리게 하실까. 불쌍하구나. 준수하기는 하되, 가엾구나. 가여운 것은 이 청년의 용모가 아니라 청춘이구나. 차라리 저이가 겨루기를 포기해 주었으면 좋겠는데……. 그런데 이 청년이 기를 쓰고 달려든다면 이 일을 어쩌지? 져 주고 말아?"

아탈란테가 이런 생각을 하며 머뭇거리자 구경꾼들은 겨루기를 재촉했다. 아탈란테의 아버지도 어서 준비하라고 딸을 채근했다.

히포마네스는 사랑의 여신 아프로디테에게 빌었다.

"아프로디테 여신이여, 도와 주소서, 이렇게 만드신 분은 결국 여신이 아니십니까?"

아프로디테는 기도를 듣고 그러마고 했다.

퀴프로스의 아프로디테 신전 뜰에는 노란 잎, 노란 가지에 황금 빛 과일이 열리는 나무가 있었다. 여신은 이 나무에서 황금 사과 세 개를 따서 아무도 모르게 히포마네스에게 건네주면서 이를 쓰는 방법을 가르쳐 주었다.

이윽고 출발 신호 나팔이 울렸다. 히포마네스의 걸음이 어찌나 가벼운지 강물 위나 물결치는 밀 이삭 위를 지나도 발이 잠기지 않을 것 같았다. 구경꾼들이 큰 소리로 히포마네스를 응원했다!

"잘 한다. 지금이야. 힘내! 빨리, 더 빨리! 따라잡아! 늦추지 말고! 힘을 더 내!"

이러한 응원에 청년이 더 기뻐했는지 처녀가 더 기뻐했는지는 모르겠다. 청년의 숨은 거칠어졌다. 갈증을 느낀 것이다. 결승점까지는 한참을 더 달려야 했다. 청년은 가지고 있던 황금 사과 한 알을 던졌다. 아탈란테는 놀랐다. 그리고는 황금 사과를 주웠다. 이 틈을 이용해서 히포마네스는 아탈란테를 앞섰다. 사방에서 환호성이 올랐다. 아탈란테는 걸음을 빨리하여 곧 히포마네스를 뒤쫓아 왔다. 청년은 황금 사과 한 알을 더 던졌다. 처녀는 황금 사과 줍느라고 잠깐 달음박질 속도를 줄였으나 곧 히포마네스를 따라잡았다. 결승점은 바로 눈앞이었다. 남은 기회는 한 번뿐이었다. 히포마네스가 소리쳤다.

"지금입니다. 여신이시여, 당신의 선물에 힘을 내리소서."

히포마네스는 이 말끝에 마지막 황금 사과를 옆쪽으로 멀찍이 던졌다. 아탈란테는 그 황금 사과를 보고는 주저했다. 결승점이 멀지 않았기 때문이었다. 그러나 아프로디테는 조화를 부려 아탈란테가 그것을 줍지 않고는 못 배기게 했다. 이렇게 해서 히포마네스는 상으로 얻은 처녀 아탈란테를 데리고 제 집으로 돌아왔다.

그러나 이 둘은 저희들 행복에만 취해 아프로디테에게 인사를 차리지 못했다. 여신은 배은망덕한 두 사람을 벼르다가 이 둘을 충동질하여 퀴벨레의 노여움을 사게 했다. 퀴벨레는 아탈란테는 암사자로 히포마네스는 수사자로 변신하게 했다.

아, 아탈란테. 황금 사과에 한번 눈멀고, 사랑에 또 한번 눈이 멀어 제 운명에 눈길을 던져보지 못했던 여자.

"아탈란테를 해피 엔딩으로 다루었더구나."
"히포마네스와 맺어지기까지."
"그런데 치명적인 약점이 있더라."
"알아요."
"황금 사과에 눈이 멀어 그거 줍느라고 뜀박질의 속도를 늦추었으니, 이게 뭐야, 옛사람들의 여성관 아니었을까?"
"신탁과 관습에 저항하는 여성……. 이걸 그려 보려고 한 것일 뿐이에요."
"신들이 사라졌으니 이제는 신탁도 사라진 것인가? 운명도 사라진 것인가……. 어쨌든 지금부터 너와 나는 모르는 처지다. 세월이 지나서 알게 되면 그 때 가서 부장에게 고백하면 그만인 거고……. 지금의 내 입장, 정말 난처하다."
"선배가 여러 가지로 불편하다면 선배 좋을 대로……."

부장과 국장 앞에서 문화부 기자 김미산과 신예작가 강신우는 서로 모르는 사람인 것처럼 공대말을 주고받았다. 당선자에게 당선 통보 전화를 걸고 돌아서면서 김미산이 한 말, 〈당선자가 여잔데요〉, 이 한 마디에 가슴 설레며 당선자와 대면하는 날을 기다려온 부장이었다. 부장은, 늘씬한 미인이면 얼마나 좋을까, 미혼이면 또 얼마나 좋을까, 이런 생각을 하면서 기다렸을 법하다. 강신우를 보는 순간 부장의 얼굴에 홍조가 어른거렸다. 보도 자료감으로는 이상적이다, 부장은 이런 생각을 하고 있었기가 쉽다. 강신우의 미모와 불룩한 젖가슴을 눈길로 훑으면서 부장은 마음속으로 전자계산기를 두드리고 있었다.

부장의 속셈은 적중했다. 데뷔작 장편소설로 거금 1억원을 상금으로 받은 미모의 미혼 소설가……. 미디어가 일제히 강신우를 관심의 표적으로 겨냥했다. 작가 알리기는 일간지들이 해주었고 책 광고는 여성 잡지들이 대신해 주었다. TV 아침 프로들도 앞 다투어 강신우를 초대 손님으로 불러내었다. 강신우는 신문이 요구하는 시론, 잡지가 요구하는 에세이도 거절하지 않았다. 무수한 잡지가 그를 인터뷰하고 싶어 했고 무수한 라디오 프로가 그를 끌어내고 싶어 했다. 『내 사랑 아탈란테』는 〈메디아〉의 예상 판매 부수를 간단하게 타넘었다. 시상식 끝난 지 겨우 두 달 만의 일이었다.

"신문이나 잡지도 그렇지만 소설가가 TV에 너무 자주 얼굴 내미는 거 아냐? 보일락말락 들릴락말락, 그래야 하는 거 아냐?"

김미산 기자가 이렇게 말했을 때 강신우가 보인 반응은 이랬다.

"…… 〈메디아〉의 문화부 기자가 할 소리는 아니죠. 제가 이렇게 하니까 책이 뜨고 있는 거 아닌가요? 하지만 저는 제 책을 뜨게 하고 싶어서 이러는 건 아니에요. 저는 지금 저를 시험하고 있어요. 지금 제가 어떤 도전에 직면하고 있는지 아세요? 선배는 짐작도 못할 거예요. 제 작업실에서 어떤 일이 벌어지고 있는지 아세요? 하루에 평균 신문이나 잡지에 실릴 글 세 꼭지씩 쓰고, 인터뷰 두 차례씩 하고, 강연 반 차례 해요, 이틀에 한번씩 하는 셈이니까……. 월간 잡지에 장편소설 두 편 연재하고,

계간지에 장편소설 분재 두 편하고 있어요. 라디오나 TV가 불러도 저는 거절 안 해요. 제가 이름나고 싶어서 이러는 거라고 생각하죠? 아니에요. 조용히 숨어사는 거, 저도 그거 원해요. 하지만 저는 지금 저를 시험하고 있는 거예요. 이 호흡으로 얼마나 갈 수 있는지 시험하고 있어요. 원고 청탁. 고맙죠. 하지만 저는 이걸 도전으로 여겨요. 저쪽에서 도전하니까 응전해야죠. 한 3년 이렇게 살아보려고 해요. 3년이 지났는데도 그 때까지 이 도전이 지금과 같다면 그 때 들어가려고 해요. 보일락말락, 들릴락 말락하는 그런 곳으로……. 그게 진짜 들어가는 거예요."

"너의 그 공격성이 위장 아니기를 바라겠다."

"위장이라뇨?"

"미디어에 대한 집착을 그런 공격성으로 위장하는 사람들을 나는 이 바닥에서 자주 만나면서 산다."

"자기 손으로 데뷔시켜 놓고 어떻게 그렇게 말할 수 있어요."

"시간이 좀 걸릴 모양이구나."

강신우 열풍이 꽤 오래 갔다. 서점에 강신우의 책이 여러 권 깔렸고 베스트셀러 명단에서 강신우의 책 제목이 한 권이라도 빠지지 않는 세월이 꽤 오래 흘렀다. 강신우의 이름 앞에서 〈메디아〉의 이름이 사라져가기 시작했다. 〈1억원〉의 약발도 떨어져가기 시작했다. 강신우는 TV에 나와 종합소득세를 얼마나 내고 있느냐는 사회자의 질문에, 종합 소득세……. 데뷔할 때 받은 상금만큼요, 이런 말 하는 것도 망설이지 않았다. 장편 연애소설에 머물 것이라는 예상을 깨고 강신우는 본격 문예지로도 진출했고, 신문사 문화교실 강사 노릇하더니 TV의 문학 강연 프로그램을 맡아 적지 않은 성공을 거두기도 했다.

"너, 참 부지런하다, 몸이 배겨나냐?"

강신우가 전화를 걸어 〈저녁이나 같이 해요〉 하고 말했을 때 김미산 기자가 한 소리다. 지쳐 있는 듯한 음성이었다. 문화부장과 더불어 강신우 발굴의 일등공신들로 대접 받고 있던 김미산으로서야 강신우 열풍이 더 거세어지거나 오래 가기를 기대했을 법하다. 하지만 그는 강신우가 여러 미디어 사이에서 몸을 너무 함부로 굴리고 있다는 인상을 지우지 못했다. 강신우에 대한 감정에 변화가 왔던 것일까?

음식점에서 만났을 때 김미산은 강신우에게 벽을 마주보는 자리를 권했다. 신문사가 되었든 잡지사가 되었든 문화부 기자는 유명한 사람들을 자주 만난다. 유명한 가수, 유명한 배우, 유명한 시인이나 작가를 만날 때마다 김미산 기자는 벽을 마주하는 자리를 그들에게 권했다. 김미산은 기자로서 이름이 널리 알려져 있을 뿐 얼굴이 널리 알려져 있었던 것은 아니다. 그래서 자신은 다른 손님들 쪽을 바라보고 있어도 〈메디아〉 사람들을 제외하면 알아보는 사람이 거의 없다. 하지만 상대가 유명한 사람, 얼굴이 널리 알려져 있는 사람이 다른 손님들 쪽으로 얼굴을 돌리고 있으면, 알은 척하거나 인사를 건네는 사람들이 많다. 유명한 사람들 대부분은 김미산이 벽 마주보는 자리를 권하면 김미산의 깊은 마음 씀씀이를 고마워하고는 했다.

자기 얼굴 알아봐 준다는 것은 좋은 것이다. 하지만 신문에 조그맣게 실리는 연예인의 폭력 기사를 보라. 인기를 목숨같이 여기는 연예인의 폭력은, 얼굴 알아보고 알은 체하기와 매우 밀접한 관계가 있다.

그러나 강신우는 벽 마주보는 자리에 앉지 않았다. 소설가 강신우를 알아보는 사람들이 건너와 인사하는 바람에 김미산이 여러 차례 불편을 겪는데도 불구하고 강신우는 벽을 마주보고는 앉지 않았다. 김미산은 강신우가 그걸 즐기고 있다는 인상을 받았다.

위험하다……. 김미산이 지닌 예감의 더듬이는 민감했다.

칼뤼돈 왕의 이름 〈오이네우스〉는 〈포도 사나이〉라는 뜻이다. 그는 디오뉘소스 신으로부터 처음으로 포도나무를 받아 기른 사람으로 전해진다. 어느 해 풍년이 들자 그는 첫물로 거둔 과일은 데메테르 여신께, 포도주는 디오뉘소스 신께, 올리브 기름은 아테나 여신께 바쳤다. 그는 농신들에게 제사를 올리는 데 그치지 않고 하늘에 계신 모든 신들에게 두루 제사를 올렸다. 그런데 이 때 오이네우스 왕이 제사를 드리고 제물을 바치지 않은 여신이 하나 있다. 바로 아르테미스 여신이다. 오이네우스는 그러니까 다른 신들의 제단에는 모두 제물을 차리면서도 아르테미스 여신의 제단만은 비워두었던 것이다. 이 일에 신들 모두가 의분을 느꼈다. 아르테미스는 펄쩍 뛰었다.

"내가 그냥 두고 볼 줄 아느냐? 나 아르테미스를 일러 섬김을 받지 못한 여신이라고 할 자는 있을 것이나 복수할 줄 모르는 여신이라고 할 자는 없을 것이다."

아르테미스 여신은 이렇게 벼르고는 자기를 업신여긴 이 오이네우스의 땅에다 멧돼지 한 마리를 보내어 짓밟게 했다. 이 멧돼지는 크기가 에피로스 황소에 견줄 만했고, 시켈리아 황소에 견주면 덩치가 오히려 더 컸다. 멧돼지의 눈은 핏발이 서 있어서 늘 붉었고, 목은 비할 데 없이 튼튼했으며 온몸에는 창날같은 털이 돋아 있었다. 이 멧돼지는 목쉰 소리로 포효했는데 그럴 때마다 턱 아래로는 거품이 흘렀다. 엄니는 힌두스 코끼리의 엄니만했다. 멧돼지가 숨을 쉴 때마다 불길이 일어, 여기에 닿는 나뭇잎은 순식간에 불길에 휩싸였다.

이 짐승은, 닥치는 대로 논밭을 짓밟았다. 그래서 추수할 때가 되자 농부들의 희망과 기쁨은 절망과 슬픔으로 변했다. 이 짐승이 논밭을 짓밟고, 덜 익은 이삭을 모조리 짓씹어 버리기 때문이었다. 농부들의 타작마당과 곡간은 그래서 늘 빌 수밖에 없었다. 포도송이는 익기도 전에 잎째 떨어졌고 올리브 열매는 익기도 전에 가지째 떨어졌다. 멧돼지는 가축도 공격했다. 멧돼지가 나타나면 목동도 개도 가축을 지킬 수 없었다. 사나운 황소도 멧돼지 앞에서는 적수가 되지 못했다. 사람들은 성 안으로 들어가야 안전하다고 생각하고, 농토를 버리고 몸 붙일 성을 찾아 뿔뿔이 흩어졌다. 이렇게 되자 멜레아그로스를 비롯한 젊은이들이 이 짐승을 죽여 명예와 영광을 얻겠다고 나섰다. 멜레아그로스는, 어머니 알타이아가 불타던 장작의 불을 끈 덕분에 헌헌장부로 장성해 있었다.

이 젊은이들의 면면을 훑어보면 다음과 같다. 먼저 하나는 권투에 능하고 또 하나는 기마술에 능한 쌍둥이 형제 폴뤼데우케스와 카스토르가 있다. 이 중 폴뤼데우케스는 주먹 하나를 잘라내고 헤파이스토스의 힘을 빌어 쇠주먹으로 해박은 주먹장이다. 처음으로 배다운 배를 지었던 이아손, 절친한 친구 사이인 테세우스와 페이리토스, 테스티오스의 두 아들인 플렉시포스와 톡세스. 땅 속을 투시할 만큼 시력이 좋아 아르고 원정 당시에는 망꾼으로 활약했던 〈천리안〉 륀케우스, 발 빠른 이다스 형제, 한 때는 여자로 태어났다가 장성하여 남자가 된 카이네우스, 위대한 전사 레우키포스, 투창의 명수로 유명한 아카스토스, 아뮌토르의 아들인 〈불사신〉 포이니코스, 악토르의 쌍동이 아들, 뒷날 아킬레우스의 아버지가 되는 펠레우스, 힘이 좋기로 소문난 에우뤼티온, 달음박질이라면 겨룰 상대가 없는 에키온, 범같은 장사 히파소스, 당시에는 젊은이였지만 뒷날 장수한 것으로 유명해지는 네스토르, 뒷날 오뒤세우스의 아버지가 되는 라에르테스, 아르카디아 사람 안카이오스, 점 잘 치기로 소문난 예언자 몹소스, 아내로부터 배신당하기 전의 암피아라오스도 여기에 합류했다. 이 중에서 역시 돋보이는 사람은 테게아의 여걸 아탈란테였다. 아탈란테는, 반짝거리는 조임쇠로 옷깃을 단정하게 여미고, 머리카락은 한 가닥으로 묶은 채 치렁거리며 늘 왼손에는 활을 들고, 화살이 가득 든 상아 화살통은 어깨에 메고 다녔다. 여걸 아탈란테는, 한 마디로 말하자면, 남자 같다고 하기에는 너무나 여자 같았고, 여자 같다고 하기에는 너무나 남자 같아 보이는 무사였다.

(기혼자인) 칼뤼돈의 영웅 멜레아그로스는 이 여걸을 보는 순간 사랑을 느꼈다. 그러나 이 사랑이 이루어질 가능성이 없다는 것을 안 멜레아그로스는 아탈란테에 대한 사랑을 마음속에다 묻어두고 이렇게 중얼거리며 한숨을 쉬었다.

“아, 저렇게 잘 생긴 여자의 지아비가 되는 사람은 얼마나 행복할까?”

멜레아그로스는 점잖은 사람이라서 이를 겉으로 드러내지 않았다. 그러나 점잖은 사람이 아니었다고 하더라도 멜레아그로스에게는 이런 심정을 드러낼 시간이 없었다. 멧돼지와의 일전이 임박한 순간이었기 때문이었다.

산 사면에는, 나무꾼의 도끼 소리를 들은 적이 없는 울울창창한 숲이 있었다. 무사들은 떼지어 이 숲 속으로 들어갔다. 숲 속으로 들어간 무사들은, 사냥 그물을 치고, 개를 풀고, 멧돼지의 발자국을 좇는 등 제각기 맡은 일을 했다. 산 사면에는, 지대가 다른 곳보다 낮아 습지가 되어 짧은 갈대가 빽빽하게 자라 있는 곳이 있었다. 이곳의 갈대숲에는 실버들, 사초, 고리버들, 부들 같은 것이 듬성듬성한 숲을 이루고 있었다. 은신처에서 이곳으로 쫓겨나온 멧돼지는, 이곳에 무리 짓고 있는 무사들을 향하여 돌진했는데, 그 기세는 번개가 구름을 뚫고 나오는 형국을 방불케 했다. 멧돼지의 육중한 몸에 부딪쳐 나무가 무수히 부러져 나갔다. 숲 속에는, 멧돼지가 돌진하면서 나무를 부러뜨리는 소리가 낭자했다. 젊은 무사들은 함성을 지르며 창을 잡고 쇠날을 이 짐승에게 겨누어 던질 차비를 했다.

멧돼지는, 앞을 가로막는 사냥개 무리를 헤치며 돌진해 왔다. 이 바람에 많은 사냥개들이 멧돼지 엄니에 옆구리를 찢기면서 허공으로 떠올랐다가는 땅바닥으로 떨어졌다. 에키온이 맨 먼저 창을 던졌다. 그러나 창은 과녁을 빗나가 단풍나무 둥치에 꽂혔다. 이이서 날아간 창은 멧돼지의 등에 꽂힐 것 같았으나, 던진 이아손의 어깨에 힘이 너무 너무 들어가는 바람에 과녁 너머로 날아가 땅바닥에 꽂혔다. 일이 이렇게 되자 몹소스가 외쳤다.

"아폴론 신이시여, 지금껏 섬겨 왔고 앞으로도 열심을 다하여 섬길 신이시여. 창이 과녁에 명중하게 하소서, 창이 과녁에서 빗나가지 않게 하소서."

아폴론 신은 이 점장이의 기도를 들어주어, 과연 그의 창이 과녁에 명중하게 해 주었다. 그러나 몹소스의 창은 이 짐승에게 상처를 입힐 수 없었다. 아폴론의 누이인 아르테미스 여신이, 멧돼지 쪽으로 날아가는 이 창으로부터 창날을 뽑아 버렸기 때문이다. 창 자루에 맞은 멧돼지는 불같이 노하여 미친 듯이 날뛰기 시작했다. 멧돼지의 눈에서 불똥이 튀었다. 숨결에도 불길이 섞여 나왔다. 무사들 사이로 뛰어드는 멧돼지는 흡사, 군사들이 빽빽하게 올라가 있는 탑루를 겨냥해 투석기가 발사한 바위 같았다. 무리의 오른쪽 날개 노릇을 하던 에우팔라모스와 펠라손이 멧돼지의 공격을 피하다가 나무 뿌리에 걸려 땅바닥에 벌렁 나자빠졌다. 동료들이 달려와 일으켜주지 않았더라면 멧돼지의 엄니에 찍혀 큰 변을 당했을 터였다. 이들의 경우와는 달리 히포코온의 아들 에나이시모스에게는 운이 따르지 않았다. 따라서 그는 멧돼지의 엄니를 피할 수 없었다. 공포에 떨면서 에나이시모스는 그곳에서 달아나려고 했다. 그러나 멧돼지의 엄니가 허벅지에 박히자 그는 다리를 꺾고 그 자리에 쓰러졌다. 퓔로스의 네스토르는, 멧돼지가 공격해 오자 창대를 장대삼아 짚고 가까운 나무로 뛰어올라, 밑에서 식식거리고 있는 멧돼지를 내려다보았다. 이런 봉고도 재간이 없었더라면, 네스토르는 트로이아 전쟁이 일어나기도 전에 이 세상을 떠났을 터였다. 네스토르를 놓친 멧돼지는 참나무둥치에다 그 엄니를 갈았다. 한동안 이렇게 엄니를 간 멧돼지는, 이 새로운 무기, 이 뾰족해진 엄니로 이번에는 히파소스를 공격했다. 히파소스는 멧돼지 엄니에 허벅다리를 찍혀 그 자리에 쓰러졌다. 하늘에 쌍둥이 별로 박히기 전의 쌍동이 형제 카스토르와 폴뤼데우케스는 백설같이 흰 말을 타고 질풍같이 내달으며 이 괴수를 향하여 창을 날렸다. 그러나 이들이 날린 창도 이 괴수에게는 상처를 입히지 못했다. 괴수가, 말도 뚫고 들어갈 수 없고, 창날도 뚫고 들어갈 수 없을 만큼 울창한 숲 속으로 몸을 피했기 때문이었다. 텔라몬이 달려 나갔다. 그러나 텔라몬은, 너무 서둘다가 쓰러진 나무둥치에 걸려 바닥에 쓰러지고 말았다. 텔라몬의 아우 펠레우스가 쓰러진 형을 붙잡아 일으킬 동안 테게아의 여걸 아탈란테는 시위에 살을 먹였다. 아탈란테가 쏜 화살은 허공을 가르고 날아가 괴수의 귀밑에 박혔다. 괴수는 이 상처로 피를 흘렸다. 멜레아그로스는 아탈란테의 화살이 괴수에게 명중하는 것을 보고는 자기 일처럼 좋아했다. 괴수의 피를 맨 먼저 본 사람도 멜레아그로스였고, 친구들에게 이를 맨 먼저 고한 사람도 멜레아그로스였다. 멜레아그로스는 아탈란테를 향하여 소리쳤다.

“그대의 용기는 칭송을 받을 것입니다. 그대의 용기는 칭송 받고도 남음이 있습니다.”

다른 무사들은 이 말을 듣고 부끄러움을 이기지 못해 얼굴을 붉혔다. 그들은 함성으로 서로를 격려하며 괴수를 공격했다. 공격했으되 협공할 생각을 않고 제각기 분별없이 날뛰었다. 그러나 수만 많았지 이들의 창이나 화살은 하나도 이 괴수에게 치명상을 입히지 못했다. 그러자 양날 도끼를 쓰는 아르카디아 사람 안카이오스가 외쳤다.

“한갓 아녀자가 쓰는 무기가 남정네 무기보다 낫다는 말인가? 잘 보라. 아녀자의 무기와 대장부의 무기가 어떻게 다른지 보여주겠다. 길을 비켜라. 아르테미스 여신이 이 괴수를 지켜주고 있을지 모르나 나는 내 손으로 기어이 이 괴수를 죽여 보이겠다.”

그는 이같이 자신만만하게 외치고 나서 두 손으로 도끼를 들고, 앞으로 돌진해 오는 멧돼지를 내리치려고 했다. 그러나 멧돼지는 이 겁 없는 사나이를 맞아 허벅다리 윗부분을 겨냥하고는, 그의 급소에다 엄니를 박았다. 안카이오스는 쓰러졌다. 괴수의 엄니에 뚫린 구멍으로는 검붉은 피와 함께 내장이 쏟아져 나왔다. 이 바람에 그 근방의 땅은 진홍빛으로 물들었다. 익시온의 아들 페이리토스가 창을 휘두르며 이 괴수를 향하여 돌진했다. 그러나 아이게우스의 아들 테세우스가 그를 불렀다. 테세우스가 그에게 소리쳤다.

“내 영혼의 일부인 내 친구, 내 목숨보다 더 사랑하는 친구 페이리토스여, 저만치 물러서 있게. 이 괴물과는 싸워도 거리를 두고 싸우는 수밖에 없네. 우리의 용기는 그 거리 밖에서만 유효하다는 것일세. 보게. 안카이오스의 무모한 용기가 결국은 안카이오스를 죽이지 않던가?”

테세우스는 이렇게 말하면서 무거운 청동 창날을 해박은 물푸레나무 창을 던졌다. 제대로 날아갔더라면 이 괴수에게 치명상을 입힐 수 있을 만큼 겨냥이 정확했다. 그러나 이 창은 허공을 날다가 참나무 가지에 걸려 땅으로 떨어졌다. 아르고 원정대장 이아손도 창을 던졌지만 그의 창은 목표물을 지나, 멧돼지를 좇던 사냥개의 허벅지를 꿰뚫어 그 자리에 내굴렸다.

이윽고 오이네우스의 아들 멜레아그로스가 두 개의 창을 던져 이 괴수를 쓰러뜨렸다. 먼저 던진 창은 땅바닥에 꽂혔으나 두 번째 던진 창이 이 괴수의 등 한복판에 명중한 것이다. 괴수는 피거품을 뿜으며 나뒹굴어 땅바닥을 거품과 피로 물들였다. 멜레아그로스는 지체하지 않고, 미친 듯이 땅바닥을 구르는 괴물에게 다가가 어깻죽지에다 또 하나의 창을 박았다. 동료들이 함성을 지르며 달려와 멜레아그로스의 손을 잡고 그 승리를 칭송했다. 괴수 옆으로 다가온 무사들은, 쓰러진 괴수가 차지한 땅이 엄청나게 넓은데 놀라 혀를 내둘렀지만, 쓰러져 있는데도 마음 놓고 가까이 다가가기가 무서웠던지 모두들 이 쓰러진 괴수를 찔러 창날에 피를 묻혔다.

한 발로 이 괴수의 머리를 딛고 선 채, 멜레아그로스가 아탈란테를 바라보며 소리쳤다.

"테게아의 처녀여. 내가 쓰러뜨린 이 괴수를 받아 주시고 괴수를 쓰러뜨린 영광을 나와 나누는 것을 허락하소서."

그는 이 말과 함께 이 괴수의 가죽과, 엄니 째 괴수의 머리를 아탈란테에게 바쳤다. 아탈란테는 이 선물에도 만족스러워 했고 선물을 준 사람이 멜레아그로스라는 사실에도 만족스러워 했다. 그러나 그 자리에는 아탈란테에게로 돌아간 이 영광을 질투하는 사람이 없지 않았다. 웅성거리는 좌중에서 플렉시포스와 톡세우스. 형제가 주먹을 쥐고 흔들면서 나와 고함을 질렀다.

"테게아의 처녀 아탈란테여, 그대가 받은 선물을 바닥에 내려놓으시오. 우리가 나누어 받을 명예를 가로채지 마시오. 아탈란테여, 그대가 아름답기는 하오만 그 아름다움을 지나치게 믿지는 마시오. 우리의 말을 듣지 않으면 그대를 짝사랑하는 저 자, 멜레아그로스도 그대를 지켜 주지 못할 것이오."

이렇게 말함으로써 이들 형제는, 아탈란테로부터는 멜레아그로스로부터 받은 선물을, 멜레아그로스로부터는 아탈란테에게 선물 줄 권리를 빼앗아 버렸다. 멜레아그로스는 이를 갈면서 부르짖었다.

"남의 영광이나 훔치는 도둑들! 내가 그대들에게, 말로 하는 위협과 실제로 하는 행동이 어떻게 다른지 가르쳐 주겠소."

멜레아그로스는 이 말을 끝내기가 무섭게 칼을 뽑아, 무심하게 서 있는 플렉시포스의 가슴을 찔렀다. 참으로 눈 깜짝할 사이에 일어난 일이었다. 톡세우스는, 형의 복수를 하고 싶었으나 형과 같은 신세가 되는 것이 두려워 망설였다. 그러나 오래 망설일 시간은 없었다. 멜레아그로스가, 형의 뜨거운 피가 뚝뚝 듣는 칼에다, 그보다 더 뜨거운 아우의 피를 묻혔기 때문이다.

"야, 한영애."

"왜 자꾸 영애라고 부르는데요? 세상 사람이 모두 강신우라고 부르는데 김 선배만 한사코 저를 한영애라고 부르는데요?"

"나는 여느 사람들이 부르는 이름으로 너를 부르고 싶지 않다."

"왜 그러는데?"

"상찬이 사람을 상하게 하는 거, 너 아니?"

"무슨 소리예요?"

"너는 내가 권하는, 벽을 마주보고 앉는 자리를 거절했다. 이것은 네가, 사람들이 네 얼굴 알아보는 것, 네 얼굴 알아보고 인사 건네는 것을 즐기고 있다는 뜻이다, 맞냐?"

"그럼, 비단 옷 입고 밤길 가라는 말이우?"

"역시……. 그랬구나."

"역시……. 눈치가 빠르구나."

"…… 이 바닥에서 잔뼈가 굵은 사람이라면 과장이 되겠지만 그래도 몇 해 이 바닥에서 밥을 빌어먹은 사람이다. 솔직하게 얘기하마. 잔인하게 들릴 수도 있다. 나, 이제 너에게 잔인해져야 할 때가 되었다. 나는 직업상 문화계의 꽤 유명한 사람들을 자주 만나고 또 인터뷰를 따기도 한다. 오래 이 짓을 하면서 나는 알게 되었다. 나는 대체로 그들에게 관대한 편이다. 왜? 독자들이 내가 관대하기를 바라기 때문이다. 그래서 나는 그들의 좋은 면만을 톺아서 기사를 쓴다. 그들에게 약점이 없을 수 없다. 하지만 그 약점은 내 마음 속에다 접어둔다. 알타이아의 장작개비인 셈이다. 나는 다른 미디어의 종사자들로부터 특정 문화계 인사의 부정적인 측면에 관한 소문을 듣기도 한다. 하지만 나는 그것을 서둘러 기사화하지 않는다. 그 문화계 인사의 긍정적인 측면이 부각될 동안은 절대로 기사화하지 않는다. 나는 기다린다. 네가 신화 혼성 모방, 혹은 신화 패러디에 능한 작가니까 신화로 얘기해 보자. 아킬레우스에게는 약점이 있었다. 발뒤꿈치의 힘줄이다. 아무도 그 힘줄을 건드리지 않는다. 막판에 끊어 버리려고. 언필칭 아킬레우스 건이다. 이것이 끊어지면 아킬레우스 이야기는 끝난다. 미노스의 강적 니소스에게도 약점이 있었다. 아무도 이 머리카락을 뽑지 않는다. 막판에 뽑으려고. 언필칭 니소스의 황금 머리카락이다. 이걸 뽑히는 순간 니소스는 힘을 잃는다. 스퀼라가 이것을 뽑아 버리는 순간 니소스 이야기는 끝난다. 구약 성경에 나오는 삼손에게도 비슷한 약점이 있었다. 삼손의 장발이다. 이걸 누가 자르던가? 데릴라가 자른다."

"저에게도 그런 약점이 있다는 말씀?"

"네 가슴에 손을 얹고 생각해 보렴."

"……."

"네가 스스로 너 자신의 치부라고 생각하는 것. 그런데도 남들이 지적하면 화가 나는 것……. 그걸 네 입으로 말할 수 있으면 너는 구원을 받는다. 그런 게 없다는 말이니?"

"……."

"마음의 병은 입으로 나가는 속성이 있다."

"…… 선배가 그러시니까 하는 말인데……. 처음에는 병인 줄 몰랐는데……."

"있었구나."

"있었어요."

"말할 수 있니?"

"…… 꽤 깊어진 것 같아요."

"말할 수 있으면 좋겠구나."

"……『내 사랑 아탈란테』가 당선된 뒤로는 혼자 있으면 온몸이……. 뭐라고 할까, 마구 근질거렸어요. 여럿이 어울려 먹고 마시는 자리가 생기지 않으면 온몸이 근질거렸어요. 그런 자리에 나가서, 잘 읽었어요, 굉장하더군요, 그런 재주 숨겨두고 어디 꽁꽁 숨어 있었다지요, 이런 소리 들어야 근지러운 게 사라지고는 했어요. 강신우 씨라니, 혹시 『내 사랑 아탈란테』의 작가 아니세요, 이런 소리를 들으면 참 좋았어요. 대중 연애 소설로 데뷔한 작가의 콤플렉스 때문일 거예요. …… 순수 문예지 청탁을 받고부터 이 근지러움은 가려움으로 변했어요. …… 소설 리뷰에 제 이름이 나오지 않으면 가려웠어요. 문예지라는 문예지는 모두 정기 구독했어요. …… 제 이름이 실리지 않으면 되게 가려운 거예요. 신문이라는 신문은 거의 다 봐요. 제 이름이, 책 광고로든, 기사로든 하루라도 빠지면 몹시 가려웠어요. 가려워할 거 없는데, 없는데……. 도대체 내가 왜 이러는 거지, 이러면서도 가려웠어요. 평론가들이 혹평하면 아팠어요. 아파서 잠을 잘 수가 없었어요. 아픔 말고 가려움증 말인데…… TV 나가서 강의하고부터 이 가려운 증세가 심해졌어요. 사람들이 내 얼굴을 알아보지 못하면 마구 가려워지는 거예요. 어서 알아봐라, 어서 알아봐라, 어서 알아 보고 알은 체를 해라…….”

“3류 배우 선글래스 쓰기로군. 불편한 적은 없었니?”

“…… 선배, 고백합니다, 즐겼어요.”

“최근에 너를 관찰하면서 몇 해 전에 본 TV 프로 〈감독 수첩〉을 떠올렸다. 「뜸북새 우는 마을」이던가. 한 암자에, 불쌍한 아이들, 아마 버려진 아이들일 거야, 이런 아이들을 거두어 돌보는 한 기특한 스님이 있었다. 그 스님에게는, 외부 지원 없이 그 많은 아이들 수발드는 것이 몹시 힘들었을 것이다. 실제로 스님이 고군분투하는 장면이 나왔던 것 같다. TV가 그런 암시를 주었기 때문일 것이다. 방영되자 엄청난 지원 자금이 몰려들었다. 그 스님, 어떻게 되었는지 아니?”

“…….”

“사실인지 아닌지 모르지만, 어쨌든 한 TV 프로그램에 따르면, 기고만

장해진 그 스님, 수억이나 되는 그 돈을 흥청망청 썼던 모양이다. 해외여행도 자주 다니고……. 불가에서는 여자 문제로 구설수에 오르면 끝나는 거 아니니? 그런데 이 스님은 애인도 하나 어디에다 꽁꽁 숨겨두었다고 하고……. 하지만 TV 프로가 이런 부정적인 측면을 정밀 취재해서 고발하는 바람에 그 스님 언론으로부터 멍석말이를 당하더라. 안타까운 일 아니니? 그런데 그걸 누가 고발했는지, 너, 혹시 아니?"

"……."

"바로 그 〈감독 수첩〉이었다. 너는 아탈란테를 잘 아니까 멜레아그로스도 알겠구나."

"…… 〈신화론〉 시간에 읽었지만 멜레아그로스는 가물가물해요."

"기고만장한 멜레아그로스가 아탈란테를 모욕한 두 용사를 죽였다."

"죽였죠.."

"이들이 누군지 아니?

"아탈란테에게만 눈을 대는 바람에……."

"외삼촌들이었다. 멜레아그로스를 낳아준 어머니 알타이아의 친정 동생들이었다. 네 이름이 알려지고 네 얼굴이 알려진 것을 나는 질투하는 심정으로 바라보고 있는 것이 아니다. 걱정스럽다. 우리 〈메디아〉는 수많은 미디어 중 하나일 뿐이다. 이제 너는 우리 〈메디아〉를 떠나 수많은 미디어의 손에 맡겨졌다. 미디어는 이제 더 이상 너의 작품을 말하지 않는다. 너라고 하는, 머리 좋고, 인물 좋고, 돈 잘 버는 작가를 말할 뿐이다. 여느 평범한 여성들의 꿈을 실현한 너의 그 캐릭터를 이용할 뿐이다. 이 세상의 많은 사람들은 이제 너의 이름을 알고 얼굴을 안다. 이름이 알려진다는 것, 얼굴이 알려진다는 것은 뉴스 값이 오르는 것을 뜻한다. 이제 너의 일거수일투족은 뉴스가 된다. 너는 이제 유명해진 사람이니까. 너는 긍정적인 측면이 노출된 사람이니까. 너의 그런 측면은 이제 뉴스로서의 신선도가 부족하다. 이제 미디어는 너의 부정적인 측면이 노출되기를 기다리고 있을 것이다. 너의 부정적인 측면이 노출되면 벌떼같이 달려들 것이다. 왜, 뉴스거리가 되니까. 너의 뉴스 값은 꽤 올라 있는 것 같다. 뉴스 값이 오르면, 뉴스 값이 오른 사람은 뉴스를 퍼뜨리는 미디어에 종속된다. 종속되지 않으려면 미디어를 떠나거나 불화하는 수밖에 없다. 그런데 너는 떠나려고 하지 않는다. 떠나려고 하지 않는 너의 경우 미디어와의 불화는 곧 파멸을 뜻한다. 나는 네가 미디어의 홍수 속에서 네 몸을 잘 건사할 것이라고는 처음부터 생각하지 않았다. 왜? 네가 미디어를 이용하고 있다는 인상을 받았으니까. 미디어를 이용하는 것은 좋다. 하지만 최근 들어 너는 기고만장해진 나머지 너의 생각과 다른 경우에는 미디어에 대한 적의를 드러내는 것도 서슴지 않더라. 맞냐?"

"부당한 것을 부당하다고 했을 뿐."

"미디어가 너를 부당하게 과대평가한다는 인상을 나는 받기도 했다. 그렇게 생각한 적 있지?"

"……."

"그때도 너는 부당한 것을 부당하다고 했니?"

"……."

"그때 너는 침묵했다. 맞지?"

"……."

"너는 지금 기고만장해 있는 것 같다. 기고만장해진 멜레아그로스가 그랬듯이 너 역시 언제 어디에서 외삼촌들을 죽이게 될지 모르겠다."

"……."

"사람이 공부는 왜 하는데?"

"……."

"옛 이야기를 왜 읽는데?"

"……."

"옛 이야기는 말하지 않음으로써 말하기 때문이라고 할 수 없을까? 아름다운 아탈란테가 경주에서 진 것은 황금 사과 때문이었다. 맞지? 너는 여성성(女性性)에 연연해 하지 않는 그 중성성(中性性) 때문에 아탈란테를 소재로 삼은 것 같지만 잘 선택한 것 같지는 않다. 내가 보기에 아탈란테는 아무래도 〈인기〉라는 이름의 황금 사과에 홀려 있었던 것 같다. 한 심사 위원이 너의 작품을 두고 옛이야기 짜깁기가 심하고, 18, 19세기의 영국 시인들을 모방한 듯한 문체와 수사가 마음에 걸린다고 한 적이 있다. 그것 때문에 내가 부장과 많이 싸웠다. 〈표절〉이라는 말을 쓰는 부장에게 나는 우리 삶이라는 게 표절의 연속이 아니냐는 궤변을 펼쳤던 것 같다. 나는 〈표절〉을 미화하면서 글뿐만 아니라 삶 또한 의식적으로 무의식적으로 옛사람들의 것들을 표절하는 것이 아니냐고 주장했다. 카를 융은 글로써, 표절한 니체를 변호했다고 주장했다."

"…… 맞아요. 바이런도 다시 꼼꼼하게 정독하고, 밀턴, 그레이, 키츠, 셸리, 로웰도 다시 읽고 그랬어요. 밑줄 쳐가면서……."

"말해 주어서 고맙구나. 다행이다."

"제가 지금 멜레아그로스처럼 외삼촌들을 죽이고 있나요?"

"그것은 아니다."

"선배도 꼬깃꼬깃 접어둔 저의 약점으로 저를 공격할 건가요?"

"아니. 힘을 잃었다. 부장이 너와 나의 관계를 알게 되었다."

"관계라니……. 무슨 관계가 있는 듯이 말씀하시네?"

"같은 학교 같은 과 선후배 관계 말이다. 나는 신예작가 강신우가 한영애인 줄 꿈에도 몰랐다. 그래서 노골적으로 너의 작품을 변호할 수 있었다. 하지만 일이 이렇게 된 지금, 나는 내 후배에게 거액의 상금이 돌아가도록 힘을 실어 주었다는 혐의에서 전혀 자유롭지 못하다. 부장은 〈배신감〉이라는 말도 했다더라. 아무래도 회사 떠나야 할 것 같다."

"…… 선배, 그러면 같이 떠날까."

"이러지 말아라. 처자식 있는 몸이다. 너는 아무래도 히포마네스를 또 하나 찾아내어야 할 것 같다."

"저…… 불편해지기 시작했어요. 무서워지기 시작했어요. 저, 너무 멀리 와 버린 것 같아요. 저 자신도 수습할 수 없을 정도로……."

"수습할 수 있을 것이다. 알타이아의 장작개비를 기억하면……."

멜레아그로스의 어머니 알타이아는 아들이 괴수를 죽였다는 소식을 들었다. 알타이아는 즉시 신전으로 달려가 신들에게 감사의 제물 드릴 차비를 했다. 그러나 아들의 승전보에 이어 곧 두 아우가 죽었다는 소식이 날아들었다. 알타이아는 두 아우의 부고를 받고 성이 떠나가게 울었다. 한동안 가슴을 쥐어뜯으며 울던 알타이아는, 금빛 제복을 검은 상복으로 갈아입었다. 그러나 알타이아가 울부짖은 것은, 두 아우를 죽인 자가 누구인지 알지 못했을 때였다. 오래지 않아 두 아우를 죽인 자가 누구인지 알고부터 알타이아는 더 이상 슬퍼하고 있을 수만은 없었다. 알타이아는 눈물을 거두고 두 아우의 죽음을 복수하기로 했다.

알타이아는 멜레아그로스를 낳은 직후 자기 손으로 감추었던 장작개비를 기억해내고 그것을 찾아내었다. 그리고는 하인들에게 명하여 불쏘시개를 가져와, 아들과 같은 운명을 타고난 장작개비 태울 불을 지피게 했다. 알타이아는 이 불길에다 네 번이나 그 운명의 장작개비를 던져 넣으려다가 네 번이나 물러섰다. 아들에 대한 사랑과, 아우들의 죽음에 대한 복수의 맹세가 어머니이자 누나인 알타이아를 괴롭혔다. 각각 아들과 아우들을 사랑하는 마음이 알타이아의 가슴을 두 쪽으로 나누는 것 같았다. 아들을 죽이기로 마음을 다그칠 때마다 알타이아의 얼굴은 보기에도 민망할 정도로 창백해졌다. 그러나 아우들의 죽음을 생각할 때마다 그 얼굴에서는 분노의 불길이 이글거리고 두 눈에서도 불꽃이 번쩍거렸다. 표정도 시시각각으로 변했다. 말하자면 한동안 무시무시한 얼굴을 하고 있는가 하면 어느 새 연민에 가득 찬, 자애로운 얼굴이 되어 있는 것이었다. 무시무시한 얼굴을 하고 있을 때는, 뺨을 타고 흐르던 눈물이 곧 말랐다. 그러나 그 눈물이 마른 자국 위로는 새로 나온 눈물이 흐르고는 했다. 이쪽으로 부는 바람과 저쪽으로 흐르는 조류 사이에서 이쪽으로도 못 가고 저쪽으로도 못 가는 배처럼 알타이아의 마음도 분노와 연민 사이에서 갈피를 잡지 못했다. 그러나 시간이 흐르면서 누나로서의 알타이아가 어머니로서의 알타이아를 이겨내기 시작했다. 알타이아는 죽은 아우들의 영혼을 피로써 달래어주기로 마음먹었다. 아들을 죽이는 죄를 지음으로써, 원통하게 죽은 아우들에 대한 죄의식을 닦고자 마음먹은 것이었다.

하인들이 지핀 모닥불에서 불길이 오르기 시작했다. 알타이아는 타다남은 장작개비를 손에 들고 불길 앞에 서서 불길을 보며 외쳤다.

"이 불길을 화장단의 불길로 삼아, 내가 낳은 자식을 태울 수 있게 하소서.

징벌을 주관하시는 에리뉘에스 세 여신이시여. 제가 드리는 이 기이한 제물을 받으소서. 저는 이로써 아우들의 죽음을 복수하고 아들을 죽이는 죄를 지으려 합니다. 죽음은 죽음을 통해서 화해를 이루게 하고, 사악한 죄악은 사악한 죄악을 통하여 씻기게 하시며 살육을 통하여 살육의 갚음이 이루어지게 하소서. 이러한 죽음과 사악한 죄악과 살륙이, 마침내 이 집안을 파멸시킬 때까지 쌓이고 쌓이게 하소서. 친정 아비 테스티오스는 자식의 주검 앞에서 슬퍼하고, 지아비 오이네우스는 그 자식의 승리로 희희낙락할 수는 없습니다. 그럴 바에는 둘 다 슬퍼할 거리가 있어야 마땅한 것이 아닙니까?

아. 내 아우들아. 저승에 당도한 지 얼마 안 되는 내 아우들의 망령들아. 와서 내가 차리는 제물을 흠향하여라. 내 태에서 난 자식을 죽여 마련한 이 비싼 제물, 이 눈물겨운 제물을 흠향하여라.

아, 내가 왜 이렇게 서두르는 것이냐? 아우들아, 저 죄 많은 것의 어미인 나를 용서하여라. 마음은 원이로되 손이 말을 듣지 않는구나. 내 아들이 죽어 마땅한 죄를 지은 것은 나도 알고 있다. 그러나, 내가 저 아이를 죽여야 한다니, 견딜 수가 없구나. 하면, 저 아이에게 벌을 내리지 말아야 할까? 너희 형제는 죽어 음습한 땅의 망령으로 떠도는데, 죽어서 한 줌의 재가 되었는데 저 아이는 이 멧돼지 사냥으로 칼뤼돈의 영웅이 되고, 칼뤼돈 땅을 다스리는 왕이 되어 부귀영화 누리는 것을 용납해야 하느냐? 안 된다. 그것만은 나도 용납할 수가 없다. 이 죄 많은 것도 너희들처럼 죽어야 한다. 죽어서, 아비의 희망, 제 아비의 왕국과 함께 저승으로 가야 한다. 제 아비의 왕국은 쑥대밭이 되어야 한다. 그러면, 아, 그러면, 어미가 자식에게 보이는 자애는 어쩌고? 부모와 자식을 잇는 사랑의 끈은 어쩌고? 내가 저 아이를 배고 했던 열 달의 고생은 어쩌고?

내 아들아, 차라리 네가 아기였을 때 저 장작개비와 함께 네 생명을 태워 버렸더라면 좋았을 것을. 이 어미의 손으로부터 생명을 받았던 내 아들아. 이제는 그 때 네가 받았던 생명을 되돌려 주어야 한다. 네가 한 일이 있으니 야속하다고 생각 말고 그 대가를 치러라. 이 어미로부터 두 번, 한 번은 이 어미가 너를 낳았을 때, 또 한 번은 불붙은 장작개비를 불 속에서 꺼낼 때 받았던 그 목숨을 어미에게 돌려다오. 네가 그 목숨을 내어놓기 싫거든 이 어미를 어미의 아우들이 있는 저승으로 보내다오.

아, 내 손으로 이 장작개비를 태우고 싶다만 할 수가 없구나. 피투성이가 된 내 아우들의 모습, 이들이 죽어가던 순간의 모습이 보이는 것 같은데도, 아들에 대한 어미의 사랑, 어미라는 이름이 이 결심을 깨뜨리는구나. 나같이 팔자가 기박한 것이 또 있을까……. 아우들아. 너희들은 승리할 것이다. 그러나 너희들이 승리하는 순간 얼마나 무서운 일이 이 누이를 기다리고 있는지 아느냐? 그러나 승리해야 한다. 너희에게 승리를 안긴 연후에 나 또한 너희 있는 곳으로 갈 것이다. 너희와, 너희 영혼을 위로하려고 내 손으로 죽인 내 아들의 뒤를 따라갈 것이다.

알타이아는 이렇게 부르짖고 나서 그 운명의 장작개비를 불길 속으로 던져 넣고는 고개를 돌렸다. 불길이 옮겨 붙으면서, 그리고 그 불길에 맹렬히 타오르면서 그 장작개비는 신음했다. 아니, 알타이아의 귀에는 신음소리가 들리는 것 같았다.

현장에 있기는커녕, 궁전에서 이런 일이 일어나고 있으리라고는 생각도 못하던 멜레아그로스에게 그 불이 옮겨 붙었다. 그는 자신이 보이지 않는 불길에 타고 있음을 알았다. 멜레아그로스는 불굴의 용기로 그 고통을 참아내려 했다. 그러나 참을 수 있는 고통이 아니었다. 그는, 자신이 피 한 방울 흘리지 않고 죽어가고 있음을, 불명예스럽게 죽어가고 있음을 알고는 슬퍼했다. 그래서, 치명상을 입고 죽어간 안카이오스를 부러워했다. 그는 마지막으로 연로한 아버지의 이름, 형제들의 이름, 누이들의 이름, 그리고 아내의 이름을 불렀다. 어쩌면 어머니의 이름도 불렀을 것이다. 불길이 소진되자 그의 고통도 끝났다. 남은 불길 아래로 흰 재가 가라앉자 그의 숨결은 대기 속으로 증발했다.

오비디우스의 『변신 이야기』 중에서

김남일

1957년 경기 수원 출생.
한국 외국어대학교 화란어과 졸업. 1983년《우리 세대의 문학》으로 등단.
소설집으로『일과 법과 자유』『천하무적』『세상의 어떤 아침』등이 있음.
bayon@dreameiz.com

내 소설에 물기가 없다는 말, 참 많이 들었다. 그때마다 아픈 가슴은 뒷전이고 어떻게 하면 물기가 촉촉이 묻어나게 할 수 있을까 고민도 많이 했다. 그게 어디 마음대로 되는 일일까. 내깐에는 꽤 촉촉하다고 느낀 작품도 햇볕 아래 나가면 금세 빳빳하게 마른 장작이 되기 일쑤였다. 그렇게 시간이 흘렀고, 나는 점점 소설에 자신이 없어졌다.

이 작품은 삼 년만에 발표한 것이다. 그 새 무슨 일이 있었을까. 읽어 보시라. 소설이 여전히 소설답지 못하다는 생각이 든다. 그럼 소설다운 소설, 그건 또 무엇일까.

요즘, 제일 자주 입에 올리는 말이 '생' 이다. 예전 같았으면 '인생' 이라거니 '삶' 이라거니 그런 식으로 썼을 테지만, 어쩐지 요즘은 그저 '생' 이라고 쓰고 싶다. 그리고 그 '생' 은 지금 여기가 아닌, 어디 다른 시간 다른 곳에 있을 것만 같다. 고백하건대, 그 다른 곳은 예전에 내가 품었던 어떤 이념의 기대치 같은 것하고는 전혀 거리가 멀다. 백 프로 사적인 공간이다. 그 속에서 나는 이미 희망이 없는 인간이다.

희망이 사라진 곳에서 물기가 묻어날까. 무식하지만 한번, 갈 데까지 가 보고 싶을 뿐이다. 실은, 이런 말 쉽게 하는 게 아니다.

사북장 여관

김남일

"그냥 가라는 거지요? 두 시간쯤 바짝 가면 될 것 같은데?"

차에 올라타자마자 정원이 정면 이정표를 가리키며 말했다. 태백 80km. 길이 험해도 얼추 그 정도면 될 터였다. 고개를 끄덕였다. 정원은 막바로 시동을 걸었다. 조금 전의 사내가 차 앞에 와서 다시 방향을 일러 주려고 했다. 몸을 가누려고 애쓰는 기색이 역력했지만, 그럴수록 뒤뚱뒤뚱 위태로운 자세가 나왔다. 곁의 여자가 미간을 찡그리며 사내의 손목을 끌었다. 두 사람은 곧 길가 판자대문 집으로 사라졌다. 삼거리에는 이제 아무도 없었다. 성냥곽 같은 모퉁이 검문초소와 지붕 나지막한 몇 채의 가게집들이 풍경의 전부였다. 산을 넘어온 어둠이 흐릿한 가로등 불빛마저 넘보고 있었다.

"그 사람, 술 취했어. 이쪽이라는데, 믿어야지 뭐. 저쪽 길도 되긴 될 거야. 하지만 아무래도 가 보지 않은 길이라……."

"뒷모습은 얼핏 철휘 형 같았어요."

"뭐? 갑자기……."

"그냥 그렇게 보였다구요."

지난밤의 취기가 훅 끼쳐오는 느낌이었다. 말을 받는 대신, 이미 소용없어진 한 장짜리 지도를 차 문 주머니에 찡겨 넣었다. 한번도 가 보지 못한, 상동을 거쳐가는 오른쪽 길에 대한 아쉬움도 접었다. 갈림길에 섰을 때, 나는 호기심보다 두려움을 느끼는 편이었다. 뻔한 외길에서는 길이 험할지라도 차라리 마음이 편했다. 어쩌면 잘못 길을 택했을 때 금세 당황해하는 내 자신을 보거나 또 보여주기 싫어서일지 몰랐다.

차는 석항 삼거리를 쉽게 벗어나 굽잇길을 타기 시작했다. 한결 짙어진 어둠이 커튼처럼 휘감겨 들었다.

툭체 가는 길이 떠올랐다.

점심을 먹은 마을을 벗어나자마자 길은 사라졌다. 우기에는 물이 차고 넘쳤을 강이 마른 바닥을 드러낸 채 드넓게 펼쳐져 있었다. 시야에 나무 한 그루 걸리지 않았다. 검은 산 그림자가 집어삼킨 황량한 강바닥이 유일한 길이었다. 환타지 소설을 펼친 듯한 풍경 앞에서 잠시 당혹스러웠지만, 이내 방향을 잡고 걸음을 떼었다. 정원은 보라색 양모 숄로 얼굴을 감싼 채 조심스레 따라왔다. 코에 닿는 바람의 냄새가 심상치 않았다. 몇 발짝 가지 않아 벌써 풍경은 숨기고 있던 음모를 드러냈다. 거친 흙바람이 얼굴을 때렸다. 눈을 제대로 뜰 수 없었다. 숨을 내뱉을 때마다 입에서 단내가 났다. 혓바닥에 모래 알갱이들이 서걱거렸다. 뿌연 시선 너머 아득히, 금세 또 돌개바람이 일었다. 두렵지는 않았다. 이제껏 그래왔듯이 길은 반드시 나타날 것이고, 그 길 끝에 툭체 역시 모습을 드러낼 것이었다. 잠시라도 생각의 끈을 놓치면 안 돼. 중심을 잃고 휘청거릴 거야. 스스로 버리면서, 거친 바람 속으로 걸음을 옮겼다. 날은 부쩍 어두워졌다. 한 걸음 한 걸음, 그림자가 엿가락처럼 늘어났다. 정원은 자꾸 처졌다. 그때마다 걸음을 멈추고 기다렸다. 한번도 그런 모습을 보인 적이 없었다. 나와 거의 맞먹을 만큼 무거운 배낭을 지고도 늘 씩씩하게 산행을 하던 정원이었다. 한순간, 밭은 비명이 들려왔다. 보라색 숄이 눈에 띄는가 싶더니, 어느새 까마득한 허공으로 날아오르고 있었다. 정원이 하얗게 질린 얼굴로 나를 바라보았다.

마침내 우리는 세상에서 제일 깊다는 칼리간다키 계곡 바닥에 마치 중세의 봉쇄수도원처럼 박혀 있는 마을, 툭체에 도착했다. 땅거미가 걸어온 길을 지운 뒤였다. 흙집 지붕들 위로는 강풍에 찢어질 듯 룽다가 나부끼고, 그 뒤쪽으로는 우리가 가야 할 히말라야의 설산 마루들이 현란한 석양빛을 토해냈다.

무서웠어?

정원은 대답 대신 겨우 고개만 끄덕거렸다. 바람 때문인가. 눈가에 찔끔 눈물마저 맺혀 있었다. 말없이 정원을 껴안았다.

입구 담장에 붙어서 있던 구룽족 아이들이 그제서야 경계의 눈길을 거두고 싱긋 웃었다.

나중에 정원이 말했다.

툭체는 나타나지 않을 거야. 이대로 영영……. 그렇게 생각하자 별별 생각이 다 들었어요. 오다가 어떤 오두막 한 채 봤지요? 난 그때 우리가 길을 잃고 다시 돌아와 거기서 밤을 새울지 모른다고 생각했어요. 라면도 괜히 먹어치웠구나 후회했고…….

"무슨 생각해요?"

"툭체."

정원의 입가에 슬핏 미소가 묻어났다.

얼마를 더 가자 차창에 희끗희끗 달라붙는 게 있었다. 눈이었다. 조밀한 어둠 속에서도 조금씩 흰 빛이 짙어져 갔다. 길가 녘 밭고랑들은 마치 흰 비닐을 뒤집어쓴 것처럼 보였다. 그래도 급한 굽잇길을 돌 때마다 큼지막한 어둠이 유빙처럼 불쑥 나타나 시야를 가렸다. 길은 외길이었고, 양쪽 산이 만들어내는 계곡은 점점 깊어졌다. 이따금 기차길이 나란히 달리고 있다는 사실을 알려주는 구조물들이 시야에 들어왔다간 이내 사라졌다. 한때 석탄을 가득 실은 화물열차들이 수시로 오가던 철길이었지만, 이제는 쾌속으로 달리는 〈환상의 눈꽃열차〉가 주인처럼 오갈 터였다. 눈발이 심상치 않았다. 언제부터인지 브러쉬가 쉬지 않고 움직이고 있었다.

"이 눈 좀 봐. 우리가 오긴 제대로 왔네. 그래도……. 아무래도 한번 점검해 봐야겠어요."

정원이 자신없는 웃음을 띠면서 말했다. 오기 전에 일부러 체인을 샀다는 그녀의 말이 떠올랐다. 어떻게 치는 것인지, 물론 나는 몰랐다. 정원에게 보여줄 만한 게 아무것도 없다는 생각이 스치듯 지나갔다. 언제 딱히 무엇을 보여준 것도 아니지만……. 세상은 현기증이 날 만큼 빠른 속도로 앞서가는데, 나는 늘 차창 밖으로 멀미나 토해내는 삶이지 싶었다. 창밖의 화려한 풍경은 나하고는 아무런 상관이 없었다.

무엇인가 일이 꼬일지 모른다는 불안감이 슬며시 고개를 쳐들었다. 정원은 마침 눈앞에 나타난 길가 식당 쪽으로 핸들을 꺾었다.

"무섭네, 눈이."

차에서 내리는 정원의 머리 위로 어느새 풀솜처럼 성글어진 눈발이 날렸다. 그러나 바로 한 걸음 뒤 하늘은 거짓말처럼 깜깜했다. 그제서야 거꾸로 내 머리속에는 우리가 거쳐야 할 사북의 그림이 또렷하게 모습을 드러내기 시작했다. 아득했다.

벌써 3년…….

어떻게든 퍼즐을 풀지 않고서는 이 아득함에서 벗어나지 못할 거라는 생각이 들었다. 내겐 함박눈마저 사치였다.

모처럼 집에 들렀다. 근 한 달만이었다.

미리 연락을 한 것도 아니지만 손잡이를 돌리자 문은 쓱 열렸다. 거실 바닥에 아무렇게나 엎드려 잠을 자는 두 딸아이가 눈에 들어왔다. 아내는 앉은뱅이탁자 앞에서 무언가를 하고 있었다. 곧, 생일날 내가 둘째 서영이에게 사준 디즈니 퍼즐이라는 것을 알아차렸다.

당신, 이게 뭐하는 짓이야?

아내는 꼼짝도 하지 않았다. 마치 나의 그런 태도를 기다리기라도 한 것처럼 힐끔 한번 쳐다봤을 뿐이었다. 탁자 위에서는 스노클링을 한 미키 마우스가 헤엄을 치고, 한 구석에서 미니는 자기 얼굴보다 더 큰 손바닥으로 좋아라 박수를 치고 있었다. 듬성듬성 빈 구석도 많이 남아 있었다. 특히 수평선 위 하늘 부분이 그랬다. 하늘……. 그 와중에도 나는 똑같기만 한 저 하늘을 무슨 수로 짜맞출 것인지 궁금했다.

아이들을 안아다 침대에 눕힐 때까지 아내는 한 마디 말도 꺼내지 않았고 한 발짝도 움직이지 않았다. 그게 아내의 새로운 전술이라고 생각했다.

나는 둘째애의 침대 옆에서 요도 없이 쪽잠을 잤다.

이튿날도 집에 들어갔다. 상황은 똑같았다. 달라진 것이라면 내가 무턱대고 화를 내지는 않았다는 것뿐. 나는 이제 당연한 절차처럼 잠든 아이들을 안아다 침대에 뉘었다. 아내는 탁자 말에 달라붙은 그 자세를 조금도 흐트러트리지 않았다.

슬쩍 훔쳐본 아내의 얼굴에 긴장감마저 감돌고 있었다. 실은 나 역시 궁금했다. 내가 사다주기는 했지만 저게 도대체 무엇인지, 어지럽게 뒤섞인 저 무수한 조각들을 무슨 수로 다 꿰어맞추는지 내 깜냥으로는 알 도리가 없었다. 어쨌거나 나는 그런 장난이라도 하는 아내가 차라리 고맙다는 쪽으로 생각을 고쳐 먹었다. 동이 터올 때까지 영지버섯, 란제리, 자석요, 초강력 세정제 따위를 파는 홈쇼핑 광고를 보거나 열 번도 넘게 봤을, 우습지도 않은 코믹 괴기 영화 비디오를 다시 보는 것보다는 나았다. 아니, 그건 좋고 나쁘고의 문제가 아니었다. 아내나 나나 서로의 시선 뒤로 잔뜩 겁을 집어먹은 얼굴을 감추고 있는 것인지도 몰랐다. 솔직히 나는 아내와 내가 다른 방식으로 만나는 장면을 감당해 낼 자신이 없었다.

아내의 손길은 무척 빨랐다. 전날 밤하고는 비교할 수조차 없었다. 그런 손놀림은 무엇인가 분명한 목표가 있다는 뜻이었다. 분명한 목표. 그건 바로 시간이었다. 시간과의 싸움. 아내는 이제 조각을 다 맞춘 뒤 바다속 미키 마우스 그림을 완성하는 게 목표가 아니었다. 더 빨리 맞추는 것. 그게 목표였다. 아내는 내가 처음 들어왔을 때 거의 시작 단계였던 그림을 욕실에서 나왔을 때는 놀랍게도 거의 다 짜맞추고 있었다. 수평선 위로 하늘은 진짜 하늘처럼 푸르렀다.

그것마저 아무것도 아니었다.

아내는 조각 개수가 훨씬 많은 퍼즐을 사들이기 시작했다. 몇 번이고 되풀이해서 맞췄을 디즈니 퍼즐은 아예 자취를 감추었다. 스위스의 산과 호수쯤으로 보이는 풍경 그림처럼, 보기만 해도 눈이 어찔한 천오백 조각짜리 퍼즐이 나타났다. 말이 천오백 조각이지, 지구상 어떤 형체든지 천오백 조각으로 나누면 존재 자체가 소멸될 터였다. 아내는 나와 함께 끌고 온 십오 년의 세월을 천오백 조각으로 쪼개는 중이었다. 행여 그 세월의 갈피에서 어떤 기억의 편린이라도 묻어날까 두려워할까? 그 속에서 나는 어떤 식으로 소멸될지……. 그리고 그렇게 잘게 나뉜 생의 조각들은 아내의 손길을 타고 다시 어떤 모습으로든 짜맞추어질 터였다. 육안으로는 형체도 구별할 수 없는 낱낱의 조각, 낱낱의 원자들이 결합되는 순간 비로소 존재의 어떤 최초의 단서와 맞부닥치게 되리라. 그 순간, 그건 이미 과학을 넘어서서 어떤 신비의 영역으로 비약하는 순간이리라. — 아내는 해체와 결합의 무한한 반복을 통해 자신의 삶을 근본적으로 변화시키려는 것인지도 몰랐다.

하지만 나는 나대로 아직 나를 합리화할 어떤 계기를 기다리고 있었을 것이다.

그저께 밤이었다.

며칠만에 다시 들어간 것이었다. 문은 역시 열려 있었다. 신발을 벗고 발을 딛는 순간 눈이 확 뒤집히고 말았다. 아이들까지 달라붙어 퍼즐을 하고 있었다. 이미 자정이 넘은 시각이었다. 아이들은 내가 들어서는 걸 보고서도 건성으로 인사만 건넨 뒤 계속 손을 놀렸다. 두 눈을 질끈 감았다. 분노를 누그러뜨리기 위해 참자 참자 속으로 무진 애를 썼지만, 화산처럼 솟구치는 내 감정을 끝내 다스릴 수는 없었다.

이제 보자보자 하니까!

달려들어 탁자를 확 걷어찼다.

거의 완성 단계에 이르렀던 영국풍 대저택이 한순간에 형체도 없는 원자들로 분해되어 버렸다. 그와 더불어 세 모녀가 그때까지 쏟아부었던 시간도 중력과 자장 너머 진공으로 깨끗이 사라져버렸다.

불만이 있으면 말로 하라고. 당신 혼자로는 모자라? 아이들까지 끌어들여 이렇게 유치한 전법으로 나오지 마!

겁에 질린 아이들이 방으로 달아났다.

아내가 벌떡 일어섰다. 창졸간에 뺨이 화끈 달아올랐다.

나쁜 놈!

아내가 더없이 차분한 목소리로 말했다.

여성 운전자도 쉽게 다룰 수 있는 신형 체인이라고 했다. 그렇지만 생각만큼 만만치는 않았다. 안쪽 고리를 연결시키는 것이 특히 힘들었다. 자꾸만 허방을 짚었다. 손도 곱은 데다 타이어 밑에서 움직일 공간마저 너무 좁았다. 목장갑을 끼긴 했지만 손가락 끝이 떨어져나갈 듯 아려왔다. 그러다가 어느 순간 싱겁게 암수 고리가 탁 맞아버렸다.

정원도 반대쪽 바퀴에 체인을 다 감고 일어섰다.

"도움이 안 돼요."

힘든 표정을 지어보이자 정원이 웃으며 말했다.

"자꾸 그렇게 몰아부치지 마. 그래도 결국엔 다 끼웠잖아."

"그건 그래요. 신기하지? 도대체 어쩌나 싶고 영 위태로워 보이는데 꾸물꾸물 나중에는 어떻게든 하긴 한단 말이에요. 저 우둔한 손재주에 힘도 하나도 없으면서……. 자기 진짜 웹마스터 맞아요?"

"내가 그래도 끈기 하나는 있잖아."

"어구구, 맞아요, 내 사랑."

정원이 목장갑을 벗은 맨손을 내 볼에 살짝 갖다댔다.

다시 차를 움직여 얼마간 갔을 때였다. 마치 탱크가 움직이듯 요란한 소리가 귀를 때리기 시작했다. 차체도 꽤나 흔들거렸다. 정원은 핸들을 붙잡은 손에 더욱 힘을 주는 듯 미간까지 찡그렸다. 앞쪽 비탈길 옆에서 청소부 차림 중노인 하나가 무슨 일인가 싶은 표정으로 바라보고 있었다. 제설 차량을 기대했지만, 그런 건 어디에도 보이지 않았다. 어쩌다 하나씩 내려오는 차들을 유심히 살폈다. 체인을 친 차량은 거의 없었다.

"아무래도 도로 빼야 할까 봐요."

"속도를 조금 올려보면 어때?"

정원은 내 말대로 속도를 올리기 시작했다. 굉음에 가까웠던 소리가 훨씬 줄어들고 차체의 요동도 거의 느끼지 못할 정도로 줄어들었다.

"체인을 처음 쳐서 그런가? 그게 차바퀴에 딱 달라붙으면서 소음이 줄어든 것 같아요."

그런 짐작도 정확한 것만은 아니었다. 더 중요한 것은 노면의 상태였다. 운전 경력이 근 이십 년에 가까운 정원이나 이 나이 되도록 운전대 한번 잡아본 적이 없는 나나 겨울철 이런 길이 보여주는 특성에 대해서는 깜깜하기 매일반이었다. 군데군데 눈이 미처 쌓이지 않은 맨바닥을 탈 때는 소음이 여전했다.

정원은 꽤나 예민한 반응을 보였다.

눈발이 아까처럼 퍼붓지는 않았다. 채 썬 가래떡처럼 뿌려지는 정도였다. 그래도 노면은 벌써 얼어붙어 상당히 미끄러웠다. 이따금 지프형 차들이 보란 듯 앞지르기를 했다. 정원은 평소와 달리 꽤 조심스럽게 운전을 하고 있었다. 그런 만큼 귀를 파고드는 소음도 짜증스러울 정도였다.

"평소답지 않네."

"무서워요."

"그것도 평소답지 않고."

"나 길치라는 거 몰라요? 앞에 무엇이 있을지 전혀 예측을 못하면……."

"날 못 믿어? 여긴 내 관할구역이나 마찬가지라니까. 사북이잖아. 그 다음은 고한, 태백이고……."

가볍게 말하다가 나는 뒷말을 쿡 삼키고 말았다. 전혀 생각지도 않던 거대한 장애물이 불쑥 머릿속에 들어찼기 때문이었다.

"아, 싸리재."

신음처럼 말을 흘렸다.

"응? 그게 뭐야?"

"전혀 생각지도 못했네. 이런 바보! 어떻게 이럴 수 있지? 그걸 빼놓고 사북을 어떻게……."

사실이었다.

까마득히 싸리재의 존재를 잊어먹고 있었다. 아마 안동까지 뻥 뚫린 중앙고속도로 때문인지도 몰랐다. 지도 위에서 새로 개통을 본 그것만 짚고서는 태백까지 가는 길 짐작도 그런 기준으로 해 버렸다. 신림 나들목에서 빠져나와 주천을 거쳐 영월까지, 그리고 다시 석항을 지나 여기까지 오는 동안, 얼마 후에는 어떻게든 나타날 태백산만 내내 그리고 있었던 것이다.

"싸리재를 넘잖고선 도무지 태백이든 태백산이든 갈 도리가 없어. 이제 와선 말야."

"높아요?"

"게다가 험하지. 아마 대관령보다 험할 걸? 그때도 에스자 운전 연습하면 딱 좋겠다고 생각했었으니까. 난 물론 면허도 없었지만……."

"사북 지나서 그게 있단 말이지요? 그럼 할 수 없지 뭐. 우리, 사북에서 자요. 거기서 밥도 먹고."

정원이 딴사람처럼 말했다. 어딘가 모르게 겁을 좀 먹은 것 같았다. 내 쪽에서 조르다시피 해서 갑작스럽게 이루어진 이번 여행에 대한 부담감 때문일까. 사실 정원이 이렇게 힘들게 여행을 떠난 적은 없었다. 밀린 일도 일이겠지만, 무엇보다 학교에 다니는 아이가 문제였다. 이번에는 부모님과 전남편 모두 멀리 출타 중이었고, 하나 있는 동생 부부도 둘째 아이 출산이 오늘내일하는 터라 움직일 몸이 따로 없었다. 결국 못 미덥지만 아이의 친구들이 와 있기로 하고서야 길을 떠날 수 있었다.

"그래, 사북장 여관에서 자지. 이름 좋지? 아마 그런덴히말라야 로지들처럼 벽이 베니아판처럼 얇을 거야. 재밌겠다."

정원은 아무런 대꾸도 하지 않았다. 무엇을 두려워하는 것일까? 예측할 수 없는 앞길? 예측할 수 없는 앞날? 우리 만남은 언제 누가 예측했던 일일까?

신동, 별어곡, 자미원, 증산…….

이름이 익은 이정표를 하나 둘 뒤로 물릴 때마다 사북은 그만큼 가까워지고 있었다. 그렇지만 나는 마치 한 번도 가지 않은 길을 가는 듯한 착각에 젖어들었다.

기억이 없다면 삶은 무슨 의미를 지닐까.

그런데도 언제부턴가 나는 애써 기억과는 무관하게, 또는 의식적으로 기억을 지우며 살아왔다. 사북의 기억도 그중 하나였음을 고백해야 한다.

그때 사북은 어린 시절 고향 마을 공회당에서 어쩌다 보게 되는 비 내리는 반공영화의 무대처럼 온통 새카만 색깔이었다. 저탄장이며 석탄을 실어나르는 화물열차 차량과 작은 광차들……. 마을을 조금만 벗어나면 산 중턱 어디서나 시커먼 아가리를 벌리고 있던 갱구를 쉽게 목격할 수 있었다. 그리고 그런 산비탈에 아슬아슬하게 달라붙어 있는 판자집들. 개울은 당연히 새카맸고, 여름에도 산은 전혀 푸르지 않았다. 무엇보다 사람들이 그랬다. 갱부든 갱부의 아내든 갱부의 아이들이든 하나같았다. 나이 들어 진폐가 드러난 갱부는 막장 안보다 나을 게 없는 판자집 한 켠 골방에서 하루종일 받은 기침을 토해냈고, 아직 병들지 않은 젊은 갱부는 밤마다 막소주에 삼겹살로 목에 낀 탄가루를 씻어냈다. 선탄 작업을 하는 갱부의 아내가 남편보다 더 깨끗할 이유는 없었으며, 그건 엄마 없이 학교에 가야 하는 아이들도 마찬가지였다.

말하자면 사북은 전혀 다른 시간을 살고 있었던 것이다.

첫날 어떤 병방 작업조 광부의 집으로 나를 끌고갔던 철휘는 약속을 해놓고도 잠에 취해 일어나지 못하는 그를 끝내 깨우지 않았다. 대신 나를 가까운 화절령 꼭대기로 데려갔다. 어쩌다 목탄차만 벌목짐을 싣고 돌아가는 굽잇길을 한없이 걸어 올랐다. 코딱지만한 분교가 나타났고, 그 바로 위가 정상이었다. 아득했다. 둘러보아도 첩첩 산뿐, 어디에도 사람이 살 만한 세상은 없었다.

철휘가 한 말이 기억난다.

사는 게 수모야, 여기선. 존재 자체가 수모라는 말이지.

나는 광산지대 르뽀 첫 줄을 그 말로 장식했다.

사북을 두 번째로 찾았을 때는 철휘와 함께 싸리재를 넘었다. 그는 이따금 지치고 힘이 들 때면 싸리재 정상에 서곤 한다고 했다.

그리고 세 번째인가 네 번째 찾아갔을 때, 그는 이미 사북에 없었다.

감옥에서 봉함엽서가 날아왔다.

먼 훗날 사북을 다시 찾게 되면 나는 아마 각따귀떼처럼 달려들 기억들 때문에 어쩔까 싶어. 아마 울음을 터뜨리겠지. 어찌 안 그러겠어? 내 청춘이 고스란히 녹아 있는데…….

철휘는 사북에서 함께 일하던 여성노동자와 동거를 하고 있었다. 펑퍼짐하고 얼굴이 까만 여자였다. 이따금 서울로 면회를 오는 그녀를 만났다.

자꾸 불길한 예감이 들어요. 그 사람이 아무리 그렇지 않다고, 결코 그럴리 없다고 말해도 점점 더 불안해져요. 사실이 그렇지 않을까요? 아무리 좋게 생각해도 이건 어쩔 수 없이 남녀 사이의 문제잖아요. 난 요즘도 가끔 그런 생각을 해요. 저 사람이 왜 나랑 살까……. 내 자신 정말이지 한없이 초라해질 때, 수치스러워요. 이럴 줄 알았죠. 여자는 본능적으로 알잖아요? 그런데도 난 그이를 택했어요. 어쩌면 그이의 행복을 가로챈 것인지도 모르지요. 그런 내가 싫어요. 아이마저 없었다면 진작 포기했을지도 모르지요. 천벌을 받을 소리지만, 어떤 땐 그이가 감옥에서 나오지 않았으면 하고 생각할 때도 있어요.

미루어 짐작컨대, 그녀는 거의 우울증 증세까지 나아갔던 모양이었다.

마지막으로 내가 사북을 찾았을 때, 그녀는 뇌성마비 아이와 함께 친정으로 떠났다고 했다. 말을 전해 주던 단골 슈퍼 아줌마의 표정에도 그늘이 꽤 짙었다. 하루도 광풍이 몰아치지 않을 때가 없던 시절이었다. 그리고 그 모든 것을 시절 탓이겠거니 여기려 해도 그때 우리는 너무나 젊었었다.

기억 같은 것…….

"응? 뭐라고 했어요?"

정원이 갑자기 물었다. 내가 아마 말을 흘린 모양이었다. 나는 그저 아니라고 대답했고, 정원도 더 묻지 않았다.

사북은 전혀 다른 모습으로 나타났다.

"꽤 화려한데요?"

내가 가리키는 방향으로 조심스럽게 차를 몰면서 정원이 던진 첫 마디였다. 사북에 대한 첫 인상이 그렇다는 사실에 어리둥절할 수밖에 없었다. 오른쪽으로 길게 자리잡은 정거장은 크게 달라진 모습을 보이지 않았다. 그렇지만 그 아래 주도로가 넓어지고 가로등이 많이 늘어나서인지 훨씬 시원하게 보였다. 천변에 자리잡은 상가는 뼈대마저 다 바꿔버린 듯싶었다. 번쩍거리는 간판을 내건 편의점과 음식점, 술집, 모텔들은 여느 도시, 여느 시가지와 다르지 않은 풍경을 만들어냈다. 특히 눈에 많이 띄는 것은 전당포였다.

"저길 봐요."

정원의 손길 끝에 도로 위를 가로지르는 현수막이 보였다.

〈도박 중독의 위험성과 치료 대책에 관한 세미나〉

"기가 막히네."

정선에 카지노가 들어선 사실은 당연히 알고 있었다. 그게 석탄산업 합리화 정책으로 문을 닫게 된 광산들 때문에 어쩔 수 없었던 선택이라는 사실도 알고 있었다. 그렇지만 그게 사북 바로 곁에 세워졌으리라고는 생각지도 못했다. 그만큼 사북은 내게 기억 속의 도시로만 존재했다. 이번 여행길에서도 당연히 그러리라 믿었던 것이다. 어쩌면 나는 세월의 비정한 흐름을 인정하면서도 적어도 사북만큼은 옛모습에서 크게 달라지지 않았기를 바랐는지도 모른다.

철휘의 입에서는 다른 말이 나오리라 기대했다. 그러나 그는 누구보다 아픈 말로 나를 찔렀다.

넌 그게 수모라고 생각해? 내 생각엔, 아마 그보다 훨씬 심한 것도 각오해야 할 성싶다. 말하자면 넌 왕따를 당하고 있는 거야.

처음으로 철휘에게 속을 털어놓은 자리였다. 밥 먹고 똥 싸는 일까지 비서가 짜주는 스케줄대로 움직인다는 철휘를 만나기도 어려웠지만, 내 스스로 그 동안은 떠도는 소문을 짐짓 비껴 보내고만 있었던 것이다. 나는 그 소문 속에서 평소 가까웠던 이들이 어떻게 달라진 태도를 보였는지 한 다리 두 다리 건너 익히 듣고 있었다. 어쩔 수 없는 일이었다. 모든 걸 감수하는 수밖에 없었다. 그러면서도 어제 마침내 철휘를 술자리로 불러냈던 것은 솔직히 위안을 기대해서였다.

나는 내가 들은 소문을 힘들게 이야기했다. 설마 그러리라고까지는 생각지 못했다는 말도 덧붙였다. 그 소문 속에서 나는 불륜에 간통이었고 쇠고랑도 달게 받아야 한다는 조롱의 대상이었다. 게다가 나와 정원의 정력과 성기에 대한 우스개소리까지 섞여 있었다. 그 모든 말이 나는 물론이고 정원과도 가깝게 지내던 동료들로부터 나왔다. 그게 무엇보다 견딜 수 없었다. 나는 어렵지만 솔직하게 털어놓았다.

해결책은 하나야. 이제라도 들어가. 넌 네가 수모를 당했다고 생각하지만, 천만에! 그건 수모도 아냐. 수모는 서현이 엄마 몫이야. 그래, 명희씨에게 준 수모는 이 정도면 충분해.

곤죽이 되다시피해서 술집을 나설 때, 내가 철휘를 향해 외쳤던 말이 아슴아슴했다. 무엇이었을까. 너는 그래서 완벽하냐고 비꼬았을까? 그때 그 여자는 어떻게 되었냐고 말했을까? 아니면 지금 네 모습은 예전에 네가 가려던 그 길에 있는 거냐고 따졌을까? 많은 말을 했겠지만 아무 말도 기억에 남아 있지 않았다. 차라리 그 편이 나았다.

수제비로 늦은 저녁 식사를 마치고 나왔을 때, 눈은 완전히 그쳐 있었다. 찬 바람만 미친 말처럼 빈 거리를 짓밟으며 지나갔다.

〈실내 포장마차〉라는 간판이 붙은 허름한 술집을 찾아 들어갔다.

주인 여자는 술상 앞에서 받아쓰기를 하고 있던 아이를 얼른 방안으로 들여보냈다.

"손님이 많지 않은가 봐요?"

"날이 갑자기 이런 데다가……."

"옛날엔 어디 술집이고 자리를 찾기 어려웠었는데……."

"아, 여기 사람이래요?"

"아니요. 그냥 몇 번 들렀을 뿐이에요. 카지노가 생겨서 손님이 많아지지 않았나요?"

"모르는 사람들은 다 그렇게 말하지요. 아니래요. 어디 그것 덕 본 사람 있으면 손 좀 들어보래지요. 난 그쪽 쳐다보기도 싫대요."

막걸리가 시원했다.

나는 보시기에 담겨 나온 김치를 손으로 성큼 집어먹었다. 그런 나를 보고 정원이 빙그레 웃었다.

"왜? 술은 나보다 자기가 더 잘 먹잖아?"

"그랬어요? 그런 이미지……. 선명한 이미지일수록 거짓이기 쉽다는 거 몰라요? 실은 내가 얼마나 술이 약한데……."

"그럼 내가 속았나? 아님 자기가 날 속였고?"

"그건 피차 일반 아닌가? 자기는 자기대로 얼마나 선명해요, 사람이?"

"좋은 뜻이야 나쁜 뜻이야?"

"위태롭다는 뜻이지요. 자기와 나……. 우리 둘의 이런 만남……. 선명해진 셈이지요, 꽤? 그만큼 위태롭고……."

나는 무연히 막걸리 사발에 손을 댔다.

핸드폰이 울린 것은 그때였다.

이 시각에 누굴까 싶었다. 놀랍게도 아내였다. 얼른 일어서서 문 밖으로 나갔다. 정원의 눈빛이 그런 내 뒤를 쫓았을까.

아내는 짧게 말했다.

"이혼해 줄게요. 나, 괜찮아요."

바람은 점점 거칠어졌다.

우우 우우, 전선줄이 간단없이 울음을 토해 냈다. 깡통이 굴러가 가게

덧문을 때렸고, 비닐봉지들은 연처럼 날아올랐다. 길가에 세워놓은 차들 지붕에서 눈 무더기가 툭툭 떨어졌다. 짧은 치마를 입은 여자가 모텔 현관으로 오종종 뛰어 들어갔다. 시가지 위쪽 사택촌에는 눈보라마저 자욱하게 일어났다. 지붕을 덮은 검은 루핑이 떨어져나갈 듯 펄럭거렸다. 불빛 한 점 새어나오지 않았다. 골목 어귀 슈퍼가 있던 자리를 짐작하기도 어려웠다. 아직 무엇이 남았으리라 기대한 것은 아니었다. 그때도 사북에는 오직 생의 남루만이 있었다. 타지에서 들어온 활동가들은 그 생의 남루를 벗겨내려고 나름대로 애를 썼지만 결과는 늘 허망했다.

철휘가 말했다.

난 가끔 생각해. 내가 왜 여기 있는지……. 솔직히 그때마다 대답이 궁하지. 누굴 위해서라는 말, 거짓일 거야. 그때마다 내 스스로 위안처럼 떠올리는 말이 뭔지 알아?

기억 때문이라고 했다.

먼 훗날의 기억.

삶은 어차피 그런 기억을 위해 지속되는 것인지도 몰랐다. 남루했던 생의 한 시절마저 아름답게 바꿔버리는 마술과도 같은 기억……. 그런 점에서 철휘는 성공했다고 말할 수 있을까. 그리고 또 나는?

분명하게 보이던 것들이 실은 얼마나 허망하게 우리를 배반하는가.

나는 이미 꺼져버린 담배를 얼어붙은 길바닥에 내던지고 돌아섰다.

정원은 막 목욕을 하고 나오던 참이었다. 타월로 미처 가리지 못한 어깨가 눈부시게 하얬다.

"담배 가게가 없었어요?"

나는 대답 대신 정원을 안았다. 정원이 물이 묻는다고 말했다. 나는 아무 말 없이 침대 위로 그녀를 쓰러뜨렸다. 정원이 춥다고 말했다. 나는 거칠게 타월을 걷어냈다. 우윳빛 속살에서 향긋한 냄새가 몰캉 피어올랐다. 정원의 입술 사이에서 짧은 신음이 새 나온 듯도 싶었다. 확실하지 않았다. 나는 미래의 어느 날 내가 내 자신을 어떻게 기억할지 두려웠다. 이미 한 번의 기억은 처참한 실패였다. 그리고 그 실패의 기억을 털어버리기 위해서라도 나는 어딘가 숨을 곳이 필요했다. 정원은 그런 나를 뜨겁게 받아들였다. …… 그렇게 생각했다.

묵티나트에 올랐다가 돌아오는 길이었다.

카그베니를 지나 좀솜으로 내려가는 도중의 칼리간다키는 참으로 아름다웠다. 넓은 계곡 바닥 위로 한 줄기 강물이 그림처럼 흐르고 있었다. 연녹색 그 강물 위로 히말라야를 빗겨온 햇살이 은빛 구슬처럼 쪼개졌다. 정원이 배낭을 벗어던진 채 달려갔다. 두 팔을 한껏 벌려 햇살을 받아냈다. 아니, 델 것처럼 따가운 햇살이 그녀를 덮쳤다. 정원이 갑자기 옷을 벗기 시작했다. 윈드 재킷, 털 스웨터, 그리고 하얀 러닝셔츠와 브래지어까지……. 순식간의 일이었다.

정원의 하얀 등 너머 6,012 미터 담푸스 피크가 칠월의 벼 끝처럼 눈을 찔렀다.

"그때, 그렇게 좋았어?"

담배에 불을 붙이면서 정원에게 물었다.

정원은 대답 대신 내 가슴을 더 꼭 껴안았다.

"나는 가끔 생각해. 그때 그 기억 하나만으로도 좋다고……. 예뻤어, 자기."

"근데 왜 막았어요? 간섭해서는 안 되는 순간이었다는 것, 알지요?"

"누가 볼까 봐 그랬겠지."

"자신이 없었던 거죠."

"무슨 말이지?"

"아마 너무 선명해지는 걸 두려워했을 거예요. 아까도 말했지만……."

말이 뚝 끊겼다.

명치끝이 저렸다.

여행을 떠나기 전 정원이 제안을 했었다. 버릴 것을 딱 하나씩만 가지고 가기.

보이지 않는 거, 만질 수 없는 거라도 괜찮지?

내가 물었을 때 정원은 그저 웃기만 했다.

반라의 정원을 꼭 껴안으면서 말했다. 시간을 버리고 싶어. 산 아래의 시간. 산 아래에서 흘러간 시간들, 산 아래에서 흘러가는 시간들, 산 아래에서 흘러갈 시간들……. 어느 시인처럼 이번 생은 조졌다고 말할 용기는 없었지만, 산 위에서 나는 그렇게 말했다. 나는 정원이 버릴 것이 무엇인지 기다렸다.

햇살이 한없는 시간을 태웠다.

멀리 지나가던 서양인 트래커들이 휘파람을 불었고, 한두 차례 노새떼의 워낭 소리를 들었고, 설맹이 된 등산가가 십년 만에 산을 내려가는 꿈을 꾸었고, 시바가 나오는 칼리간다키의 전설을 떠올렸고, 생의 시원, 바람, 흙, 바위에 대해 생각했지만, 나는 정원이 가져온 것을 끝내 보지 못했다.

보지 못했으므로 버리지 않았다고 말할 수 있을까.

담배 한 개비를 다 태운 다음 일어나 창문을 열었다. 얼음처럼 찬 바람이 온몸을 파고들었다.

"아까 그 전화, 서현이 엄마였죠?"

대답하지 않았다.

머릿속으로 퍼즐을 맞추고 있을 아내의 모습이 떠올랐다. 놀랍게도 얼굴이 잘 그려지지 않았다. 코와 입과 눈……. 안개에 덮인 듯 모든 게 흐릿했다. 함께 보냈던 무수한 시간들이 잔인하게 복수를 한다는 생각이 들자, 가슴이 먹먹해졌다. 미안했다. 희미한 기억 속에서 아내가 슬핏 웃었다.

"자기는 뭘 숨기지 못해요. 그리고 그건 이제 장점이 아니에요. 그런 나이는 이미 지나간 거죠. 스무 살짜리에겐 아름다울 방황도 우리 나이면 추하게 보일 수 있죠. 세월은……."

정원이 말을 쉽게 잇지 못했다. 동안이 뜬 침묵 속에서, 나는 얼핏 정원이 히말라야에서 버리려고 가져갔을 것에 대해 생각했다. 그때 강가에서 정원은 천천히 옷을 도로 꿰어 입으면서 하염없이 눈물을 흘렸다. 두려웠다. 내가 끝내 산 아래의 시간을 버리지 못한 것처럼, 그녀 역시 발목을 칭칭 동여매는 생의 족쇄를 벗어던지지 못했을 것이다. 그걸 벗겨줄 힘은 없었다. 정원의 말처럼 우리는 단지 우연한 시간의 동반자일 뿐…….

"참, 자기, 철휘 형이 나를 좋아했던 거 알아요?"

"뭐?"

"그랬어요, 그때. 가리봉동 공장팀에 있을 때였죠. 철휘 형이 우리 윗선이었다는 거 알죠? 그것도 까마득히 높은……. 그때 그 형, 대단했죠. 그 형이 쓴 팜플렛은 나중에 여러 소조들이 교재로 쓸 정도였으니까. 지금 생각하면 우습기도 하지만 그땐 그게 너무나 자연스럽던 시절이었죠. 어쨌든 조직은, 그게 단 두 명짜리라도 한번 생겨나면 위계와 서열이 매겨지고, 그 자체로 벌써 고유한 생리를 지니게 되는 거죠. 내릴 수는 없어요. 배신이잖아요. 근데 난 내리고 싶었어요. 무수히 고민에 고민을 거듭했지만, 결론은, 아니다……. 감당 못할 조직에 계속 붙어 있는다는 게 나뿐만 아니라 조직 자체에도 해를 끼칠 거라고 생각했지요. 하지만 그런 건 변명 축에도 안 들어갔어요. 알잖아요, 그때 그 시절……. 그런데 어떻게 말이 흘러들어갔나 봐요. 어느 날 철휘 형이 내 방에 나타났어요. 당연히 수배중이었는데 말이에요. 놀랍기도 하고 무섭기도 하고……. 생각해 봐요. 그 형이 어떤 사람이었어요? 나중에 그가 당한 그 엄청난 고문만 생각해봐도 알 수 있는 일이고……."

그랬다. 그렇기 때문에 지금 오히려 정관계 요로에 연줄이 많아진 그는 IT산업에서 샛별처럼 떠오른 기업가로서 입지를 굳히고 있는지도 몰랐다. 비난하는 옛동료들도 많았다. 사실 이제 곧 다가올 대선에서 철휘는 승리를 자신하는 보수 야당 후보의 후원자 명단에 이름을 올려놓고 있었다. 그쪽에게는 그의 화려한 경력이 적잖은 힘이 될 터였다. 그러나 나로서는 그런 그조차 비난할 수 없었다. 철휘가 현재의 자신을 어떤 식으로든 합리화하는 것 못지않게 나 또한 내 선택을 합리화하고 있지 않은가.

"그림자처럼 방안에 들어선 형이 말하더군요. 거두절미하고, 날 좋아한다고……. 귀를 의심했어요. 그 형 입에서 그런 말이 나오리라곤 전혀 생각지도 못했으니까. 그래, 더 말하죠. 그때 멍하니 서 있는 나를 다짜고짜 쓰러뜨렸어요. 몇 달째 빨지도 못해 퀴퀴한 곰팡내가 묻어나던 꽃무늬 누비이불……. 사랑해, 사랑해……. 학교에 있을 때부터 짝사랑을 했대요. 그 말, 술냄새도 없이 귀에 닿던 그 말……. 그러다가 추리닝 바지마저 벗겨지고, 팬티에 손이 닿았을 때……. 하늘이 노래졌지요. 그때, 나도 모르게 헛웃음이 터져 나왔어요. 마구 웃었죠. 그러자 갑자기 딱 멈춰버리는 거였어요."

"왜, 그런 얘길 갑자기……."

"그냥……."

"그런 얘길 왜, 지금, 하냐고?"

나도 모르게 목소리 끝이 올라갔다

"그럼 무슨 얘길 해야 하죠? 우리 둘 사이? 이 밤, 이렇게 사북장 여관에 있는 우리? 아님……. 그래요, 미국이 이라크를 언제 칠까 토론해 볼까요? 언제가 됐건 우리는 속수무책이라는 것도? 그것도 아님……. 그래, 지난 십 년 동안 옹근 혼자 힘으로 키운 내 아들이 요즘 들어 왜 빙빙 겉도는지 말해요? 자기가 그 아이를 감당할 수 있을지, 그것에 대해서도?"

정원의 목소리에 어느새 물기가 촉촉이 묻어나고 있었다. 돌아보지 않았다.

기억의 강물에 그물을 던져 수모만 건져내는 내가 보였다. 누선이 뜨거워졌다. 모든 것을 다 견뎌낼 수 있을 것 같았다. 닫지 않은 현관문, 아내의 침묵과 퍼즐, 무성한 소문들……. 깊은 기억 속에는 더 아픈 그림들이 수도 없이 많았다. 결혼 석 달만에 팔아버린 금반지. 연탄 가스에 쓰러지고, 임신한 몸으로 학습지를 팔러다니고, 여기저기 먼 친구들에게까지 전화를 걸어 손을 벌리는 아내……. 다투기도 많이 다퉜다. 고백한다. 찻잔도 집어던졌다. 고백한다. 따귀를 때린 적도 있었다. 때리고 나서 혐오

감에 울기도 했다. 헤어지자고, 제발 우리 이 정도에서 좋게 헤어지자고, 사랑하니까, 제발 사랑하니까 이 정도 좋은 기억이라도 간직한 채 헤어지자고……. 그렇지만 터질 것 같은 가슴 어쩌지 못하고 머리에서 발끝까지 술에 절어 들어와 썩은 짚뭇처럼 고꾸라진 어느 날, 무수한 어느 날의 그 새벽, 무심코 손을 뻗었을 때 잡히던 자리끼 한 대접의 아내는? 굴속 같은 지하 셋방에서 구슬꿰기 부업에 지쳐 아무렇게나 골아떨어졌으면서도 한 팔로는 갓난 서영이를, 다른 한 팔로는 이제 막 걸음을 떼었을 서현이를 꼭 그러안고 자던 아내는? 서빙고 보안사에 끌려가 짐승처럼 얻어터지고 어적어적 기다시피 돌아오던 날, 밤은 카바이트 불빛으로 이슥한데, 인적 드문 전철역 앞 광장에서 나를 기다리던 아내는? 그때 나는 분명히 다짐했을 것이다. 이런 위안, 평생 잊지 않으리라고.

그런데 대체 무슨 일이 있었나? 대체 내가 왜 여기까지 왔는가?……. 모른다. 세월은, 베일을 벗겨내면 늘 또 새로운 베일로서 자신을 감추었으니까. 그렇지만 한 가지 분명한 건, 나는 지금, 아내와 떨어져 여기, 사북장 여관에 있다는 것…….

몸이 덜덜 떨려오기 시작했다.

나는 주먹을 꽉 쥔 채 악착같이 버텼다. 저만큼 싸리재 너머 하늘이 탄빛으로 더욱 짙어졌다. 눈이 꽤 올 것이었다. 그래도 내일 아침 태백산 가는 일은 문제가 없을 터였다. 이미 싸리재는 길이 아니었다. 술집 여주인이 말했다.

"무슨 소리래요? 싸리재 같은 건 이젠 없어요. 태백까지 쌩하니 달리면 십분이면 가요."

그렇지만 터널을 쌩하니 달려가면 과연 거기, 태백이 나올까.

정원이 등뒤에서 나를 껴안았다. 맨살의 따뜻한 체온이 물감처럼 온몸으로 퍼졌지만, 나는 여전히 추위를 느끼고 있었다.

내가 사랑한다고 말하면……. 그 말, 믿을 수 있어?

나는 눈을 더욱 크게 뜬 채 창 밖 풍경을 바라보았다. 물기에 젖어 반짝이는 아스팔트 도로가 싸리재 쪽으로 휑하니 내달리고 있었다. 차들은 거의 보이지 않았다. 불그스름한 가로등 불빛 속에서도 한때 저목장이 있던 철길 건너편까지 시선을 던질 수 있었다. 높다란 아파트들이 올라가는 중이었다.

그리고 그 아파트 신축 단지 곁 도로를 따라가던 내 눈길은 마침내 주변의 어둠보다도 더 까만 터널 입구를 찾아낼 수 있었다. 그게 길이었다. 유일한.

정지아

1965년 전남 구례 출생.
1990년 장편소설 『빨치산의 딸』을 내며 작품활동 시작.
jiajeong@hanmail.net

잠시 학교 선생 노릇을 한 적이 있다. 헤르만 헤세의 이름조차 모른다는 사실보다 중산층 이상의 아이들이 부모에게 조금도 반항하지 않는다는 사실이 나로서는 더욱 충격적이었다. 그 아이들은 부모의 삶을 온전히 인정하고, 부모로부터 넘치게 받은 사랑과 권리를 충분히 즐기고 있었다. 요즘에야 그 아이들을 이해할 수 있을 것 같다. 그 녀석들에게 인생이란 본질적으로 타인과의 경쟁이다. 녀석들은 부모들이 마련해준 중간 이상의 출발점이 자신들의 인생에 얼마나 유리하게 작용할 것인지를 짧은 체험으로나마 여실히 알고 있는 것이다. 수십만 원의 과외가 자신의 인생을 어떻게 변화시킬지를. 내 부모는 바닥에서 출발했으며 자본주의의 패러다임 자체를 거부했다. 그럼 나는 어디에서 출발했을까? 바닥에서, 그리고 현실을 뛰어넘은 이상 속의 저 어딘가에서. 어느 쪽도 내게는 버겁다고 나는 사춘기를 지나 망춘기(妄春期)에 접어든 지금까지 투정을 부리고 있는지 모르겠다. 부모도 부모의 삶도 내게는 몸 안의 이물처럼 거북스럽다. 그러나 그 이물은 내 뼈, 내 살, 내 피의 일부임을 알고 있고, 알아야 한다. 아는 것이야 내 몫이지만, 알아야 한다는, 부모의 삶으로부터 주어진 당위가 때로는 견딜 수 없는 짐으로 어깨를 짓누른다. 어쩌면 '행복' 은 그 당위에 대한 자기변명일 뿐인지도 모른다.

행복

정지아

토요일 정오가 지난 서울역은 발디딜 틈 없이 혼잡했다. 웅웅거리는 사람들의 소음으로 귀가 다 먹먹할 지경이었다. 어떻게 부모님을 찾아야 할지 난감했다. 플랫폼에서 기다리기로 하고서는 차가 막히는 바람에 근 이십분이나 늦어버린 것이었다. 일단 몇번 폼으로 도착했는지부터 알아봐야 할 것 같았다. 전광판을 찾아 두리번거리던 나는 저만치 등을 돌리고 서 있는 한 늙은이를 발견했다. 제법 떨어져 있었고 사람들 틈에 끼여 뒷모습의 일부만 언뜻 보였을 뿐이지만 아버지가 분명했다. 혼잡한 역에서 아버지를 한눈에 알아차린 순간 온몸에 힘이 빠졌다. 아버지를 쉽게 알아본 것은 얼마 전에 사서 보낸 상아색 여름점퍼 때문은 아니었다. 시골 장마당에서 산 것처럼 후줄근한 점퍼가 백화점 마네킹에 입혀져 있던 바로 그 옷이라는 것을 알아챈 것은 아버지가 차에 오른 한참 뒤였다. 아버지를 알아보게 한 것은 뒷모습이었다. 아버지의 뒷모습은 유분이 적어 갈라터지기 시작한 황갈색의 유화 같았다. 조금의 윤기도 없이 푸석푸석한 아버지의 등은 자칫 손이라도 대면 한줌의 먼지로 내려앉고 말 것 같았다. 아버지, 하고 다소 물기 젖은 음성으로 불렀을 때 아버지는 8 · 15 특사로 출감하던 이십년 전의 그날처럼 멀뚱한 얼굴로 나를 일별하고는 내려놓았던 짐을 집어들었다. 뒷모습보다도 더 건조한 표정이었다. 아버지의 표정은 늘 그랬다. 우리 동네가 생긴 이래 처음으로 서울의 사년제 대학에 합격했을 때도, 남편을 처음 소개했을 때도, 사립학교 선생으로 취직이 되었을 때도, 아버지는 그렇게 무표정했다. 아이, 느그 아부지 땜시 민망해서 죽겄다. 니가 서울서 젤 좋은 핵교 선생이 됐다고 만내는 사람마동 얼매나 자랑을 해대는지 몰러야, 어머니의 자랑 섞인 투정을 듣고서야 아버지도 내심 기뻐하고 있다는 것을 알았을 정도였다.

"아이, 승원이는?"

차에 오르던 어머니가 물었다. 아침 일찍 서둘러 승원이를 큰집에 맡기고 오는 길이었다.

"델꼬 오제. 보고 잡그만."

"거봐, 보고 싶어하실 거라고 그랬지? 데리고 오자니깐, 일곱살이면 이제 다 컸는데 성가실 게 뭐 있다고……."

온 가족이 어딘가를 다녀와야 휴일다운 휴일을 보냈다고 생각하는 남편은 승원이를 두고 온 게 못내 아쉬운 모양이었다. 엊저녁 음식 준비할 때부터 놀러 간다고 잔뜩 들떠 있던 승원이는 저만 큰집에 남겨지자 기어이 울음을 터뜨렸다. 이산가족 상봉이라도 하듯 제 아버지 목을 끌어안고 섧게 우는 아이의 등을 두드리며 남편은 내게 눈을 흘겼다. 그런 남편에게 부모님과의 첫 나들이라는 말을, 무슨 치부라도 되는 양 나는 하지 못했다.

연애시절 자취방에 처음으로 놀러 갔을 때 남편은 수줍은 미소와 함께 낡은 사진첩을 내밀었다. 사랑하는 여자에게 자신의 성장과정을 보여주고 싶다는 소박한 생각이었을 것이다. 꽃무늬가 그려진 겉표지에는 'Happiness' 라고 적혀 있었는데, 양 귀퉁이가 너덜너덜하게 닳은 세월의 흔적 속에서 사진첩의 제목은 의미심장하게 느껴졌다. 축제의 순간에 느닷없는 화산폭발로 고스란히 묻혀버린 고대 유적지의 비밀스런 문 앞에 서 있는 느낌이랄까. 아버지를 일찍 여의고 홀어머니 밑에서 힘들게 자라난 남편도 나처럼 가족과의 단란한 한때를 가져보지 못한 사람이다. 그런 그에게도 빛바랜 사진 몇장으로나마 행복했던 시절이 박제되어 있는 것이다. 묵은 먼지를 털어내며 사진첩을 넘기면 박제된 행복의 순간에서 피어오른 바람이 내 몸을 한줌의 먼지로 날려버릴 듯했다.

멀거니 겉표지만 들여다보고 있던 나를 대신해 그가 페이지를 넘겼다. 이미 이세상 사람이 아닌 그의 아버지가 좁은 골목길에서 썰매를 탄 어린 그를 밀고 있는 사진이 첫장에 꽂혀 있었다. 웬일인지 가슴이 덜컹 내려앉았다. 사람들은 이렇게 사는 거구나 하는 소소하나 서서히 가슴을 파고드는 감동과 함께, 연탄재가 쌓인 골목길에서 아빠와 함께 썰매를 타고 한나절 신나게 놀 수 있었던 그, 고사리손으로 사진첩에 사진을 끼워 넣고 그 밑에 '아빠와 썰매를' 이라고 정성들여 써놓은 후 아버지가 그리울 때마다 눈물을 글썽거리며 사진 속의 한때를 추억했을 그가 갑자기 아득히 멀게 느껴졌다. 그때 나는 뭔가가 서걱거리며 무너져내리는 소리를 들은 것도 같았다.

내 사진첩에도 이제 그리워하며 추억할 부모님과의 한때가 담기게 될 모양이다. 아마도 처음이자 마지막일 듯한 이번 나들이를 나는 오롯이 부모님에게 집중하고 싶었다. 아들 녀석의 눈물바람에도 불구하고 기어이 떨어뜨려놓고 온, 남편에게도 말하지 못한 저간의 사정은 그러했다. 남편에게 굳이 얘기 못할 사정도 아니련만 몇번 입을 달싹이다 만 것은 자취방에서 사진첩을 내밀던 그의 모습이 떠오른 탓이었다.

우리에게도 셋이 함께 찍은 한장의 사진이 있기는 했다. 그러고 보니 가족이 함께 밖에 나간 것을 나들이라고 한다면 바로 그날, 나들이의 기억도 있었다. 중3 여름방학 때였다. 사상범으로 십여년간 복역했던 아버지가 8 · 15 특사로 풀려났다. 광주교도소 앞 짧은 플라타너스 그늘 아래서 몇시간을 기다린 끝에 십여년 만에 상봉한 우리 가족은 곧장 고향으로 내려왔고, 다음날엔가 할머니와 아버지의 형제 누이, 사촌들까지 사진관으로 몰려가 '출소기념' 이라고 박힌 사진 한장을 찍은 후 우리 세 식구만 피아골 계곡으로 떠났던 것이다. 구름 한점 없어 한여름 뙤약볕이 거침없이 대지를 달구는 날이었다. 아버지는 수건과 비누를 든 채 부신 햇살을 토하고 있는 커다란 바위 뒤로 사라졌다. 아버지는 작열하는 햇빛 속에서 십 몇년 만의 자유를 만끽하며 목욕을 했을 것이다. 나와 어머니는 한여름인데도 얼음장처럼 차디찬 계곡물에 목욕할 엄두가 나지 않아 계곡물에 담가놓았던 참외나 깎아 먹으며 시간을 보냈다. 아버지는 얼마 후 팬티차림으로 수건을 머리에 둘둘 감고 우리에게 돌아왔지만 나는 십여년 만에 만난 아버지에게 별로 할말이 없었다. 한동안 계곡물처럼 서늘한 침묵만 흘렀고, 그후 우리는 당시만 해도 복원되지 않아 허허롭기 그지없던 연곡사를 한바퀴 휘 둘러보고는 돌아왔다. 반나절도 안되는 짧은 나들이였다.

통행증을 끊기 위해 내린 창문 틈으로 알싸한 매연냄새 가득한 바람이 밀려들었다. 나는 그때까지도 어머니의 손에 쥐여 있던 손을 차마 빼지 못했는데 내 엄지와 검지 사이에 끼인 어머니의 손가락은 잔가시라도 박힌 양 따갑고 거칠었다. 말을 배우기 시작할 무렵 승원이는 제 외할머니의 손을 만지작거리다가 눈물을 글썽이며 아파? 하고 물었다. 어머니가 일흔일곱이 되도록 나는 그 손 한번 어루만져본 적이 없었다. 이번 여행의 추억은 빈 위장에 들이켜는 새벽의 소주처럼 지독히도 씁쓸할 듯싶었다.

남편은 차창을 연 채 고속도로를 질주하기 시작했다. 햇볕에 후끈 달아올랐던 차안의 공기가 순식간에 서늘해졌다. 유난히 추위를 타는 어머니는 창문을 닫으라고 말하는 대신 벗어놓았던 점퍼를 어깨 위에 걸쳤다.

"폴쎄 가을인갑다. 코스모스가 다 피었그마이."

어머니는 고속도로변에 드문드문 피어난 코스모스를 바라보고 있었다. 대학입시에 실패한 후 고향마을에서 공부한답시고 소설책이나 펼쳐보며 빈둥빈둥 시간을 보낼 때였다. 잠시 바람을 쐬러 마당에 나왔는데 참깨 두드리던 어머니가 멍하니 화단을 바라보고 있었다. 사람이 심고 거두지 않아도 철따라 봉숭아며 맨드라미, 백일홍, 채송화, 코스모스 따위가 잡초처럼 무성하게 피어나던 화단에는 늦가을이라 시든 코스모스 꽃잎 몇 개가 앙상한 대궁에 붙어 찬바람에 오들오들 떨고 있었다. 화단을 향했던 시선이 먼산으로 옮겨지는가 싶더니 어머니는 반쯤 풀어져 있던 머릿수건의 끝자락을 당겨 눈께를 닦아냈다. 내가 멍석에 널린 마른 참깨단을 바삭바삭 밟고 다가갈 때도 어머니는 눈치채지 못했다. 한번도 어머니의 눈물을 본 적이 없던 터라 당황한 나는 어머니의 어깨를 무작정 잡아흔들었다. 엄마, 왜 그래? 눈물로 부옇게 흐려진 시선이 나를 향했을 때 나는 나도 모르게 어머니의 어깨를 움켜쥐었던 손을 풀고 한발짝 뒤로 물러났다. 촛점 없는 어머니의 멍한 눈빛이 너무도 낯설었던 것이다. 객사 직전의 떠돌이에게나 가능할 것 같은 섬뜩하도록 막막한 그 눈빛은, 남편도 돈도 없이 심지어는 세상의 작은 동정도 없이 혼잣몸으로 어린 자식을 그러안고 십년 세월을 꿋꿋이 버텨냈던 어머니, 사십 킬로도 되지 않는 가녀린 체구로 열 마지기 농사를 혼자 지어내던 어머니, 그 독한 어머니에게는 도무지 어울리지 않는 것이었다. 달빛 아래 피를 뿜고 걸어올 힘조차 남아 있지 않아 어두컴컴한 자갈투성이 신작로를 네 발로 기어왔던 어머니, 다른 여자들은 화장을 지우는 데나 쓸 가제수건으로 피가 줄줄 흐르는 무릎을 동여맨 채 식은 밥 한덩이를 찬물에 말아 아궁이에 장작을 집어넣듯 꾸역꾸역 쑤셔넣던 어머니의 눈에서는 호랑이눈 같은 불덩이가 이글거렸고, 내가 아는 한 어머니의 눈빛은 그렇게 시퍼렇게 살아 있어야 했다. 마른 감잎이며 은행잎 따위가 바람에 쓸려 나뒹구는 마당 한가운데 우두커니 선 채 좀처럼 충격에서 벗어나지 못하는 내 앞에서 어머니는 무안한 듯 먼지가 보얗게 내려앉은 머릿수건을 무릎에 대고 탁탁 털었다. 물기가 채 가시지 않은 눈으로 어머니는 배시시 웃음까지 흘리며 참깨타작을 계속했다. 낙엽이 진 걸 봉께 맴이 어째 좀 그래야. 타닥타닥, 참깨를 털며 어머니는 혼잣말인 듯 중얼거렸다.

어머니는 등받이에 기댄 채 창밖을 바라보고 있다. 지금껏 내 뇌리에 각인된 그 가을날의 눈빛은 아니다. 어머니의 시선은 그저 밖을 향해 무심히 열려 있을 뿐이다. 후면경으로 잔뜩 웅크린 어머니의 모습을 보았는지 남편은 창문을 닫았다. 차 안이 이내 후끈 달아올랐다. 아직 한낮의 태양은 뜨거웠다. 후텁지근한 공기 탓에 졸음이 밀려들었다. 차의 움직임에 따라 머리가 흔들리고 있는 걸 보니 아버지는 진작부터 졸고 있는 모양이었다.

"장모님, 음악 틀어드릴까요?"

낯선 목소리가 '돌아가는 삼각지'를 노래하기 시작했다. 자기는 잘 듣지도 않는 트로트였다. 이번 여행을 위해 일부러 산 게 틀림없었다.

"배호 좋아하신다면서요."

애 어른 할 것 없이 '저 푸른 초원 위에'를 흥얼거리고 다니던 시절이었을 것이다. 남진이 좋냐, 나훈아가 좋냐고 묻는 내게 일에 치여 라디오 들을 짬도 없던 어머니는 잠시 생각하다가 좋기야 배호제,라고 대답했다.

"젊을 때 좋아했제. 오랜만에 들응께 좋네."

말은 그렇게 했으나 어머니의 표정은 무덤덤했다. 두번째 곡이 채 끝나기 전에 어머니의 어깨가 비스듬히 기울어졌다. 새벽부터 이것저것 챙기느라 부산했을 것이다. 조금 당겨앉아 어머니의 머리를 내 어깨에 얹어놓았다. 어머니는 입을 벌린 채 잠들어 있었다. 대학 입학식에 참석하기 위해 서울 가던 기찻간에서 내가 몇번이나 자세를 바꾸는 동안 어머니는 초상화의 모델이라도 되는 양 꼿꼿하게 허리를 세운 채 미동조차 하지 않았다. 그러던 어머니가 입까지 벌리고 잠든 것이다. 남편 말마따나 늙은이 냄새도 나는 듯했다. 지난 구정 무렵 남편은 어머니와 아버지의 향수를 사들고 왔다. 나는 몇달이 지나도록 그것을 보내드리지 못했다. 구정 선물은 약간의 돈을 송금하는 것으로 대신했다. 아이, 느그 아부지한테서 늙은내가 나야. 얼마 전 어머니로부터 그런 이야기를 들은 후에야 남편의 선물은 제자리를 찾아갈 수 있었다. 어머니 몫의 향수는 아직 내 책상서랍에 남아 있다. 어머니에게 향수를 내민다는 것은 당신에게서도 냄새가 난다는 의미일 것만 같아 차마 건네지 못한 것이다.

희미하게 코끝을 스치는 냄새는 지난 학기말 회식자리에서 나를 옆에 불러앉혀 한바탕 사설을 늘어놓던 늙은 교장에게서 스멀스멀 피어오르던 냄새와 흡사했다. 송선생은 교사가 된 목적이 뭔가, 목적이. 비싼 등록금 내며 귀동냥으로 주워들은 약간의 지식이 아까워서였는지 돈이 필요해서였는지, 대답이 궁색해서 머뭇거리고 있던 내게 교장은 단호하게 말했다. 교사는 학생을 대학에 진학시키는 것이 제일의 목적이요. 그 외에는 말짱 도루묵이야. 내가 왜 이런 말을 하는지 알지요? 알고말고였다. 지난 몇년 동안 내가 담임한 반의 성적이 늘상 하위권이었기 때문일 것이고, 더 직접적으로는 학교 이사회의 뭐라나 교장과도 각별한 사이라는, 내 반 아이 한 녀석의 어머니 때문일 것이었다. 전교 일이등을 다투던 녀석은 도무지 인간미라고는 없어 성적을 최우선으로 아는 공부 잘하는 애들 사이에서도 이른바 왕따를 당하고 있었다. 그런 사정을 집에 털어놓았는지 한 번은 이사회에 참석했던 녀석의 어머니가 교장실로 나를 불렀다. 자리에서 일어나지도 않은 채 교장과 시시덕거리고 있던 그녀는 인사랍시고 고개를 까닥이고 나서는 불쑥 봉투를 내밀었다. 전에도 몇번 그녀의 봉투를 거절한 적이 있었다. 남달리 청렴해서나 철저한 교육관을 갖고 있어서는 아니었다. 작은 선물 하나 건네지 않는 학부모에게는 서운한 느낌도 없지 않을 정도로 어찌 보면 나는 닳은 선생이었다. 봉투를 받은 적은 없지만 자의적으로 내가 정한 기준에 따라 오만원 안쪽의 선물은 기꺼이 받는 편이었다. 나에 대한 기본 정보가 있었는지 봉투를 가만히 내려다보는 내게 그 어머니는 교양있게 웃으며 말했다. 아이, 돈 아니에요. 물론 현금은 아닐 것이다. 아마도 고액의 백화점 상품권일 테지.

무슨 일이십니까? 저희 애가 친구들과 잘 지내지 못하는 것 같아서요. 그러지 않아도 그 문제로 상현이 어머님을 일간 뵈려고 했습니다. 상현이가 다소 이기적인 편입니다. 친구들에게 노트 필기 한번 보여주는 법이 없고, 제 물건 하나 빌려주는 법이 없습니다. 성적이 좋지 않은 아이들과는 말도 하지 않습니다. 저도 몇차례 타일렀지만 소용이 없더군요. 부모님께서 좀 도와주셨으면 합니다. 물론 그렇게 말하면서 무슨 기대를 한 것은 아니었다. 아마 상현이는 어려서부터 공부 못하는 애들하고는 놀지 말라는 말을 들으며 자랐을 것이다. 상현이의 문제는 고스란히 제 아버지나 어머니의 문제이기 십상이었다. 아니나다를까, 그녀는 내 말에 발끈해서 아들과 별 다르지 않은 인생관을 한참 늘어놓았다. 결국 자기애에게는 문제가 없다는 결론이었다. 그런 사고방식으로도 지금까지 남부럽지 않게, 아니 외려 남 부러워하게 잘 살아왔을 그녀를 상대로 토론하고 싶은 생각은 추호도 없었고 상현이 녀석에게 별다른 애정이 있는 것도 아니어서, 성공학 서적깨나 읽은 듯한 그녀의 달변을 별 하나 나 하나, 어린시절 잠 못 이루던 밤처럼 천 넘게 헤아리며 간신히 견디고 있던 나를 결정적으로 한방 먹인 것은 교장이었다. 상석에 앉아 팔짱을 낀 채 이십분 넘게 이어진 그녀의 성공학 강의를 듣고 있던 교장이 자기도 지겨웠는지 불쑥 다가와 봉투를 집어들고는 내 호주머니에 쑤셔넣었던 것이다. 이봐 송선생, 상현이 성적 좋잖아. 대체 뭐가 문제란 말이야? 공부를 열심히 하다보니 친구들하고 놀 시간이 없는 것뿐이지. 공부하려는 애들이 공부에 전념하도록 도와주는 것이 선생의 본분 아니요? 본분에만 충실해요, 본분에만. 봉투를 꺼내놓고 말없이 돌아선 것은 할말이 궁색해서가 아니었다. 바싹 붙어선 교장의 몸에서 풍기는 늙은이내를 도무지 참기 어려웠을 뿐이었다. 그런데 바로 그 냄새가 내 부모에게서 풍기고 있는 것이다. 젊을 때는 사람마다 다르던 체취가 왜 늙어지면 누구랄 것 없이 똑같아지는 것인지, 그것은 어쩌면 한 인간이 평생 자신만의 무엇을 찾기 위해 발버둥쳐보았자 생물학적 한계 앞에서는 망망대해의 한점 시든 잎사귀에 불과하다는 무서운 자연의 전언은 아닌지.

배호의 목소리는 더이상 들려오지 않았다. 아무도 귀 기울이지 않는 테이프를 남편이 꺼버린 모양이었다. 오른쪽 미등을 깜박이며 차가 휴게실로 들어서고 있다. 시동이 꺼진 후에야 어머니는 눈을 떴다. 눈가에는 질척한 눈곱이 끼어 있었다. 기차로 다섯 시간 달려온 서울행만 해도 노인네에게는 힘에 부칠 터였다. 아무래도 무리한 일정이었다. 서울에서 며칠 쉬다 여행을 가자고 했건만 여행 당일에야 올라온 것은 올밤 수확을 끝내고 오겠다는 부모님의 고집 탓이었다. 인건비, 비료값 제하고 나면 오십만원이나 남을까. 늘그막에까지 그토록 악착을 떨어야 하는 부모님의 고단한 생이 안타깝기보다 짜증스러웠다.

"가락국수 드실래요? 여기 국물맛이 일품이에요."

승원이가 걸음마를 시작한 이래 거의 주말마다 전국을 누비고 다닌 남편은 휴게소 음식까지 죄 꿰뚫고 있었다.

"기차 안에서 점심 묵었는디 국시는 멀라고. 권서방이나 묵고 오소."

어머니는 다시 눈을 감았다.

"그럼 내려서 다리라도 푸시죠. 너무 오래 앉아 있으면 힘드실 텐데요."

남편이 뒷문을 열고 팔까지 붙들었지만 어머니는 고개를 저었다. 아버지는 차가 멈춘 것도 모른 채 잠에 취해 있었다. 나 역시 가락국수 생각은 없었으나 혼자 먹게 하기가 뭣해서 따라내렸다.

"맛있지? 여기 국물맛이 내가 먹어본 중에 최고야. 나와서 바람도 쐬시고 국물이라도 좀 드시면 좋을 텐데. 점심이래야 기차 안에서 고작 김밥으로 때우셨을 거 아냐?"

남편 말대로 얼큰한 국물맛이 제법 개운했으나 입맛은 당기지 않았다. 삼천원을 헛되이 쓰지 않을 생각으로 차에 남아 있는 어머니가 가슴에 얹혀 국물조차 시원하게 내려가지 않았다.

"왜 그래? 어제 밤늦게까지 음식 장만하느라 무리한 것 아냐?"

나는 내 몫의 국숫가락을 남편 그릇으로 옮겼다.

"좀 맛있게 먹을 것이지, 아침에 토스트 한쪽밖에 먹지 않아놓구선……"

"음식 만들면서 이것저것 집어먹은 게 속이 더부룩해서 그래요. 국물 마실게. 맛있네."

남편에게 미안해서 억지로 국물을 몇 숟가락 떠넣었다. 나는 남편에게 왠지 늘 미안한 느낌이었다.

차가 달리자마자 어머니는 다시 졸기 시작했다. 이제 막 여행을 시작했다기보다 힘든 여정을 끝내고 귀향길에 오른 풍경이라는 편이 더 적확할 듯했다. 이걸 과연 나들이라고 할 수 있을지, 첫 나들이치고는 참 스산하다는 생각을 하면서도 나 역시 운전하는 남편만 아니라면 좀 자두고 싶었다. 온몸이 비에 젖은 청바지처럼 무거웠다. 남편이 도와준다고는 하지만 대개 내 몫일 수밖에 없는 살림과 직장일을 병행하는 탓만은 아니었다. 승원이가 갓난애던 시절에 비하면 일은 한결 수월했다. 걸을 때 자연적으로 흔들리는 팔조차 거치적거린다고 느껴지는 것은, 때로 숨쉬기조차 귀찮아지는 것은, 나이 먹어간다는 징조일지도 몰랐다.

식후인데다 차창으로 제법 따갑게 내리쬐는 햇살 때문에 졸리운지 남편이 창문을 내렸다. 깊은 잠에 취한 채 어머니는 양팔을 쓸어내렸다. 추운 모양이었다. 흘러내린 어머니의 점퍼를 끌어올렸다. 뒤창으로 스며든 햇살을 반짝반짝 튕겨내는 화사한 오렌지색 점퍼만이 지금 우리가 여행지를 향해 질주하는 중임을 말해주는 듯했다. 요즘 노인들 사이에서 오렌지색이 유행이라나 뭐라나, 점원이 뭐라고 꼬드겨도 늘 사던 베이지색이나 검자주색으로 골랐어야 했다. 주름진 고랑마다 지난 삶의 행적이 고스란히 새겨진 어머니의 얼굴을 배경으로 오렌지색 점퍼는 더욱 도드라져 보였다.

지난해 이맘때. 어느 학생의 질문이 불쑥 떠올랐다. 수업시간에 백석의 짧은 수필을 막 읽어준 후였다. 이 좀말로 할까고 머리를 기울여도 보았으나 그래도 나는 그 처량한 당나귀가 좋아서 좀더 이놈을 구해보고 있다, 마지막 구절의 여운으로 잠시 침묵하고 있던 참인데 한 녀석이 심드렁한 표정으로 묻는 것이었다. 미국에서 몇년을 살고 왔다는 녀석은 애널리스트인지 뭔지 나로서는 이름도 생소한 직업을 갖는 게 꿈이라고 했다. 돈을 잘 벌 수 있다는 이유에서다. 그 사람 가난했죠? 나는 말문이 막혔다. 나를 비웃기라도 하듯 녀석은 말을 이었다. 그렇게 비효율적인 생각을 하는데 잘살 리가 없죠. 선생님, 사는 데 아무 도움도 되지 않는 문학 따위를 우리가 왜 알아야 되죠? 누군가 냉큼 말을 받았다. 그걸 몰라서 묻냐? 수능을 잘 봐야 되니까 그렇지. 작년에는 이용악이 출제되었으니까 올해는 백석이 나올 확률이 높다고. 질문을 한 녀석에게는 매우 만족스러운 대답인가보았다. 출제확률이 높다는 말이 떨어지기 무섭게 대부분의 학생들이 나를 주시했다. 역시 공부 잘하는 외국어고등학교다웠다. 아이들이 원한 것은 출제 가능성이 높은 백석의 시를 샅샅이 분해해 주는 것이었겠지만 나는 그러지 않았다. 예전처럼 그럼에도 불구하고 우리가 왜 시나 소설을 읽어야 하는지 한바탕 사설을 늘어놓지도 못했다. 등골이 서늘한 채 멍하니 서 있었을 뿐이다. 어느 학부모가 기증한 에어컨이 쌩쌩 잘 돌아가고 있었는데도 두꺼운 백석전집을 든 손바닥에 땀이 고였다. 처량한 당나귀라도 된 기분이었다.

녀석에게 내 부모의 삶이란 돌아볼 일고의 가치조차 없는 실패자의 삶일 것이다. 초등학교 일학년 담임만 삼십년 하면서 긁어모은 돈을 부동산에 투자해서 돈푼깨나 만지게 된 사촌이 아버지 앞에서 고개를 빳빳이 세우고 거드름을 피우기 시작했을 때, 구멍가게를 하는 먼 친척이, 그래도 아는 사람 물건 팔아줘야 한다며 십분씩이나 자전거를 타고 가서 솔한 보루를 찾는 아버지에게 요즘 누가 솔을 피냐며 타박을 할 때, 명절날 모인 사촌들이 그렇게 된다면야 좋제만 누가 그러고 삽디여, 요새 세상에야 돈이 최고제,라며 아버지의 말을 잘라먹을 때, 내 가슴속에서는 불덩이가 치솟았다. 그러나 그 불덩이는 입밖으로 터져나올 만한 힘도 없이 저 혼자 맥없이 사그라들곤 했다. 뜨거운 불덩이를 식힌 것은 어쩌면 대상이 내 부모여서 무시나 경멸이 담겨 있지 않을 뿐 남과 다르지 않은 내 시선이었는지도 몰랐다. 영웅까지는 아니어도 시대의 고통을 외면하지 않았던 아름다운 인간으로 내 부모를 바라보았던 적도 있었다. 이상을 위해 목숨도 내걸었던 부모님은 내 삶의 지표였고, 고난에 찬 두 분의 인생은 감히 나로서는 상상조차 할 수 없는 위대한 것이었다. 그러나 지금 내 앞에서 피곤을 이기지 못해 깊은 잠에 취해 있는 부모님은 억압과

착취가 없는 아름다운 세상을 만들겠다는 일념으로 목숨을 걸고 전장을 누비던 혁명가가 아니라 다만 가난하고 볼품없는 늙은네일 뿐이었다.

탄 사람이 들뜬 여행객이든 휴식이 필요한 지친 영혼이든 차는 애초의 목적지를 향해 달리고 있었다. 저녁때가 가까워지면서 햇살이 누그러들자 굳이 창문을 열지 않아도 차안 공기가 서늘해졌다. 산중턱으로 뚫린 길이라 평지보다 기온이 더 낮은 듯했다. 답답하게 막아서던 산이 멀찌감치 물러나더니 낮은 구릉지대가 나타났다. 먼 초원 위로 소떼가 한가롭게 풀을 뜯고 있었다. 멀리 펼쳐진 구릉은 푸르렀지만 가을 문턱의 푸르름은 한여름의 맹렬한 기세를 잃은 채 쇠락의 싹을 품고 있었다.

"여그가 워디다냐? 우리나라에 이런 디도 있다냐?"

두 시간 가까이 깊게 잠들었던 어머니가 하품과 함께 기지개를 켜더니 차창으로 바싹 다가앉았다.

"삼양목장 아니다고. 우리나라서 방목이 가능한 디는 여그뿐이여. 것도 모르고 5공 때 멀쩡한 나무 베내고 사방디다 초지 만들었다가 낭패만 안 봤능가. 여그는 한여름에도 기온이 낮아서 풀들이 웃자라들 않는다등만."

자는 줄 알았던 아버지가 잠기라고는 조금도 묻어 있지 않는 카랑카랑한 목소리로 말을 받았다.

"참말 좋소이. 이런 디서 살았으면 쓰겄소."

"여그 목장엔 늙은이들도 많다등만 우리는 너무 늙어서 안될 것이여. 한 칠십까지나 받아줄랑가 모르제. 허기사 젊었어도 당신같이 일도 못하는 골골이를 누가 받아줄 것이여?"

산에서 워낙 고생을 한 탓에 어머니는 늘 어딘가가 좋지 않아서 골골

앓았던 것이다.

"내가 왜 일을 못해라? 당신 없을 제 나 혼자 열마지기 논농사를 다 지었는디. 힘은 없제만 악으로 버티기로 하믄야 나 따라올 사람이 없을 것이요."

"허기는 산에서 당신 벨멩이 독종이었다등마."

한 고향 출신이지만 어머니는 남부군, 아버지는 전남도당 소속이었으므로 두 사람은 산에서는 만난 적이 없다고 했다.

"독종이 아니었으면 그 시절을 워치케 견뎠겄소. 그때 우리들이야 다 독종이었제."

두 사람의 대화는 빨치산 시절로 이어졌다. 참으로 신기하게도 부모님이 나누는 모든 대화의 끝은 늘 그랬다. 빨치산 시절은 모든 것의 출발점이자 귀착점이었다. 낯설고 강렬한 경험이 누구에게나 깊이 각인된다는 것을 모르지 않는다. 군대 가서 첫휴가 온 남자들이 입만 열면 군대 이야기를 늘어놓는 것도, 사람들이 첫사랑을 좀체 잊지 못하는 것도 그 때문일 것이다. 그러나 군대 이야기도 첫사랑도 몇년쯤의 세월이 지나고 나면 빛이 바랜다. 현재형이 아닌 이상 아무리 아름답고 강렬한 기억도 세월 속에서 풍화되는 것이 자연의 이치이고, 그래서 인간은 살 수 있는 것이라고 누군가도 말하지 않았던가. 그런데 내 부모는 무려 오십년의 세월이 지난 지금도 그 세월에 붙박여 있다. 과거를 추억하는 것마저 금지되어 있던 시절에는 이불 속에서라도 끊임없이 그 시절로 되돌아갔다. 고작 오년에서 육년에 불과한 젊은날의 짧은 시간이 두 사람의 평생을 단단하게 얽어매고 있는 것이다.

"그람 여그부터 대관령이다요?"

"글제. 쪼까 더 가면 정상일 것이여."

깊고 찬 겨울강처럼 가라앉아 있던 어머니의 눈 깊숙한 곳에서 생기가 반짝거리기 시작했다. 어머니는 지금 후평 후퇴시절을 떠올리고 있을 것이다. 이현상 부대 소속으로 낙동강 전투에 합류했던 어머니는 9 · 28 후퇴 시 태백산맥을 따라 북으로 올라갔다. 다가올 비극의 운명을 알지 못한 채 이현상 부대는 승리의 기쁨을 만끽하고 있었고, 어머니는 평생의 가장 아름다운 기억으로 그때를 간직하고 있다.

"워디가 워딘동 통 모리겄네."

"근 오십년 전에 와본 디를 워치케 알겄능가."

남부군이 9 · 28 후퇴 소식을 들은 것은 인민군이 이미 철수해버린 며칠 뒤였다. 그러니 시월 초순경에나 이 부근을 지났을 것이다. 정상에서 불타기 시작한 단풍이 칠부능선쯤 내려갔을까. 잎을 떨구기 직전 마지막 생명의 힘까지 끌어올려 붉게 타오르는 단풍을 헤치고 남부군은 자신들의 코 앞 운명도 모르는 채 단풍보다 더 기세 좋게 타오르고 있었을 혁명의 열정을 품고 이 길을 걸었으리라. 후퇴하는 길이긴 했지만 아직 승리를 장담하고 있던 때이고, 인천상륙작전으로 전쟁에 개입한 미군이 서쪽으로 너무 빨리 치고 올라가는 바람에 태백산맥 쪽에는 전선이 형성되지 않아 벌건 대낮에도 혁명가를 큰 소리로 외쳐 부르며 북진을 했다고, 어머니는 말했었다. 창문을 열었으나 우렁찬 혁명가는 들리지 않았고, 차들의 소음 사이로 소슬한 바람만 끝부분에 붉은 기가 도는 나뭇잎을 흔들어대고 있었다. 정상이 가까워지면서 제법 세차진 바람이 가는 나뭇가지들을 뒤흔들 때 나는 문득 흔들리는 나무 사이로 자기 키만한 장총을 멘 인민군 차림의 젊은 어머니가 사라지는 모습을 본 듯도 했다. 그러나 이내 바람은 잦아들었고, 코앞의 혁명을 믿으며 숨져간, 혹은 실패한 혁명에 통분하며 눈감은 무수한 죽음과 슬픈 청춘의 기억을 깊숙한 품에 그러안은 산은 무슨 일이 있었냐는 듯, 태곳적부터 지금까지 나는 오직 고요했을 뿐이라는 듯 시침을 떼고 있었다. 정상이 가까워올수록 쇠락의 기미가 농후한 대관령은 어디서나 볼 수 있는 그저 무심한 산이었다. 모퉁이를 돌자 잠시 모습을 드러내던 검은 바다가 다시 산 뒤로 숨었다.

"여그 워디를 지났는갑소. 오른짝으로 바다가 보이다 말다 그랬응게……"

남편이 비상등을 켜더니 갓길에 차를 세웠다.

"멀라고?"

"여기서 한번 찾아보시라구요."

"멀라고. 봐야 알 수나 있간디."

"그래도……"

"봤응게 되얏네. 후딱 가세. 폴쎄 해가 질랑갑그마. 어둬지기 전에 당도해야 할 것 아닌가."

아직 여섯시도 되기 전이고 정상에 단풍이 들기 시작했다고는 하지만 한낮에는 여름기운이 선연한 초가을인데 벌써 거뭇거뭇한 어둠이 숲 안쪽에서 음험하게 스멀거리고 있었다.

어머니는 다시 등받이에 몸을 기댄 채 눈을 감았다. 굽이진 길 때문에 멀미가 나는 모양이었다. 한 굽이를 돌 때마다 바다가 조금씩 가까워졌지만 어머니는 내처 눈을 감고 있었다. 간혹 눈꺼풀이 파르르 떨리고 있었다. 청춘의 흔적을 조금도 담고 있지 않은 산 대신 어머니는 당신 마음속에 생생하게 간직된 그 시절로 눈을 돌린 것인지도 몰랐다. 보름만 지나면 이 길에는 행락차량들이 끝도 없이 늘어설 테고, 또 보름만 지나면 정체되어 있던 길이 뚫리듯 산은 나뭇잎을 떨궈 여름내 감추고 있던 제 속살을 열어 보일 것이다.

바다가 불쑥 옆으로 나타났다. 산에는 어둠이 내려앉고 있었으나 바다는 늦은 오후의 시든 햇살을 품고 아직 푸르렀다. 창문을 조금 내리자 짭쪼롬한 바다냄새가 달려들었다. 오싹 소름이 돋도록 시린 바람이었다. 어머니가 고개를 기웃거리며 바다를 내다보았다.

"아따, 좋다이. 뭐니뭐니 해도 동해바다가 젤이드라. 저렇게 탁 트여야 맛이제. 남해는 오종종허니 섬들이 가로막아갖고 답답하기만 허등만."

"그럼 전망 좋은 데서 차를 좀 세울까요?"

남편이 묻자 어머니는 또 휘휘 고개를 저었다.

"멀라고. 차에서 봤으면 됐제. 후딱 가소. 피곤할 것인디 후딱 가서 쉬어야제."

우리끼리 온 여행이었다면 남편은 경치 좋은 곳마다 차를 세우고 바람을 쐬며 사진을 찍었을 것이다. 그렇게 찍은 사진이 집안 곳곳에 넘쳐났다. 사진첩 정리하기 좋아하는 남편마저 포기했을 정도이다. 거실 한켠에 사진첩을 곱게 꽂아두고, 빈 벽마다 가족사진을 걸어두는 사람들은 내가 맛보지 못한 인생의 어떤 달콤함을 알고 있는 거라 생각했고, 그렇게 살아보는 것이 어린시절부터의 소원이었다. 그 소원을 넘치도록 이루었으나 인생의 어떤 달콤함을 나는 아직 맛보지 못했다. 아이를 낳고 기른 재미가 없는 것은 아니었지만 그것은 사진첩으로 표상되는, 내가 꿈꾸던 무엇은 아니었다.

남편이 갑자기 속도를 줄였다. 정차할 곳을 찾는 모양이었지만 마땅한

갓길이 없었다.

"운포라고 하지 않았어?"

아버지 생일날 무슨 선물을 할까 망설이는 내게 부모님을 모시고 동해바다나 다녀오면 어떻겠냐고 물은 것은 남편이었다. 혼자서는 오십 미터도 걷지 못하는 어머니와 장거리 여행을 한다는 게 무리임에도 불구하고 나는 선뜻 고개를 끄덕였다. 동해바다라는 말을 듣는 순간 운포가 떠올랐던 것이다. 운포에나 한번 가봤으면 쓰겄다,는 게 오래 전부터 어머니의 바람이었다. 아버지가 올밤을 주우러 산에 갔다 운좋게 송이버섯이라도 하나 캐오면 운포 솔밭에는 송이가 지천으로 널려 있었는디 했고, 눈알이 희끄무레한 생선들뿐인 장에서 몇번이나 생선전을 돌다가 별수 없이 물 간 생선을 살 때면 운포에서는 펄펄 살아뛰는 것들만 묵어도 생선이 남아 돌았는디, 했다. 38선이 안방을 가로지른다는 어머니 친구네 집이며 봄이면 푸른 바닷가에 새빨갛게 피어났다는 열구꽃까지도 나는 생생하게 그려낼 수 있을 것 같았다. 운포는 어머니의 고향과도 같았다. 미두(米豆)를 하다 삼천석 살림을 날린 외할아버지는 홀연 집을 떠났고 3년 후에야 반 거지꼴이 되어 나타났다. 그러고는 전라도 땅에서 머나먼 양양 운포로 식솔들을 끌고 간 것이다. 외할아버지가 고향에서 가급적 먼 곳으로 떠난 것은 굶어죽을 지경이 되어서도 결코 버릴 수 없는 자존심 때문이었다. 전주 이씨 후손으로 생선장수나 하며 살아가는 꼴을 외할아버지는 친형제에게도 보이고 싶지 않았던 것이다. 외할아버지의 벌이만으로는 아홉이나 되는 자식을 제대로 거둘 수 없어 마침내 막내를 영양실조로 잃은 외할머니가 남편이 장사 나간 사이에 넉넉한 친정 그늘로 되돌아갈 때까지 근 십년을 어머니는 운포에서 살았다. 운포로 떠날 때가 여섯살이었고 전라도에 돌아와서는 곧장 결혼했으므로 어머니에게 고향은 누가 뭐래도 운포였다. 어머니의 운포 타령을 어려서는 귓전으로 흘려들었다. 내게는 고향이라는 의미가 그닥 절실하게 와닿지 않았던 탓일 게다. 취직을 한 후로 나는 고향으로부터 점점 멀어졌다. 그리고 결혼과 함께 고향은 그야말로 마음의 고향이 되었다. 그제야 어머니의 운포 타령이 실감나게 느껴졌고, 떠난 이후 단 한번도 가보지 못한 그곳이 어머니의 마음속에 얼마나 절절하게 사무쳤을지 조금은 짐작이 되었다. 언젠가 한번은 어머니를 모시고 가야지 생각한 게 벌써 십여년이 훌쩍 지나고 만 것이다.

"방금 운포라는 표지판을 지나친 것 같은데……."

마땅히 차를 댈 곳이 없자 남편은 비상등을 켜고 끝차선에 반쯤 걸친 채 차를 세웠다.

"한번 보세요. 바로 전에 지났으니까 운포가 맞다면 기억이 나실지 모르잖아요."

왼편으로 멀리 태백산맥이 뻗어 있었고 오른편으로는 갈대 무성한 평지가 바다까지 잇닿아 있었다. 주변을 이리저리 둘러보며 어머니는 고개를 갸웃거렸다.

"아닌 것 같은디……. 잘 모리겄네. 그때는 이런 땅을 워디 그냥 놔뒀간디. 머라도 심어 묵었제. 운포에는 이런 들이 없었는디……. 지나왔다냐 어쩐다냐."

"돌아가볼까요?"

"쪼깐 더 가보세. 운포를 방금 지났으면 바로 현남국민핵교가 나올 것잉게. 애들 걸음으로 한 삼십분 남짓 걸렸응게 차로 가면 금방일 것잉마."

"운포가 무슨 면이죠?"

"이. 양양군 현남면 운포여."

혹시나 나올지도 모르는 표지판에 대비해서 남편은 시속 사십 킬로로 차를 몰았다. 마을을 멀찌감치 두고 쭉 뻗은 8차선 도로에는 한동안 표지판이 나타나지 않았다.

"장모님. 양양시라는데요. 보자, 한계령 가는 길인 걸 보니까 이건 시내 들어가는 길인데……."

"워디?"

어머니는 운전석과 조수석 사이로 목을 빼고 표지판이 가리키는 삼거리를 유심히 살폈다.

"어그가 워딘고?"

"양양 시내예요. 현남초등학교가 시내 지나서 있었나요?"

"워디가, 운포 지나서 핵교가 있었고, 또 거그서 한참을 더 가야 양양인디."

"자세히 보세요. 여기가 속초하고 양양 시내가 갈라지는 삼거린데, 길이야 확장됐겠지만 아마 옛날에도 삼거리였을 것 같은데요."

"장꾼들이 읍내 갔다온 거야 봤제만 직접 와본 적이 있어야제. 모리겄그마."

아무래도 지나온 모양이었다. 여섯시 반. 되돌아가서 운포를 찾기에는 조금 늦은 듯했다.

"어떡할까요? 멀지는 않은 것 같으니까 돌아가서 찾아보고, 거기서 저녁을 먹을까요?"

"아매 식당 같은 것도 없을 것잉마. 원체 작은 동넨디. 그냥 가세. 니알

밝을 제 찾아보제 뭐."

열여섯에 떠나오고 처음 찾은 고향인데 하루쯤 더 늦는다고 대수랴. 남편은 가속페달을 밟았다. 아마 대포항쯤에서 저녁을 먹어야 할 듯했다. 이내 속초비행장 표지판이 나타났다. 왼쪽으로 꺾어져 조금만 들어가면 진전사가 나올 것이다. 은빛 억새 위로 달빛 부서지는 밤의 폐사지가 한결 운치있을 테지만 부모님과 함께 갈 만한 곳은 아니었다. 폐사지에 왔던 것은 교사가 된 첫해 가을이었다. 문예반을 담당한 지 몇달 만에 이런저런 대회에서 입상자들이 생기기 시작했고, 성적과 상관없는 일은 무엇이든 이브를 꼬드긴 사악한 뱀쯤으로 여기는 교장이 학교버스까지 내주면서 답사를 허락했던 것이다. 그해 봄 백일장에서 '바람'이라는 제목을 냈더니 바람은 기압의 차이로 인해 발생하는 것으로서 바람의 종류에는 편서풍 운운하던 아이들이 문예반을 하면서 놀랍게 달라지는 모습에 나 역시 한껏 고무되어 있었다. 사년 가까이 근무했던 사회과학 출판사가 영업난으로 문을 닫은 뒤 하릴없이 돈이나 쓰며 대학원에 다니다가 남편 벌이만으로는 십년이 지나도 셋방 신세를 면할 수 없을 것 같아 선택한 교직이었지만 나는 마치 교사가 되기 위해 태어난 사람처럼 사명감마저 느끼고 있었다.

진전사까지 버스가 들어가지 못해 마을 어귀에서 차를 세웠을 때 아이들은 긴 잠에서 깨어나 투덜거렸다. 아무리 공부벌레들이라고 해도 여행의 설렘조차 없이 서울서부터 내리 잠만 잔 아이들에게 거의 절망하고 있던 나는 얼마나 걸어야 되느냐, 폐사지라면 볼 것도 없을 텐데 뭐하러 가느냐, 그냥 갔다온 것으로 치고 숙소에 가서 밥이나 먹고 노래방이나 가면 안되느냐는 등의 질문에 일일이 대꾸해줄 기분이 아니었다. 내가 말없이 앞장서 걷기 시작하자 아이들은 투덜거리면서도 여직 잠에서 깨어나지 못한 녀석들을 깨워 뒤따르기 시작했다. 그 깊숙한 곳까지 외지인의 별장이 간간이 들어서 있었지만 그래도 주변경관을 크게 해칠 정도는 아니었고, 조금 더 들어가자 인가도 없이 깊은 계곡을 끼고 있는 호젓한 길이 제법 걸을 만했다. 시험이니 뭐니 일상사로 시끄럽던 아이들이 언젠가부터 침묵하고 있었다. 폐사지에 거의 도착했을 때였다. 시커먼 먹구름이 순식간에 하늘을 뒤덮더니 이내 마른번개가 번쩍였다. 신기하게도 조금 먼 하늘은 눈부시게 파랬다. 잡초 무성한 빈터에 탑 하나만 달랑 서 있는 폐사지를 만난 것은 대낮의 어둠속에서였다. 천여년 전 수행자들이 고요히 오갔을 진전사 터에는 당시의 침묵이 그대로 고여 있는 듯했다. 갑작스런 날씨 변화는 마치 그 침묵을 지키려는 하늘의 뜻인 듯했다. 혼자 있을 때는 휴대전화로라도 친구들과 수다를 떨어야 하는, 잠시도 입 다무는 법이 없던 아이들마저 침묵의 무게에 짓눌려 미동도 않고 폐사지 빈터에 묵묵히 서 있었다. 조금 떨어져 있는 부도를 보러 가는 길에 빗방울이 듣기 시작했다. 빗방울은 이내 굵어졌다. 살갗이 아프도록 굵은 빗줄기가 온 세상을 난타하고 있었다. 풀숲과 나무와 천년 된 부도를 두들겨대는 빗방울이 아이들의 영혼까지 두드리고 있는 것 같았다. 먹장구름은 갑자기 온 것처럼 갑자기 사라졌다. 언제 그랬냐 싶게 청명해진 가을하늘을 아이들은 어리둥절한 눈으로 올려다보았다. 그날 아이들은 폐사지에서 멀지 않은 저수지 둑을 데굴데굴 굴러다녔다. 풀물이 배는 것도 아랑곳하지 않았다. 폐사지의 정적을 깨뜨리던 아이들의 거칠데 없는 웃음소리가 아직도 귀에 선하다. 폐사지의 깊은 외로움이 소나기가 되어 우리를 맞았다고, 그 비가 우리의 영혼을 적셔 알몸으로 자연과 만날 수 있었다고, 한 아이가 졸업문집에 그렇게 그때를 회상했다. 아이들은 오래도록 그 경험을 잊지 못했다. 그러나 그 한순간의 경험이 아이들의 삶을 바꿔놓을 수는 없었고, 나 역시 조금 색다른 선생 정도에 지나지 않는다는 것을 깨닫는 데는 별로 긴 시간이 필요하지 않았다. 자연이나 생의 신비보다도 아이들을 더 강렬하게 흡입하는 것은 돈이나 간판 없이는 행세할 수 없는 냉정한 현실이었다. 야근을 마치고 첫 햇살을 받으며 돌아가는 노동자의 지친 어깨나 농사꾼의 거친 손마디, 상처입은 자들의 슬픔 따위는 몰라도 살아갈 수 있지만 돈이나 간판 없이는 살기 힘들다는 것을, 아이들은 머리가 채 굵기도 전에 이미 눈치채고 있었다. 요즘에는 일년 단위로 세대차이가 발생한다더니 아이들은 해가 바뀔수록 놀랍게 영악해졌고, 나는 도무지 그 발빠른 아이들을 따라잡을 수가 없었다. 뭉크의 '절규'를 보여주며 소감을 말하라던 첫수업에서 첫해에 만난 아이들은 이미 절반쯤 마음의 문을 열었지만, 삼년 전에 가르친 아이들은 나름대로 모범답안을 말한 뒤 조심스럽게 손을 들었다. 선생님, 앞으로도 이런 방식으로 수업하나요? 자주 그럴 거라고 했더니 녀석은 말했다. 그럼 진도에 차질이 생기지 않나요? 수능에서 언어영역이 제일 중요한데……. 그 다음해에는 그렇게 묻는 녀석도 없었다. 무성의하게 답변한 후 보란 듯이 영어단어장이나 수학책을 꺼내놓았던 것이다. 내 책상에서 교과서와 참고서 외의 자료들이 사라지기 시작한 게 언제부터인지는 정확하게 기억나지 않는다. 나는 아마 교장이 바라는 선생이 되어가고 있는지도 모르겠다. 그렇다고 출제유형을 파악하고 출제가능성을 점찍어 가르칠 만큼 유능한 선생도 아니어서 나조차 정답을 찾아내기 어려운 오지선다형 문제나 풀어주며 적어도 겉으로는 교장이나 학생들이 원하는 선생의 흉내를 충실하게 내고 있는 것이다. 솔직히 말하자면 나는 수능문제나 내가 낸 시험문제조차 다 맞춰본 적이 없었다. 두 개의 답을 놓고 망설이다 틀린 쪽을 고르는 경우가 번번이 두어 문제는 되었다. 그놈이 그놈 같은 다섯 개 중에서 정답을 쏙쏙 찾아내는 아이들이 신기할 정도였다. 시나 소설을 놓고 단 하나의 정답을 찾는 것 자체가 나로서는 오리무중 혹은 어불성설이었다. 만점을 기대하고 그래서 좋은 대학 잘나가는 과에 진학하는 것이 인생의 유일한 목표인 아이들에게나, 일류대 진학을 교육의 목표로 삼고 있는 학교에서 나 같은 사람이 과연 선생의 자격이나 있는 것인지, 열정이나 희망은커녕 최소한의 자신감마저 나는 상실해버린 게 아닐까. 학교생활이 버거워지기 시작하면서부터 진전사는 내 마음의 고향이 되었다. 그 뒤로 남편과 여러차례 속초비행장 부근을 지나면서도 나는 진전사에 가보자는 말을 하지 못했다. 최후의 순간까지 남겨놓고 싶었던 것인지, 아니면 그곳에서조차 어떤 희망이나 위안도 얻지 못할 것을 두려워했던 것인지는 알 수 없다.

대포항 표지판이 나타났다. 주섬주섬 옷가지를 집어드는 참인데 차는 주차장을 지나쳐 내처 달리고 있었다. 대포항쯤에서 회를 곁들여 저녁식사를 하는 걸로 생각했던 나는 잠시 의아했다. 딱딱하게 굳어 있는 남편의 옆모습을 확인한 후에야 막 튀어나오려는 말을 꿀꺽 삼켰다. 재작년 시어머니가 돌아가시기 몇달 전 마지막으로 함께 온 곳이 바로 대포였던 것이다. 두 번에 걸친 항암치료로 몸무게가 고작 삼십 킬로밖에 나가지 않던 시어머니는 죽음에 대한 무슨 예감이 들었던 것인지 불쑥 바다가 보고 싶다고 했다. 대장암을 앓던 시어머니는 대포항 횟집에서 겨우 회 두 점을 먹었을 뿐이다. 오리털 파카를 뒤집어쓴 채 망연히 바다를 보던 시어머니는 불쑥 앙상한 손으로 잔을 내밀었다. 남편은 대학시절 아르바이트로 돈을 벌면 동네 시장 어귀 포장마차로 어머니를 불러내어 멍게나 곱창 따위를 안주 삼아 소주 한병씩을 비우곤 했다고 한다. 소주를 두 잔 마시고 좀 걷고 싶다던 시어머니는 방파제 끝에 쭈그려앉아 노래를 불렀다. 겨울밤, 하늘과 바다를 구분할 수 없는 깊은 어둠속에 멀리 오징엇배의 불빛만 아득했다. 일찍 남편을 잃고 검은 바다처럼 막막했던 인생과 마지막 작별이라도 나누는 듯한 시어머니의 여윈 뒷모습에 남편은 몰래 눈물을 훔쳤다. 그 모습이 부러웠다고 하면 남편은 벌컥 화를 낼 게 분명했다. 그러나 정말이지 부러웠다. 어둠속에 쭈그려앉아 먼 바다를 보며 노래를 부르는 시어머니의 모습에 슬픔을 느끼지 않은 것은 아니었으나 그보다 시어머니가 자기에게 허락된 아주 짧은 순간조차 즐기고 있다는 생각이 들었던 것이다. 평생 단 한순간이라도 저렇듯 슬픔이든 아픔이든 상처입은 자신의 내면을 고즈넉하게 들여다보면서 스스로를 위로해본 적이 있을까 싶어, 건강하게 살아 있는 내 부모가 더 안타까웠던 것은 비정하게도 한 다리를 건넌 남이라서 그랬을지 모른다. 그러나 지금도 나는 시어머니의 그 모습을 기억할 때마다 저릿한 슬픔과 함께 부러움을 느낀다.

남편이 차를 세운 곳은 고속버스터미널 앞 설악해수욕장이었다. 카디건을 걸쳤는데도 밤바람이 차가웠다. 횟집 뒤로 돌아가는 길 대신 남편은 백사장으로 성큼성큼 걸어갔다. 백사장을 가로질러 방파제로 갈 모양이었다. 지름길이기는 했다. 몇년 전에 새로 생긴 방파제에는 싼 횟집들이 몰려 있었다. 임시 포장마차긴 해도 방파제에 부딪치는 파도가 투명 비닐창으로 내다보이는 풍경은 다른 어느 곳보다 근사했다. 파도가 먼 바다의 어둠을 조금씩 백사장으로 물어나르고 있었다. 흰 반팔 티에 반바지 차림의 젊은 여자가 우리 옆을 휙 스쳐 뛰어갔다. 샌들 자국 선연한 맨발이었다. 모래에 묻혔던 여자의 하얀 발은 모래알을 사방으로 튕겨내며 허공으로 떠올랐다. 어머니의 체중이 점점 내 두 팔에 쏠리고 있었다. 모래사장은 뻘이라도 되는 듯 어머니의 발을 빨아들인 채 쉽게 토해내지 않았다. 내 팔에 매달린 어머니가 견딜 수 없이 무겁게 느껴졌다. 백사장을 절반이나 가로질렀을 때 어머니는 털썩 모래 위에 주저앉았다. 어머니의 시선은 어두운 바다를 배경으로 더욱 희게 부서지는 파도나 먼 수평선이 아니라 흰 반팔 티의 여자를 뒤쫓고 있었다. 여자는 샌들을 양손에 든 채 파도를 향해 달려나갔다. 먼길을 달려와 마침내 하얀 포말로 부서지는 파도 사이로 여자는 새된 비명을 지르며 겅중겅중 뛰고 있었다.

"멋이 저렇게 좋을끄나?"

어머니의 얼굴에는 뜻밖에 희미한 웃음이 떠돌고 있었다.

"여행도 젊어서 다녀야제 늙응께 힘만 들고 뭘 봐도 좋은 중도 모리겄다. 산도 시시허고 바다도 시시허고……."

산도 바다도 시시한 것은 늙어서가 아니라 늙은 어머니의 가슴속에 더 이상 혁명에 대한 열정이 불타고 있지 않기 때문인 것은 아닐까. 붙잡혔을 직에 죽을라고 했는디 죽을 틈을 안 주드라. 그때 나는 이미 죽은 것이여. 언젠가 무슨 말끝엔지 어머니는 그렇게 말했다.

남편은 방파제 맨 끝의 횟집 앞에서 산소 호스가 꽂힌 붉은 통 안을 들여다보고 있었다. 횟감을 고르는 모양이었다. 살집 좋은 중년여자가 남편이 가리킨 광어를 뜰채로 건졌다. 광어가 뜰채 안에서 지느러미를 파닥이며 요동치기 시작했다. 여자는 익숙한 솜씨로 광어를 시멘트 바닥에

팽개쳤다. 반쯤 기절한 광어가 정신을 차릴 때쯤에는 이미 온몸의 살이 솜씨 좋게 발라져 앙상한 뼈만 남아 있을 것이다. 어렸을 적, 집에서 잡은 개고기를 먹지 않는 나에게 아버지는 화를 냈다. 사람은 살기 위해 먹어야 하는 것이고, 먹는 것 앞에서 투정을 부리는 것은 삶에 대한 모욕이라고 했던가. 개고기 안 먹는다고 굶어죽을 것도 아니지 않냐는 말을 나는 하지 못했다. 여기는 총탄과 굶주림에 맞서 싸우던 그 옛날의 전쟁터가 아니지만, 동지들이 굶어 죽어가는 모습을 목격했던 아버지에게는 아무리 넘쳐나더라도 먹을 것은 곧 생명일 것이라는 데 생각이 미쳤던 것이다. 아버지는 산에서 보름을 굶은 적도 있다고 했다. 먹을 것을 찾아 산을 내려가던 아버지는 도중에 풀썩 쓰러지고 말았다. 동지들에게 짐이 되기 싫어 일어나보려고 했지만 손가락 하나 까닥할 수가 없었다고 했다. 몇사람의 목숨을 희생한 보급투쟁으로 고작 몇줌의 보리쌀 정도를 구한 동지들이 아버지 곁으로 돌아왔을 때 아버지는 의식이 없었다. 한 동지가 어렵사리 구한 계란 하나를 깨트려 아버지 입에 흘려넣었고, 그 계란이 식도를 통과해 위에 도착하는 순간 아버지는 눈을 떴다. 아버지에게 먹는다는 것은 그런 것이었다. 몇시간씩 요리와 대화를 음미한다는 프랑스의 정찬 같은 것을, 아마 아버지는 부르주아의 사치라고밖에 생각하지 않을 것이다. 그 돈이면 가난한 노동자들 수백명의 배를 채워줄 수 있다고 덧붙일 테지.

남편이 물컵 가득 소주를 따랐다. 아버지는 한자리에서 물컵으로 한잔 이상은 절대 마시지 않았다. 매일 소주 두 병을 먹는 애주가이면서도 아버지에게 소주는 노동의 피로를 덜어주는 음료수일 뿐이었다. 대학시절 이문구의 '공산토월'을 읽으면서 나는 석공의 결혼식 잔치에 참석한 주인공의 아버지가 술에 취한 채 춤추는 장면에서 오래도록 눈을 떼지 못했다. 내게 익숙한 것은 두 고랑쯤 고추를 따고는 흰 플라스틱컵 가득 소주를 따라 물처럼 마시던 아버지의 모습이었다. 천천히 술에 취하고 취한 만큼 마음이 열려 내가 달이 되고 달이 내가 되는 그런 술꾼의 경지를 아버지는 느껴본 적도 없을 것이고, 아마 그럴 생각조차 해보지 않았을 것이다. 처갓집 식구들과 술잔을 주거니 받거니, 노래도 한 곡 뽑는 흥건한 술자리를 기대했던 남편의 말에 의하면 아버지는 절대 술꾼이 될 수 없는 사람이었다. 술꾼이란 술의 양이 문제가 아니라 술의 흥취를 느낄 줄 알아야 한다나. 니네 식구들은 참 재미없어, 하는 말끝에 남편이 우스개로 덧붙인 이야기였으나 나는 우습지 않았고 입안에 모래를 털어넣은 듯 껄끄러웠다. 자신이 도저히 섞여들 수 없는 우리 식구를 남편은 간혹 니네 식구들이라고 불렀다. 아마 나까지 포함된 지칭일 게라고 나는 짐작했다.

주고받는 말도 없이 회 한접시를 다 비우고 매운탕에 공기밥까지 먹고 난 부모님은 혹시 아깝게 남겨놓은 것은 없는지 탁자 위를 유심히 살폈다. 아버지가 하나 남은 메추리알을 집어들었다.

"뭘 좀 더 시킬까요?"

식욕이 당긴 것이라고 생각했는지 남편이 물었다.

"아녀. 냉기기 아까와서 그랴. 바닷가라 회가 싱싱허니 맛나그마. 맛나게 잘 묵었네. 여그 얼마요?"

아버지가 바지 뒤춤에서 지갑을 꺼냈다. 남편이 후다닥 자리에서 일어났다.

"아닙니다. 그러지 마세요, 아버님."

"아녀. 나가 권서방 맛난 것 한번 사주도 못한 것이 마음에 걸려서 그

랑께 가만있게.”

아버지는 남편의 만류를 뿌리치고 기어이 횟값을 치렀다. 어제 오후까지 올밤을 수매해서 받은 돈인 듯했다. 기어이 수매를 마치고 오겠다더니 여행가서 자식들 밥 한끼라도 사줄 돈이 필요했던 것이다. 그것이 아버지 방식의 자식사랑임을 모르지 않으면서도 나는 매번 그런 아버지가 낯설고 멀게만 느껴졌다. 잠시 떨떠름한 표정을 짓고 있던 남편은 화장실에 다녀오겠다며 휭하니 나가버렸다. 언젠가 남편이 부모님에게 함께 살자고 한 적이 있다. 장인 장모를 모셔야 한다는 것은 남편이 무남독녀인 나와의 결혼을 결심했을 때부터 각오한 바였다. 그러나 아버지는 단호하게 머리를 저었다. 멀라고 자식헌티 짐이 될 것잉가. 자네 장모가 안즉 밥은 끓에 묵을 만헝게 지금은 되얏고,누가 먼저 죽등가 움직일 수 없게 되믄 양로원으로 들어갈 것이여. 좋은 디 봐놨응게 신경쓸 것 없네. 넘헌티 짐이 될 정도면 살 필요도 없제. 나야 늘 듣던 말이라 그러려니 흘려듣고 있는데, 남편은 얼굴이 벌겋게 달아올라서는 언성을 높였다. 자식을 두고 어떻게 양로원 가신다는 말씀을 하세요? 자식이 남입니까? 남편은 정말 섭섭한가보았다. 하기야 남편은 장남이 아니면서도 어머니를 모시고 살며 늙어가는 모습을 곁에서 지켜보고 싶어했던 사람이다. 정작 같이 살지는 못했지만 시어머니는 함께 살자는 남편의 말에 늘 흐뭇한 미소를 짓곤 했다.

화장실에 다니러 간 남편은 좀체 돌아오지 않았다. 밥 한끼 얻어먹지 않으려는 장인에 대한 서운함이 돌아간 어머니를 떠올리게 했을 것이고, 남편은 지금 한겨울 매서운 삭풍처럼 아직도 가슴을 후벼 파고 있을 어머니의 마지막 모습을 등에 짊어진 채 방파제나 백사장을 걷고 있을 것이다. 나는 남편이 반쯤 남겨놓은 소주잔을 털어넣었다. 김빠진 소주는 싱겁고 맹맹했다.

"아버지, 한잔 더 하실래요?"

"나는 됐다. 느그들은 한잔 더 할라믄 하등가."

어머니가 휘휘 손사래를 쳤다.

"아이가, 운전할 사램이 폴쎄 두 잔이나 마셨는디, 멀 더 묵어라. 가서 권서방이나 찾아봐라. 그만 쉬었으면 쓰겄다."

어머니의 눈가가 약간 짓물러 있었다. 약시인 탓에 어머니의 눈은 조금만 피곤해도 핏발이 서곤 했다. 아픈 눈을 몇번 문지르고 나면 이번에는 유독 약한 눈꺼풀이 짓물렀다. 어머니는 짓무른 눈을 자꾸 비벼댔다.

영랑호 주변의 별장형 콘도에 여장을 풀자마자 부모님은 시계를 보았다. 아홉시가 조금 지나 있었다. 쉬고 싶다던 어머니는 방에 들어가는 대신 소파에 비스듬히 누웠다. 뉴스 볼 시간이었던 것이다. 부모님의 하루는 텔레비전 첫 뉴스로 시작해서 배급소를 직접 찾아가서 받아온 두 종류의 신문을 샅샅이 읽는 것으로 이어졌고, 중간중간의 뉴스를 거쳐 아홉시 뉴스를 보는 것으로 끝났다. 전기세 몇푼이 아까워 촉수 낮은 전등불 아래 침침한 눈을 비비며 뉴스에 몰두하는 부모님을 보고 있으면 가슴속으로 찬바람이 스며들었다. 부모님은 빨치산 시절 이래로 세상의 변화에 귀를 기울이는 것이 일종의 체질이 되어버린 것인지도 몰랐다. 그때 두 분에게는 꿈이 있었고 그 꿈을 위해 자신들의 목숨도 기꺼이 바칠 각오가 되어 있었다. 불행인지 다행인지 죽음은 부모님을 비켜갔다. 몇백분의 일, 혹은 몇천분의 일이 넘을지도 모르는 확률을 뚫고 살아남은 부모님 앞에 기다리고 있던 것은 희망의 불이 꺼진 컴컴한 암흑, 혹은 실낱 같은 희망이 남아 있다고 해도 정작 자신들은 아무것도 할 수 없다는 암흑보다 더한 절망이었다. 브레히트는 살아남은 자의 슬픔이라고 했지만 한때는 혁명가였던 내 부모가 버스조차 다니지 않는 산골에서 농투성이로 살며, 산에 가려 지직거리는 텔레비전 뉴스에 목말라하고, 누구보다 정확하게 정세를 꿰뚫어볼 수 있다 한들 어디 가서 마음속의 말 한마디 제대로 하지 못하고 살아가는 모습은 슬픔을 넘어선 잔혹이라고나 해야 적확할 것이다. 죽는 것보다 못한 세월도 있는 법이다. 침침한 방안에서 뉴스에 몰두해 있는 부모님의 모습이 섬뜩하게 느껴진 적도 있었다. 행위할 수 없는 열정을 도대체 뭐라고 불러야 마땅한 것인가. 부모님은 창밖의 영랑호 한번 내다볼 여념도 없이 텔레비전을 응시하고 있었다. 여행보다 함께 뉴스나 보고 두어 시간쯤 정치정세를 논해드리는 것이 두 분에게는 가장 즐거운 생일선물이었을지 모른다. 민노당이나 경실련, 혹은 무슨무슨 환경단체에 가입한다든지 진보적인 잡지 몇개를 정기구독하는 것도 값진 선물이었을 것이다.

부모님이 주무실 방에 이부자리를 펴놓고 돌아왔을 때 남편은 소주를 반병이나 비우고 있었다.

"뉴스 끝나려면 아직 멀었나?"

가는귀먹은 아버지가 잔뜩 키워놓은 볼륨 때문에 거실의 텔레비전 소리가 우리 방에까지 왕왕 울려대고 있었다.

"정말 대단하신 양반들이야. 하루쯤 뉴스를 거르면 세상이 뒤집어진다니?"

남편은 조금 전 바닷가에서 만나고 온 어머니를 아직도 놓지 못하고 있는 듯했다. 망자를 애틋이 회고하는 자리에 왕왕거리는 뉴스 소리가 어지간히 거슬리는 모양이었다. 굳이 속초가 아니었다고 해도 장인 장모와 함께 하는 여행길 내내 어머니는 남편의 등에 매달려 있었을 것이다. 자신의 제안이었음에도 불구하고 여행을 작정한 순간부터 남편은 문득문득 어두운 표정이 되곤 했다.

"여기 좋네……. 여기서 묵었더라면 좋았겠다."

잠시 끊긴, 남편이 차마 입밖으로 내뱉지 못한 말을 나는 짐작할 수 있었다. 그랬을 것이다. 시어머니가 이곳에 왔다면 도착하는 즉시 창문을 활짝 열었을 것이고, 뉴스를 보는 대신 베란다 파라솔에 앉아 술을 한잔 나누었을 것이고, 약간의 취기를 빌려 노래를 한 곡조 뽑았을 것이다. 무엇 때문인지 나는 울컥 목이 메었다. 눈물샘으로 터져나오지 못하고 온몸의 모세혈관으로 슬금슬금 퍼져가는 울음기가 이제 죽어 다시는 그럴 수 없는 시어머니를 위한 것인지, 살아 있으면서도 그럴 수 없는 내 부모를 위한 것인지는 정확지 않았다.

다음날 번쩍 눈을 뜬 것은 새벽이었다. 습관처럼 후다닥 일어난 후에야 이곳이 여행지임이 생각났다. 다시 누웠으나 잠이 오지 않았다. 창문으로 새벽빛이 부옇게 스며들고 있었다. 문밖은 온통 안개의 늪이었다. 하늘이 조금씩 밝아지면서 안개는 집과 풀과 호수 언저리를 조금씩 토해냈다. 안개가 토해놓은 풍경 속에 남편이 서 있었다. 쌀쌀한 새벽공기 탓에 어깨를 잔뜩 움츠린 모습이었다. 나보다 좁고 가녀린 어깨를 가진 남편이 등을 내민 적이 있었다. 산동네 골목, 나무상자에 심어진 파와 부추에 햇살이 쏟아지던 한낮이었고, 좁은 땅을 비집고 간신히 자라난 라일락의 투명한 보랏빛이 산동네의 누추함을 더욱 잔인하게 드러내던 오월이었다. 업혀, 너를 업고 이 길을 걸어보고 싶었어. 아버지의 등에도 업혀본

적이 없던 나는 남편의 등이 생각보다 넓고 따뜻한 것에 놀랐다. 남편의 등에 업힌 채 골목길을 이리저리 걷는 동안 우연찮게 기웃거리게 된 달동네 집집마다 이를 데 없이 따뜻하고 소박한 온기가 적막하게 고여 있었다. 작은 꽃송이마다 찬란하게 부서지는 햇살 탓이었는지 눈이 시렸다. 시린 눈을 깜박이며 나는 남편의 목을 단단하게 옭아쥐었다. 초등학교 교과서에 실렸던 '키다리 아저씨의 정원'이 떠올랐다. 남편의 등에 업혀 있으면 삭풍만 몰아치던 내 정원에도 봄이 찾아오고 온갖 꽃들이 피어날 거라고, 나는 기대했던 모양이다. 나를 내려놓은 건 남편이 아니었다. 아무것도 없이 횡한 방에서 수십년을 살아오는 동안 빈 공간에 익숙해진 나는 남의 담장을 기웃거리며 거기 피어 있는 꽃을 탐낼 뿐 내 담장 안에는 아무것도 키울 수가 없었을 뿐이다.

남편은 승원이와 통화를 하고 있었다. 평소라면 네활개를 펴고 잠들어 있을 시간인데, 맺힌 데 없이 밝은 성격이라고 해도 부모와 처음으로 떨어진 밤이 힘들었던가 보다.

"응, 하나도 재미없었어, 승원이가 없으니까. 승원이는 어제 뭐했어? 전화하니까 잔다고 하더라……."

승원이는 나보다 남편을 더 잘 따랐다. 하기야 갓난아이 때부터 손발톱을 깎아준 것도, 생일마다 온갖 모양의 풍선으로 집을 꾸미는 것도, 머리를 깎아주는 것도 남편이었다. 너무나 친밀한 두 사람의 관계가 나는 부럽고 신기했다. 출감하던 날, 십여년간 철창 너머로만 두어 차례 보았던 아버지가 나를 덥석 끌어안았을 때 나는 낯선 남자의 품에 안긴 듯 어색했다. 배 아파 나은 내 자식인데 승원이를 안을 때도 나는 어쩐지 낯선 느낌을 지울 수가 없었다.

남편은 내가 자신과 승원이를 밀어낸다고 생각하는 듯했다. 날씨 좋은 날 산책하자는 제의를 거절했다거나 가족여행을 내켜하지 않았다거나 생일 혹은 결혼기념일 따위를 잊고 지나쳤다거나 할 때 남편은 정말 이해할 수 없다는 표정으로 나를 바라보며 말했다. 너는 정말 이상해. 대체 뭐가 문제니? 나는 아무 대답도 하지 못했다. 문제는 없었다. 다만 남편처럼 자연스럽게 즐길 수 없을 따름이었다. 함께 간 여행에서 나는 도무지 남편과 승원이처럼 흥이 나지 않았다. 에버랜드 튤립축제에서는 꽃만큼 많은 인파 사이를 거닐어도 아무 흥취가 생기지 않아 꽃샘추위에 덜덜 떨며 벤치에 앉은 채 잔뜩 신이 난 남편과 아들을 하염없이 기다렸고, 스키장에서는 스키를 탈 줄도 모르고 별로 배우고 싶은 생각도 없어 콘도에 틀어박힌 채 밀린 잠이나 실컷 자곤 했다. 아마 여행도 습관성인 모양이라고, 두 사람과 공감하지 못하는 나를 변명하며 지내오고 있는 터였다. 그러나 그것만으로는 설명할 수 없는 뭔가가 우리 사이에서 버석이고 있었다. 어쩌면 남편의 자취방에서 사진첩을 보는 순간 시작되었을지도 모르는 그 이물감은 시간이 갈수록 더 단단하게 영글어갔다.

통화에 정신이 팔린 남편을 두고 나는 돌아섰다. 문을 열자 커다란 뉴스 소리가 와락 엉겨붙었다. 부모님은 내가 들어오는 소리도 듣지 못했다. 여전히 세상을 향해 곤두세운 부모의 침침한 눈과 귀가 나는 짜증스러웠다. 뉴스는 부모님이 잠든 사이에도 세상은 별 문제없이 잘 돌아가고 있다는 것을 전할 뿐이었다. 그런데도 부모님은 혁명의 낭보를 기다리는 유배지의 혁명가처럼 뉴스에 전존재를 던지듯 빠져 있는 것이다.

남편은 된장찌개가 보글보글 끓기 시작할 무렵에야 들어왔다. 손에는 케이크 상자가 들려 있었다. 일부러 시내까지 다녀온 것이다.

"케이크는 멀라고. 달아서 묵을 수나 있간디."

머쓱하게 뒷머리를 긁적이면서 남편은 케이크를 탁자 위에 내려놓았다.

"그래도 생일상인데 케이크가 있어야죠."

"생일상은 무슨……."

7년 전 아버지 칠순에 이르기까지 우리집에서는 한번도 무슨 상을 차려본 일이 없었다. 내 다섯번째 생일이랬던가, 미역국만 달랑 올라와 있는 밥상을 가만히 내려다보더니 살구나 한 사라 따다놓제, 하고는 쯧쯧 혀를 찼다고 한다. 어린 마음에도 뭔가 허전했던 모양인데, 그랬던 나는 요즘 아들이나 남편의 생일조차 종종 그냥 지나치곤 했다.

"나갔으면 신문이나 사오제 그랬능가."

"일요일이라 어제치뿐이던데요."

"참, 일요일이제. 요즘 기자들은 팔자 좋아. 일요일이라고 사건이 안 터지는 것도 아닐 것인디."

"그만큼 세상이 안정되었다는 뜻이겠죠."

남편이 그렇게 말을 받아친 것은 아마 먹지도 못할 케이크를 사온 무안함 때문이었을 것이다. 대화는 그뿐이었다. 식사를 하기 위해 탁자에 모여앉았을 때 부모님은 구석에 놓여 있는 케이크는 거들떠보지도 않은 채 수저를 들었다. 남편의 눈길이 찬밥 신세로 구석에 밀려나 있는 케이크 쪽을 향하는 듯했다. 나는 접시를 밀어 가운뎃자리를 비우고 케이크를 가져다놓았다. 큰 초 일곱 개와 작은 초 일곱 개가 작은 봉투에 담겨 있었다. 초를 일일이 꽂고 불을 붙이는 것도 제법 손 가는 일이었다. 이런 걸 멀라고, 하면서도 아버지는 촛불을 훅 불었다. 서너 차례 입바람을 일으킨 후에야 열네 개의 초가 모두 꺼졌다. 그 사이 촛농이 생크림 위로 몇방울 떨어졌다. 케이크를 접시에 담아 돌렸지만 부모님은 입에 대지도 않았다. 부모님을 대신하는 심정으로 나는 달디달 것이 분명한 생크림을 한입 떠 넣었다. 나는 부모님 입맛을 그대로 닮아 달고 기름진 음식을 즐기는 편이 아니었다. 진저리를 치면서 케이크 한조각을 다 먹어치우고나자 비로소 입맛이 돌았다. 짜고 매운 고추장 생각이 간절해진 것이다. 부모님은 케이크를 놓고 촛불을 껐던 생애 최초이자 아마도 마지막일 오늘 아침의 이 자리를, 어색하지만 그래도 행복했던 한순간으로 기억의 한 장에 저장해놓을까. 부모님에게 케이크가 있는 최초의 생일상 따위는 장기수 북송문제나 하다 못해 미군의 기름유출 사건만큼도 못할지 모른다는, 머위나물처럼 씁쓸한 예감이 입안 가득 고였다.

영랑호를 떠난 것은 아홉시 무렵이었다. 남편은 좀더 쉬고 싶은 눈치였으나 일찌감치 채비를 끝낸 어머니가 자꾸만 시간을 물어보는 통에 꾸물거릴 수가 없었다.

"그렇게 좋으세요? 장모님 이러시는 거, 처음 보네요."

시동을 걸던 남편이 빙긋 웃으며 물었다.

"멀 월매나 좋아서 글간디. 뭉그적거리다 늦어질까배 글제."

짝사랑이라도 들킨 양 어머니는 애써 변명을 해댔다. 어제 지나온 길을 되밟아가는 내내 어머니는 차창에 바싹 얼굴을 디밀고 있었다.

"저기다!"

남편이 어린아이처럼 들뜬 목소리로 외쳤다. 남편이 가리킨 곳에 작은 표지판이 서 있었다. 운포. 표지판에는 오른쪽으로 빠지라는 작은 화살표가 그려져 있다.

"장모님, 운포예요. 잘 보세요."

사방을 두리번거리던 어머니가 이내 고개를 저었다.

"아니여. 바다가 저만치 있응께 이짝에 산이 하나 있어야 되는디 여그는 평평한 들 아닌감. 운포 아니여. 만날 그 산에 다님시로 나물 뜯고 그랬는디."

그러나 남편은 깜박이를 키고 오른쪽의 이차선 도로로 빠져나갔다.

"그래도 한번 가보죠 뭐. 표지판에는 분명 운포라고 적혀 있으니까."

길은 방금 전에 빠져나온 8차선 도로 밑의 굴다리를 지나 바다를 향해 달렸다. 오백 미터쯤 지나자 길 양편으로 즐비하게 늘어선 횟집들이 나타났다. 어머니에게 들은풍월로만 짐작컨대도 운포일 리가 없었다. 운포는 제대로 된 배 한척 가진 사람이 없던 궁벽한 어촌이었다. 이십여호 남짓 되는 마을에 땅이라고는 드넓은 백사장뿐 논마지기나마 가진 사람도 없어서 가을이면 볏짚 대신 억새를 베어다 지붕을 올렸다고 했다. 어머니네 집과 정화네 집은 마을 끝에 나란히 있었고, 남의 집 억새지붕이 달빛을 받아 하얗게 부서져도 지붕을 새로 올리지 못한 두 집은 달빛마저 꿀꺽 삼켜버리는 듯했다고, 어머니는 기억했다. 그러나 우리가 찾아든 곳은 횟집 뒤쪽으로 아담한 이층 벽돌집들이 군데군데 눈에 띄고, 백여호는 충분히 될 법한 제법 큰 마을이었다.

"내릴 것도 없그마. 여그 아니여. 그냥 가세."

"지도상으로 봐도 여기가 맞아요. 좀 달라졌을 수도 있죠."

"쪼깐 달라진 것이 아니랑께. 완전 딴판이여. 아니랑께."

"그래도 내려서 한번 물어보기나 하죠."

횟집마다 두어 대의 차들이 서 있긴 했지만 주말 장사치고는 한산한 편이었다. 횟집 앞 수족관에서 헤엄친다기보다 느릿느릿 흘러다니는 듯한 도미와 광어, 오징어 몇마리도 수족관 생활을 오래 한 것인지 생기가 없어 보였다. 수족관 앞에서 머뭇거리는 사이 종업원인 듯한 젊은 청년이 드르륵 문을 열고 뛰어나왔다.

"들어오세요. 이거 다 자연산이에요."

반듯한 서울말이었다.

"여기가 운포 맞아요?"

운포라는 표지판을 보고 들어온 곳에서 운포 맞냐고 묻다니. 게다가 바로 옆에는 운포횟집,이라고 눈먼 이도 볼 수 있을 만큼 커다랗게 '운포'가 적혀 있었다.

"네. 운포 맞는데요."

대답을 듣고 나자 더이상 할말이 없었다. 서울말 쓰는 청년에게 육십년 전의 그 운포가 확실하냐고 물어봤자 뾰족한 대답이 나올 리 만무했다. 아버지만 아니었다면 입맛이나 다시며 돌아섰을 것이다.

"젊은이는 여그가 고향이요?"

"아닌데요."

자기 집에 들 손님이 아니라는 것을 간파한 청년의 얼굴에는 짜증이 역력했다.

"그람, 운포 사램이 허는 횟집은 없소? 횟집 아니라도 운포가 고향인 사램을 쪼깐 만났으면 허는디."

청년은 말도 없이 옆집을 손가락으로 가리키고는 이편이 무안해질 만큼 요란한 소리를 내며 문을 닫아버렸다. 회를 시켜 먹으며 물어볼 걸 그랬나 싶기도 했다. 장사 안되는 일요일, 오랜만에 손님인가 하고 반갑게 뛰어나왔다가 허탕친 심사를 이해 못할 바는 아니었으나 유쾌하지 않았다.

"이보게, 젊은이."

아버지가 큰 소리로 청년을 불렀다. 들리지 않았는지 혹은 무시한 것인지 출입문 안으로 들어간 청년은 뒤도 돌아보지 않았다. 문 쪽으로 걸음을 옮기려는 아버지의 팔을 붙들었다. 쓰레기를 함부로 버리면 되느냐, 고등학생이 담배를 피느냐, 새치기를 하면 되느냐, 아버지는 못 볼 꼴은 절대 그냥 넘어가지 않았다. 불의를 묵인하는 것도 불의라는 게 아버지의 지론이었고, 별볼일 없는 노인네로 늙어가면서도 아버지는 조금도 움츠러들지 않고 당당했다.

"좀 참으세요. 아버지가 뭐란다고 콧방귀나 뀌겠어요."

뒤따라나올 말을 짐작하고도 남아서 아버지의 말을 막는 심정으로 남편을 향해 얼른 덧붙였다.

"당신이 두 분 모시고 어디 좀 가 있어요. 내가 알아보고 올게."

"당신이 모시고 가 있지? 내가 알아볼 테니까."

"아니에요. 내가 알아볼 게 있어서 그래요. 어디 솔숲이 있나 좀 찾아봐요. 솔숲이야 변하지 않았을 테지. 엄마가 늘 솔숲 얘기했거든."

차 안에 있던 어머니가 내리는 걸 보고서야 나는 청년이 가리켰던 운포횟집으로 갔다. 사십대 초반쯤으로 보이는 억센 얼굴의 남자가 카운터에 앉아 있었다.

"저, 말씀 좀 여쭙겠습니다. 여기서 현남초등학교가 가까운가요?"

"차로 한 오분 걸릴 거요. 새로 난 큰길말고 옛길로 가요. 그게 가깝고 찾기도 쉬울 거요. 옛길 바로 옆에 있으니까."

표정과 달리 남자는 친절하게 일러주었다. 애들 걸음으로 삼십분 남짓이었다니까 차로 오분이라면 얼추 맞아떨어졌다. 이제 뭘 물어봐야 할지 망설이고 있던 참에 드르륵 문이 열렸다. 어머니였다.

"운포 맞다냐?"

"그렇대요. 현남초등학교가 이 근처래."

"근디 요로크롬 변해부렀다냐? 한나도 모리겄다."

우리 모녀의 대화를 듣고 있던 횟집 주인이 끼여들었다.

"운포가 고향이세요?"

"옛날에 잠깐 살았지라. 아자씨도 여그가 고향이요?"

"네. 여기서 태어나서 죽 여기서 살았지요. 운포가 고향이면 누구집……."

"아매 모릴 것이요. 뜨내기로 잠깐 살다 갔응께. 근디 옛날에는 요 앞에 작은 산이 하나 있었는디……."

"그랬지요. 몇년 전에 새길 뚫으면서 깎아 없앴지만."

양편으로 횟집이 줄지어 선 마을 진입로에 시선을 둔 채 어머니는 혼잣말처럼 중얼거렸다. 여그가 운포라고?

"완전히 달라졌지요? 조금 일찍 오시지 그러셨어요. 한 십년 전만 해도 옛날 그대로였는데. 서울 사람들이 해수욕하겠다고 몰려들면서부터 조금씩 커졌지요. 회 먹으러 오는 사람도 생기고, 그러다보니 돈냄새를 맡고 외지인들이 하나둘 밀려들데요. 저놈의 도로가 생기기 전만 해도 경기가 괜찮았지요. 도로 확장한다고 좋아했더니만 옛길을 넓힌 게 아니고 서울 사람들 속초 가기 편하게 직선으로 새로 뚫는 바람에 손님이 확 줄었답니다. 그래봤자 한 이삼분만 돌아오면 되는데 서울것들은 그것도 귀찮은지 쌩 달려가버리더군요. 해수욕철에나 좀 반짝할까 운포도 이제 다

끝났지. 쥐구멍에 한 십년 반짝 볕이 든 셈이죠."

손님도 없는 참에 횟집 주인은 신세한탄이라도 하고 싶은 모양이었다.

"혹시 유정화라고 아시오? 내 또랜디."

주인의 이야기를 듣기나 했던 것인지 어머니가 불쑥 물었다. 유정화라는 이름을 나는 유년기부터 들어왔다. 그녀는 유난히 욕심이 많아서 뭐든지 어머니보다 뒤지는 것을 견디지 못했고, 때로는 머리카락을 휘어잡는 패악도 서슴지 않았다. 공부는 별로였어도 조개를 잡거나 송이를 따는 데는 따라올 사람이 없었고 수놓는 솜씨도 일품이었다고 했다. 장사 나간 할아버지가 돌아오지 않아 굶고 있을 때, 자기네도 멀건 죽 두 끼로 간신히 연명하는 처지에 몰래 보리쌀 한 됫박을 훔쳐다 어머니네 열 식구의 허기를 면하게 해준 사람은 바로 전날만 해도 어머니 얼굴에 손톱자국을 내놓던 정화였고, 곶감이니 말린 오징어를 간혹 대문 안으로 밀어넣어준 이도 정화였다. 어머니에게 정화는 곧 운포였고, 운포는 곧 정화였다. 그 정화라도 이 운포 아닌 운포에 남아 있기를 나는 간절히 바랐다. 자기 이야기가 중간에서 잘렸는데도 기분 상한 기색도 없이 곰곰 생각하던 남자는 그러나 고개를 갸웃거렸다.

"유씨라, 우리 동네에 유씨 성 가진 사람이 없었던 것 같은데…… 이 마을 사람입니까?"

어머니는 힘없이 고개를 끄덕였다.

"이름을 보아하니 여자 같은데, 여자라면 어디로 시집을 갔겠지 여기 살겠어요?"

"남편 죽고 친정 와 산다는 말을 들었는디……."

"그게 언젯적입니까? 여기 살면 내가 모를 리가 없는데요."

"그 소식을, 긍께, 아매 해방 무렵에 들었을랑가."

"할머니도 참. 그러니 내가 모르죠. 세월이 얼만데 이제 와 어떻게 찾아요?"

남자의 말이 옳았다. 애당초 육십년 전의 고향을 찾겠다고 나선 것부터가 터무니없는 짓이었는지 모른다. 남자에게서 더이상 얻어낼 정보가 없는 듯한데 어머니는 일어날 생각을 하지 않았다. 뭘 생각하는 것 같지도 않고 그저 무심한 시선을 거리에 두고 있을 뿐이었다. 마침 한떼의 손님들이 밀어닥쳤다. 주인이 손님을 맞느라 부산한 틈에 나는 어머니의 팔을 붙들었다. 어머니의 촛점 없는 시선이 나를 향하는 순간 가슴이 덜컥 내려앉았다. 어머니의 눈빛은 그 옛날 참깨타작을 하던 그날처럼 텅 비어 있었다.

"엄마."

그제야 어머니의 시선이 명료해졌다.

"그만 가요."

어머니의 팔짱을 끼고 막 돌아서는 참이었다. 손님 테이블에 물잔을 내려놓고 돌아서던 주인의 목소리가 들렸다.

"혹시 학주 할머니는 아시려나 모르겠네."

남자가 쟁반을 든 채 우리보다 성큼 앞서서 문을 나서더니 손가락으로 어딘가를 가리켰다.

"저기 동해횟집 보이죠? 그 옆으로 골목이 있어요. 그 골목이 원 마을이었는데 기억이 나실지 모르겠네요. 길도 넓어지고 집도 새로들 지어서 완전히 딴판이지만. 아무튼 그 길 끝에 뚤이민박이라고 있어요. 그 집 할머니가 이 동네선 젤 연세가 많으니 혹 아시려나 모르지요. 거기서도 모르면 포기하고 우리집에 와서 회나 먹고 가세요. 고향분이시니 특별히 싸게 해드리죠."

십년은 젊어진 듯 어머니의 걸음이 빨라졌다. 동해횟집을 끼고 꺾어지자 완만한 경사의 오르막길이 나타났다.

"뭐 기억나는 게 있어요?"

어머니는 말없이 고개를 저었다. 하기야 무슨 민박, 욕실 완비를 내걸고 있는 집들은 지은 지 몇년 되어 보이지 않는 새집들이었고, 차 한대가 간신히 지날 만큼 좁은 길이긴 했지만 골목은 시멘트 포장이 되어 있었다. 어머니의 추억은 저 육십년 세월만큼 단단한 시멘트 속에 파묻혀 있을 터였다. 지난 여름 사람들로 북적거렸을 골목에는 가을햇살만 적막할 뿐 개 짖는 소리 하나 들려오지 않았다.

똘이민박집의 새로 칠한 초록색 대문은 활짝 열려 있었다. 문을 두드렸지만 안에서는 응답이 없었다. 시멘트로 하얗게 발라진 마당에 햇살만 콩 볶듯 튀고 있었다. 어머니가 성큼 문 안으로 들어서서는 주위를 찬찬히 살폈다. 그러나 빨간 벽돌로 지어진 이층집과 시멘트 발라진 흰 마당 어디에도 어머니의 추억이 깃들어 있을 것 같지 않았다.

"뭐 알아볼 만한 게 있어요?"

"통 모리겄다. 저짝이 산인 걸 봉께 우리집 터 같기도 허그만은 이렇게 넓들 안했는디. 정화네꺼정 터갖고 집을 지었으까?"

집 왼편은 담도 없이 야트막한 산과 잇닿아 있었다.

"우리집 옆으로 산이 제법 가팔랐는디 여그는 그냥 평평허네. 여그가 정화집 터고 우리집 터는 산이 돼부렀는지도 모르제."

하기야 그 시절에 궁벽한 촌으로 이사오는 사람도 없었을 테니 어머니

집은 폐가로 버려져 있다가 잡초가 우거져 산이 되었을지도 몰랐다. 육십년이면 평지가 숲이 되고도 남을 만한 시간이었다.

"아이, 저것이 백일홍 아니냐?"

어머니가 가리킨 것은 백일 동안 꽃이 피어 있다고 해서 목백일홍으로 알려져 있는, 아직 붉은 꽃을 매달고 있는 배롱나무였다. 배롱나무는 대문 오른켠의 좁은 화단에 갇혀 있었다. 화단에는 배롱나무 한 그루만 심어져 있었고, 나무 그늘이라 햇빛도 별로 들지 않았을 좁은 터에 그래도 여름꽃들이 피어났던 모양인지 봉숭아 몇포기가 씨앗을 터뜨려버린 채 시들어가고 있었다.

남쪽에서 잘 자라는 배롱나무를 누가 심었을까? 담 안에 심어져 매서운 바닷바람을 피할 수 있었던 탓인지 나무는 살아남았고 가을의 문턱에서도 아직 꽃을 피워올리고 있었다. 유난히 뜨거웠던 지난 여름의 열기를 추억하듯 꽃은 붉었다. 만물을 녹일 만한 뜨거운 태양을 이기고 여름내내 피었을 꽃은 아침저녁으로 찬바람이 도는 가을날까지, 아직도 무언가를 기다리듯 차마 꽃을 떨구지 않고 있었다. 어머니가 잰 걸음으로 화단을 향했다. 열댓 뼘이나 될까, 배롱나무 한 그루 서 있기도 벅찬 좁은 화단을 유심히 뜯어보던 어머니가 문득 나지막한 탄성을 터뜨렸다.

"여그가 정화네 집턴갑다. 정화네 집에 똑 이만한 화단이 있었서야."

넓은 집터와 어울리지 않게 좁은 화단은 어머니의 말대로 원래부터 이 자리에 있었을 가능성이 커보였다. 언제 정화네 집을 사들여 새 집을 지었는지 확실치 않아도 배롱나무는 더디 자라는 나무였다. 둥치가 저만해지려면 적어도 몇십년의 세월은 버텨왔을 것이다. 어느 절에서 삼백년 되었다는 배롱나무를 본 적이 있는데 몇십년 자란 리기다소나무 정도의

둥치밖에 되지 않았다. 정화네 집을 사들인 사람이 오래된 나무를 베어 버리기가 무엇해서 화단을 남겨두었는지도 모른다. 꽤 넓은 마당을 시멘트로 죄 도배할 정도의 주인이 화단을 만들고 배롱나무를 옮겨심었을 것 같지는 않았다.

"그때도 백일홍이 있었어?"

"워디. 그때야 맨 봉숭아, 분꽃 그랬제."

그렇다면 배롱나무는 어머니가 고향을 떠난 후에 심어진 모양이었다. 친구를 그리워 함,이라는 배롱나무 꽃말이 떠올랐다. 어쩌면 전라도로 돌아간 친구를 그리워하며 정화가 손수 심은 나무일지도 모른다. 정화와 아무 상관없는 나무일지라도 어쩐지 나는 운포에서 처음으로 어머니의 고향을 만난 느낌이었다. 돌담 안에 갇힌 좁은 땅이 어머니에게는 유일한 고향의 흔적이었던 것이다. 화단 경계에 누군가 서툰 솜씨로 쌓아놓은 나지막한 돌무더기를 어루만지며 어머니는 시간을 거슬러오르고 있었다. 붉은 꽃이 송이지어 매달린 배롱나무 부근은 세월 속에 농익은 그리움인 양 가을햇살이 유독 붉었다. 느닷없는 전화벨 소리가 정적을 깨뜨렸다. 어디선가 개가 짖기 시작했다.

"아버님이 전화 걸어보라시는데. 빨리 오라셔. 우리는 금방 올 줄 알고 지금 솔숲에 있는데, 친구분 만난 거야?"

남편의 말을 전하기도 전에 어머니가 몸을 일으켰다.

"아부지제? 그만 가자."

"이 집 주인 만나보고 가야지."

"정화나 있으면 모릴까 누가 됐든 만나서 뭐 하겄냐."

"친구 소식이라도 들을 수 있을지 알아요?"

송이가 지천에 널려 있었다는 솔숲이며 열구꽃 빨갛게 피어난 백사장보다도 고향을 더 그립게 한 건 바로 정화였다. 정화가 없는 운포는 설령 옛 모습 그대로일지라도 어머니에게 반쪽짜리 고향에 불과했다. 하물며 외지인들이 밀려들고 횟집과 민박이 즐비한 이 운포는 어머니의 고향일 수 없었다. 그런데도 어머니는 정화 소식을 더 알려 하지 않고 휘적휘적 걷기 시작했다. 추억을 배반한 육십년 전의 고향에서 어머니는 정화만이라도 온전한 기억 그대로, 아릿한 그리움인 채로 남겨두고 싶은 것일까.

비 내리는 가을 아침이면 죽순처럼 송이버섯이 고개를 내밀었다는 솔숲은 보잘것이 없었다. 어딘가에 쓰레기를 내다버리는 곳이 있는지 왕파리가 들끓었고, 사람 것인지 동물의 것인지 똥무더기가 지천에 널려 있었다. 소나무도 시원치 않았다. 영동지방에서 몇년째 기승을 부린다는 솔잎혹파리 탓으로 잎마저 누렇게 변색되어 있었다. 땔감을 하려고 잘라 없앤 것인지, 작전지역이라 군인들이 감시를 위해 없앤 것인지, 아무튼 어머니 추억 속의 그 숲은 아니었다. 드넓었다는 솔숲의 크기도 형편없이 줄어든 것 같았다. 남편과 아버지는 똥냄새 풀풀 나는 솔숲에서 콘도에서 싸들고 온 몇가지 반찬을 안주 삼아 소주를 마시고 있었다.

"왜 여기 있어? 어디 횟집에라도 들어가 있지."

"금방 올 줄 알았지. 아버님께서 친구분이 살아 있을 리 없다고 금방 오실 거라잖아."

어머니는 막 일어나려고 엉덩이를 들썩이는 아버지 옆에 털썩 주저앉았다. 무슨 생각을 하는지 어머니는 끌어안은 양 무릎에 얼굴을 올린 채 백사장으로 이어진 오솔길을 바라보았다. 변변찮은 솔가지 틈새로 희디흰 백사장이 아득하게 펼쳐져 있었다. 바다에 이르기도 전에 백사장을 걷다 지칠 것 같았다. 어린 어머니는 한여름 태양이 작열하는 저 백사장을 걸어 바다로 갔던 것일까? 플라스틱병이며 못 쓰는 그물이며 스티로폼 따위가 군데군데 고개를 내밀고 있는 백사장 어디에도 붉은 열구꽃의 흔적은 남아 있지 않았다. 주말인데도 사람 하나 얼씬거리지 않는 드넓은 백사장은 고요하다 못해 버려진 듯 쓸쓸했다.

"그만 가세. 볼 것도 없는디 한정없이 앉아 있으면 뭐할 것이여."

아버지가 몇번이나 재촉했으나 어머니는 들었는지 못 들었는지 미동도 하지 않았다. 똥파리 한마리가 끈질기게 얼굴 주변을 맴돌고 있는데도 의식조차 하지 못하는 듯했다. 어머니는 정화와 함께 송이를 뜯던 유년의 어느 가을 아침으로 돌아가 있는 것일까. 그러나 어머니는 허리가 굽고 늙은이내가 나기 시작한 노인네였고, 어머니의 고향 운포 역시 죽는 날 받아놓은 노인네마냥 골골거리는 행색이었다.

기다리다 못해 아버지가 아이스박스에 남은 음식들을 챙겨넣고 담배꽁초까지 주워 인근의 쓰레기통에 버린 후에야 어머니는 한손으로 무릎을 짚은 채 힘겹게 일어섰다. 차에 오르기까지 어머니는 자꾸만 보잘것없는 솔숲과 먼 바다를 돌아보았다. 육십년 만에 찾은 고향을 벗어나는 데는 이삼분도 채 걸리지 않았다. 유리창에 얼굴을 맞대고 횟집 즐비한 운포를 내다보던 어머니는 차가 주도로로 들어서서 한참을 달린 후에도 그렇게 망부석처럼 굳어 있었다. 양양 삼거리를 지나서야 어머니는 뒷좌석 깊숙이 몸을 묻었다. 아침에만 해도 생기가 돌던 어머니의 얼굴은 더이상의 일정이 무리가 아닐까 싶게 지친 기색이 역력했다. 바다는 따가운 가을햇살에 은빛 비늘을 뒤치고 있었다. 현란한 빛의 잔치가 벌어진 듯했다. 어젯밤 어둠속에 가만히 몸을 도사리고 있던 바로 그 바다라고는 믿기지 않았다. 남편의 탄성에 눈을 뜬 어머니는 무심한 일별을 던지고는 미간을 잔뜩 찌푸린 채 다시 눈을 감았다. 앞으로 고향을 떠올릴 때마다 어머니는 볼품 없어진 솔숲과 즐비한 횟집을 털어내기 위해 저렇듯 미간이라도 찌푸려야 하는 게 아닐까. 그리움의 대상은 함부로 대면해서는 안되는 것인지 모른다. 우리 가족의 난생 첫 나들이가 후회스러워지기 시작했다.

"당신, 이 근처 어디에 좋은 절이 있다고 하지 않았어? 거기나 들렀다 갈까?"

차는 막 속초비행장 삼거리를 지나고 있었다.

"나중에요."

지금쯤 진전사에는 그때처럼 억새가 은빛으로 피어나고 들국화가 진한 향기를 터뜨리며 바람에 살랑이고 있을 것이다. 그 순간을 함께 했던 한 아이가 얼마 전 내게 말했다. 사법시험에 이년째 미역국을 먹은 녀석은 졸업을 앞두고 방황하는 듯했다. 철학과를 가고 싶어했던 녀석은 그런데 갔다가 굶어죽기 십상이라는 부모에게 등 떠밀려 법대에 진학했다. 선생님이 그랬죠? 아무도 가지 않는 호젓한 숲길에서 아무도 손대지 않은 한 무더기의 산딸기나 나비의 황홀한 춤사위를 만나게 될지도 모른다고. 정말 그럴까요? 나는 머뭇거리며 대답하지 못했다. 녀석이 무슨 고민을 하고 있는지는 모르지만 너 자신을 믿고 거친 숲길을 두려워하지 말라는 말을, 녀석이 기대하고 있을 그 말을 해줄 수 없었다. 아무도 알아주지 않는 길을 평생 걷는다는 것이 얼마나 무서운지 나는 깨닫기 시작했던 것이다. 예전의 나는 아무도 가지 않는 길의 아름다움에 취해 있었고, 그 길의 끝에 여느 길과 다를 바 없는 허방이 기다릴 수도 있다는 것을 알지 못했다. 어떤 꿈으로 어떤 세월을 버텨왔든, 그 긴 여정이 끝나가는 지금, 늙고 초라할 뿐인 내 부모를 보는 일이, 그래서 나는 더욱 두려웠다.

"엄마, 힘들면 그냥 설악산에나 들렀다 갈까? 설악산은 바로 근천데."

"지리산이나 설악산이나 그것이 그거제 뭐. 산이사 집에서도 맨날 보는디."

아버지가 먼저 말을 받았다. 애초의 일정은 통일전망대를 가는 것이었다. 멀어봤자 차로 삼십분이면 충분한 거리였다. 통일전망대에서 바라본 북한이 횟집 즐비한 운포와 다름없지 않을까 염려스러웠던 것인데 부모님은 기어이 가보고 싶은 듯했다. 민간인 통제구역에 들어서자 부모님은 다소 긴장된 모습으로 차창 밖을 응시하기 시작했다. 분단된 후에 태어나 분단이라는 것을 당연한 조건으로 알고 살아온 나로서는 겉에까지 드러나는 두 분의 긴장이 조금은 과장된 것처럼 느껴졌다. 요즘에도 자유수호, 멸공 따위의 촌스러운 구호가 적힌 차량을 타고 다니면서 가두홍보를 벌이는 한국자유총연맹의 그 과장된 애국심이 문득 떠올랐다. 분단의 현실을 몸으로 겪은 극과 극은 어딘가 닮은 데가 있었다. 목숨을 걸고 싸워야 했던 기억이 과장된 포즈를 만들어낸 것일까.

차에서 내려 몇걸음을 걷고 난 어머니가 긴 한숨을 내쉬었다. 전망대까지 오르는 일직선의 계단이 너무 가파르고 길었던 것이다. 어머니로서는 도저히 오를 수 없는 길이었다. 남편이 등을 내밀었지만 어머니는 한사코 손을 저었다. 나는 어머니와 함께 에둘러오르는 길로 들어섰다. 계단보다 멀기는 하지만 오르기는 한결 수월했다. 내 팔에 매달린 어머니는 열걸음 만에 한번씩 주저앉아 허리를 두드렸다. 언덕 저 너머에 목숨을 걸고 추구했던 세계가 존재한다는 희망이 아니었다면 설령 선경이 펼쳐져 있다 해도 어머니는 오르려 하지 않았을 것이다. 허리가 휘고 척추 몇 마디가 혹처럼 불거진 다음에는 이만한 거리를 걸어본 적이 없는 어머니였다. 가보았자 북한의 산과 전시용으로 지어진 아파트 몇채 외에는 볼 것도 없다는 말을 나는 차마 하지 못했다. 어디서나 볼 수 있는 남한의 산과 전혀 다를 바 없는 산일지라도, 전시용의 아파트 몇채일지라도 그것이 북한에 속해 있다는 것만으로 부모님에게는 가슴 떨리는 감격일지 모른다.

지척의 전망대를 근 삼십분 만에 올랐을 때 아버지와 남편은 이미 구경을 끝내고 벤치에 앉아 자판기 커피를 마시는 중이었다. 한발짝 내디딜 기력도 없던 어머니는 지금까지와 다른 날랜 걸음으로 전망대 난간을 붙잡고 섰다. 민둥산 위로 철책이 끝없이 이어져 있었다. 오십여년 전 어머니와 아버지의 한 시대가 막을 내린 이후로 철책은 변함없이 저 자리를 지키고 서 있었던 것이다. 야트막한 잡초들이 누르스름하게 시들기 시작한 산등성이는 시야 확보를 위해 나무를 베어버린 섬뜩한 존재이유를 믿을 수 없을 정도로 평화로웠다. 양떼만 풀어놓는다면 그림엽서 같은 정경일 듯했다. 나는 전망용 망원경에 오백원짜리 동전을 집어넣었다. 전시용 아파트에 촛점을 맞춰놓고 어머니를 불렀을 때 나를 돌아본 어머니의 눈에는 그렁그렁 눈물이 맺혀 있었다. 한손으로 망원경을 붙들고 멍하니 서 있는 나 대신 아버지가 어머니를 붙들었다. 어머니는 아버지의 팔에 기대어 북녘을 바라보았다. 어제 지나쳐온 대관령과 별반 다르지 않은 풍경이었다. 대관령 초지에는 소떼가 풀을 뜯고 있었지만, 군사분계선 안에는 오십년 분단의 무게만한 적막만 감돌고 있었다.

"그때 후평에서 이승엽을 못 만났으면 워치케 됐으까라?"

후평에서 당시 전선사령관이었던 이승엽을 만나지 않았더라면, 그래서 다시 후방 교란을 위해 유격활동을 수행하라는 명령을 받지 않았더라면, 남부군은 평양으로 갔을 것이다. 후평에서 어머니는 인민일보 기자의 요청에 따라 어느 인민군의 말에 올라탔는데 평생 가장 자랑스럽고 행복했던 그 모습은 사진 속에 영원히 붙박였다. 당시의 인민일보를 뒤지면 아마도 어머니의 사진이 실려 있을 거라고 했다. 그날 밤 남부군은 국기훈장1급이니 2급이니 훈장세례를 받았고 다음날 힘들여 올라온 길을 되짚어 내려갔다. 그들 중의 대부분은 지리산에서 죽었다. 어머니처럼 살아서 지옥을 살고 있는 사람은 극소수였다.

"워치케 되긴. 미제의 간첩이라고 몰려서 다 숙청당했겄제."

아버지의 대답은 냉정했다. 여순반란사건 직후부터 남한 사회주의운동의 대명사와도 같았던 남부군은 위로 가도 아래로 가도 죽을 운명이었던 것이다.

"내년 봄에는 금강산 관광을 시켜드려야겠네. 여기 오지 말고 금강산에 보내드릴 걸 그랬나봐."

아침보다 한결 부드러워진 남편이 그렇게 속삭인 것은 부모님이 그나마 흥미로워하는 모습을 보았기 때문일 테지만 진작 금강산에 보내드리지 않은 것은 돈이 없어서도, 걷지도 못하는 어머니에게 무리가 될까봐서도 아니었다. 동료 선생 중에 금강산 여행을 다녀온 사람이 있었다. 대학시절 운동권까지는 아니었어도 돌멩이는 몇번 던져보았다던 그 선생은 운동권 잡아들일 필요가 뭐 있느냐, 한총련 애들 몽땅 쓸어서 북한여행을 시켜주면 스스로 다 돌아설 거라고 금강산 기행의 소감을 잘라말했다. 꿈꿔왔던 것의 실체가 너무나 보잘것없고 초라할 때, 초라하다 못해 되레 자신의 꿈을 배반한 것일 때도 사람은 평생의 꿈을 버릴 수 없는 것일까. 아버지는 주체사상에 대해 비판적이었다. 그건 사회주의가 아니라고 말한 적도 있었다. 그렇다면 부모님이 목숨을 바쳐 꿈꾸던 세상은 지상의 어디에도 존재하지 않았던 셈이다.

"금강산에 다녀온 사람들은 반공주의자가 되어서 돌아온다는군요."

나도 모르게 불쑥 튀어나온 말에 먼 북한땅을 보고 있던 부모님이 동시에 나를 돌아보았다. 어머니의 물기 젖은 눈이 더욱 깊어지는 것을 느끼면서도 나는 아주 오래 전부터 가슴속에서 근질거리던 것을 내처 말하고야 말았다.

"그래도 후회하지 않으세요?"

나를 응시하는 아버지의 눈길에 노기가 서려 있음을 눈치챘다. 뭔가 말할 게 있는 듯 입술이 순간 달싹였으나 아버지는 말없이 시선을 돌렸다.

"김선생이랑 다들 잘 지내고 있을랑가."

내 말을 전혀 듣지 못한 것처럼 어머니는 엉뚱한 말을 꺼냈다. 김선생이란 남부군의 몇 안되는 생존자였고, 지난해 가을 북으로 송환된 장기수였다. 북으로 떠나기 전 장기수들은 노구를 이끌고 지리산을 찾았다. 자신들의 청춘이 묻힌 땅을 마지막으로 돌아보고 싶었던 것일 게다.

"지난번에 신문에 안 났등가. 평양 시내에 아파트를 줘서 같이 지내고 있다등만. 따지고 보믄 염치없는 짓이제."

"지발 그런 말 좀 마씨요. 그 양반들이야 여그 가족도 없는디 아무래도 거그가 더 낫지라. 글고 펭상 조국을 위해서 고생했는디 늘그막에 그만한 대접도 못 받겄소. 호의호식허는 것도 아니고 게우 묵고사는 것 같등

마 뭘 그래싸요."

어머니가 내 옆에 털썩 주저앉으며 아버지를 타박했다.

"당신도 똑같그마이. 우리가 원제 댓가를 바라고 싸웠간디? 크든 작든 대접받아도 된다는 생각부텀 잘못이여. 어찌됐든 묵을 것도 없는 북한 인민들헌테 얹혀사는 꼴이 아닌가? 여그서 제 손으로 벌어먹고 삼시로 작은 힘이라도 통일운동에 보태야제."

"펭상 감옥에만 있다 다 늙어가꼬 나왔는디 머슬 해서 묵고살며, 먼 통일운동을 헐 것이요. 아즉 청춘인 줄 안갑소이."

"알고 봉게 당신, 순 패배주의자구만. 우리가 옛날 역사를 지대로 알리는 것도 통일운동이요, 혁명가답게 넘헌티 신세 안 지고 똑바로 사는 것도 통일운동에 일조허는 것이여. 노조운동 허고 환경운동 허는 젊은 친구들헌티 잘허고 있다고 칭찬 한마디 해주는 것도 다 통일운동인 것이여. 늙었다고 할 일이 없간디?"

"당신은 아즉 몸이 정정헝께 그런 말을 허는 것이제, 그 냥반들은 여그저그 안 아픈 디가 없는 환자들이란 말이요. 사상 하나 지키겄다고 펭상 감옥서 고생헌 사람들인디 조국 품에 돌아가서 죽겄다는 것이 뭐가 잘못이요? 당신 말대로 하자먼 그 냥반들은 펭상 사상을 지킨 것으로 지 역할을 다한 것이제. 자석 보고 손주 보고 산 우리에 비하겄소이."

당신들끼리 하는 말이었지만 두 사람은 내 질문에 충분히 답하고 있었다. 북한의 현실이 어떻든 현재 자신들의 모습이 어떻든, 자신들은 정의와 진리를 위해 청춘을 바쳤고, 그것은 옳았노라고 두 사람은 나에게 항변하고 있는 것이다. 그 노고에 대한 약간의 보답을 받아도 문제될 것 없다는 어머니나, 보답을 따지는 것은 진정한 혁명가의 자세가 아니라는 아버지나, 이래도 저래도 상관없을 듯한 문제에 눈을 반짝이며 설전을 벌이는 모습이 나는 어쩐지 현실로 느껴지지 않았다. 불쑥 우리의 유일한 가족사진이 떠올랐다. 십여년 만에 바깥세상으로 돌아온 다음날 찍은 사진 속의 아버지에게서 출소의 기쁨, 그러니까 자유의 기쁨 따위는 찾아보기 어려웠다. 출소기념이라고 박힌 글자만 아니었다면 감옥행을 앞둔 사진이라고 하는 편이 더 나을 듯했다. 아버지에게 사회주의가 금기시된 남한땅은 어디든 창살 없는 감옥에 불과했는지 모른다. 언제 어디서 적이 쳐들어올지 모르는 조마조마한 긴장의 순간, 그러나 그 긴장조차 드러내서는 안되는 견고한 혁명가의 자세로 아버지는 창살 없는 감옥에서 더이상 아무도 혁명을 꿈꾸지 않는 세월을 살아온 것이다. 누가 뭐라든 아버지는 아직도 혁명가였다. 역사의 진보를 위해 일하는 젊은이들에게 칭찬 한마디 해주는 것도 다 통일운동이라는 아버지의 말은 아름답기는 했으나, 그러나 생기없이 공허했다. 방향이야 어찌되었든 분단의 벽을 조금이나마 허문 것은 평생 혁명가로 살아온 아버지가 아니라 대기업의 자본이 아니었던가. 부모님의 삶을 지리산에 가둔 것은 남한의 독재체제가 아니라 어쩌면 당신들이 그토록 신뢰했던 역사라는, 도무지 정체를 알 수 없는 저 비정한 괴물이었는지도 모른다. 그럼에도 불구하고 여전히 역사를 신뢰하는, 청춘의 꿈을 신뢰하는 부모님의 순정 또한 나는 비정한 역사만큼이나 당혹스러웠다.

"당신, 장모님 옆으로 좀 당겨앉아봐."

남편은 언제부턴가 사진기 셔터를 눌러대고 있었다. 이미 몇장 찍은 모양이었다. 갑자기 말을 멈춘 부모님은 경직된 자세로 사진기를 바라보았다. 남편이 우리 셋을 뷰파인더 안에 가둔 채 셔터를 눌렀다. 이번 사진도 그 옛날 출소기념 사진과 별반 다르지 않을 성싶었다. 사진 속에서 우리 셋은 뷰파인더의 한 점을 뚫어져라 응시하고 있을 것이다. 뷰파인더가 감옥이라도 되는 양 딱딱하게 굳은, 두번째이자 아마 마지막일 게 분명한 우리 가족사진이 나는 서럽도록 쓸쓸하게 느껴졌다. 어떤 인생이든 한순간쯤은 행복의 흔적을 남겨도 좋을 만한 권리가 있는 게 아닐까.

"권서방, 나 독사진 한장 찍어주소."

웬일로 어머니가 사진찍기를 자청하고 나섰다. 폭삭 늙은 할망구를 멀라고 찍어야, 하면서 승원이와 함께 찍는 것조차 마다하던 어머니였다. 좋은 배경을 찾는 것인지 이리저리 살피던 어머니가 북녘을 뒤로 하고 난간에 기대섰다.

"난간 안 나오게 잘 찍소이."

남편이 카메라를 들이대자 어머니는 뜻밖에 양 입술을 밀어올려 웃음을 지어냈다. 누가 봐도 억지로 만든 것임이 분명한 그 웃음은 너무나 어색해서 무표정한 얼굴이 차라리 나아 보였다.

"장모님, 승원이가요, 지난주에 결혼할 여자를 데려왔어요. 늘씬하게 예쁘던데요. 손주며느리 보시게 생겼어요."

웃으라고 하는 말인 줄 알면서도 어머니 입가에는 그제야 자연스러운 미소가 피어났고, 순간 남편은 서너 차례 연거푸 셔터를 눌렀다. 권서방도 참 실없기는, 하면서도 어머니는 처음으로 웃으며 찍힌 사진이 흡족한 모양이었다.

"당신도 여그 와서 독사진 한장 박으씨요."

"독사진은 멀라고. 그만 가세."

"아따, 글지 말고 찍으란 말이요. 우리 죽고 나면 영정으로 씰 사진 한

나가 없습디다."

그제야 아버지는 무뚝뚝한 얼굴로 어머니가 섰던 그 자리에 와 섰다. 이번에는 실없는 농담조차 건네지 못한 채 평소와 다름없는 무표정한 아버지의 얼굴을 남편은 사진에 담았다.

"글고 봉께 이것이 처음이지멩?"

"첨이제 그람?"

"누가 여그 온 것 말이요? 우리 서이 나들이헌 것 말이지라."

어머니의 무의식적인 계산 속에는 남편이 또 빠져 있었다. 평소라면 남편의 눈치를 살폈을 테지만 나는 영정사진의 충격에서 헤어나지 못한 상태였다. 영원히 잊히지 않는 여행을 기대한 것이라면 이번 여행의 목표는 초과달성한 셈이었다. 영정사진으로 마무리한 여행을 어찌 잊을 수 있겠는가.

"아이가, 옛날에 피아골에 한번 갔잖애. 긍께 두번째그마."

그 어색하고 씁쓸했던 짧은 나들이를 첫 여행으로 꼽는 아버지의 냉정한 기억이나, 이번 것을 온전한 첫 여행으로 여기면서 영정사진을 찍은 어머니나 내게는 당신들을 배반한 역사만큼이나 알 수 없는 존재로 느껴졌다. 내 감정 따위야 어떻든 북녘을 배경으로 한 사진은 어머니가 살아낸 한 생의 그럴듯한 압축이자 평생 처음으로 웃음을 포착한 행복의 증거로 남게 될 것이다.

"권서방 덕이그마. 권서방 덕에 존 구경했네. 권서방 아니었으면 우리가 원제 동해 구경을 다 해봤겄능가."

어머니는 남편의 노고에 대한 입치레인지 권서방 소리를 몇번이나 해가며 나에게는 좀처럼 보여준 적 없던 환한 웃음을 던졌고, 남편은 우리

서이, 속에 자신이 빠진 서운함을 그 웃음으로 상쇄했다고 생각한 것인지 조금의 서운한 기색도 없이 어머니의 팔을 붙들고 계단을 내려갔다. 남편의 걸음은 어머니를 배려한다고는 해도 나보다 빨랐다. 남편의 팔에 매달려 끌려가는 듯한 어머니의 걸음에는 피로가 묻어 있었지만 운포를 떠날 때처럼 완연히 지친 기색은 아니었다. 횟집 즐비한 운포를 보고도, 전시용으로 지은 아파트조차 남녘 소읍의 것만도 못한 북녘땅을 보고도, 심지어는 영정사진을 찍고도, 쓰러질 듯 쓰러질 듯 끝내 쓰러지지 않는 어머니를, 어머니를 끝내 버티게 해준 그 무언가를 나로서는 도무지 짐작조차 할 수 없었다.

"장모님, 시장하시죠? 뭐 드시고 싶으세요? 말씀만 하세요. 젤 비싼 걸로 사드릴게요."

"멀 묵어야 맛나까? 우리 승원이가 왔으먼 갈비를 묵을 것인디."

승원이는 달짝지근한 양념갈비를 제일 좋아했고, 고기를 즐기지 않는 어머니도 승원이와 함께라면 몇점이나마 맛있게 먹곤 했다.

"그럼 서울 가서 며칠 쉬다 가세요. 갈비는 서울 가서 승원이랑 먹죠. 바닷가에 왔으니까 오늘은 회나 드시죠."

"회는 어제도 묵었는디 그 비싼 걸 멀라 또 묵어. 나는 된장찌개가 백날 묵어도 젤 맛나드만."

"에이, 그래도 오늘은 회 드세요. 돈 내는 사람 맘이죠 뭐."

세 사람 속에 내가 아니라 남편이 있었다면 전혀 다른 그림이 되지 않았을까. 다정한 모자처럼 도란거리며 계단을 내려가는 남편과 어머니를 보면서 나는 우리 가족사진의 감옥 같은 분위기에 나 역시 한몫 거들었음을 인정하지 않을 수 없었다.

"에미헌테 물어보소. 쟈가 회를 잘 안 묵잖애. 아이."

어머니가 걸음을 멈추고 나를 돌아보았다. 어깨에 걸친 어머니의 오렌지색 점퍼 위로 햇빛이 내려앉았다. 계단 옆의 나뭇가지와 햇빛이 직조한 무늬 탓일까. 나는 일순간 어머니의 몸이 얼룩덜룩한 배롱나무 기둥으로 느껴졌다. 문득 배롱나무 전설이 떠올랐다. 이무기를 죽이러 간 청년은 이기면 흰 돛을 달고 돌아오겠노라고 약속했다. 처녀는 매일 기도를 드리며 바닷가에서 청년을 기다렸다. 마침내 배가 보였으나, 배에는 흰 돛이 아니라 붉은 돛이 달려 있었다. 절망한 처녀는 그 자리에서 자결을 했다. 이무기가 죽을 때 내뿜은 피가 흰 돛을 붉게 물들였다는 것을 알지 못했던 것이다. 처녀가 죽은 자리에서는 이듬해 나무 한그루가 솟아났고 백일동안 붉은 꽃을 피웠다. 배롱나무는 간절한 소망과 그리움의 꽃인 것이다. 처녀가 죽어서도 바랐던 소망은 사실 죽기 전에 이루어졌지만 배롱나무 전설에서 소망의 성취 여부는 중요한 게 아니었다. 노기 섞인 눈빛으로 나를 바라보던 아버지가 미처 하지 않은 말을 나는 짐작할 수 있을 듯도 했다. 부모님에게 소망이란 애초에 도달 불가능한 유토피아이며, 그들의 인생이란 배신과 실패마저 제 심장과 동맥으로 삼아 앞으로든 뒤로든 뛰든 기든 여하튼 나아가지 않으면 안되는, 유토피아를 향한 멈출 수 없는 마라톤 같은 게 아니었을까. 도대체 내게는 그런 소망이 있기나 한 것인지. 바람에 나뭇잎이 살랑이면서 내 얼굴로 햇살이 한움큼 눈부시게 쏟아졌다. 부신 눈을 질끈 감았다 뜨니 어머니와 아버지 그리고 남편, 내 가족 셋은, 부시기는 해도 뜨겁지는 않은, 어느새 시든 기운이 느껴지는 어른거리는 가을 햇살 속으로 스며들 듯 천천히 걷고 있었다.

공선옥

1963년 전남 곡성 출생.
1991년 《창작과비평》으로 등단.
소설집으로 『내 생의 알리바이』 『멋진 한세상』 등과
장편소설 『오지리에 두고 온 서른살』 등이 있음.
hahan7@hanmail.net

영희 시고모가 방문을 톡 치고 나간다. 하면, 영희는 지금 살려고 우는 것인가. 살려고 우는 거라면, 그러면 나도 울 수는 있다. 우는 것이 목숨줄이라 했겄다, 그러면 나도 울어야겠다. 이제야말로 정말 울어야겠다. 쪼글치고 우는 울음말고 온몸 버둥대는 울음 울어야겠다. 세상천지 집어삼키고도 남을 울음 울어야겠다. 나는 다리를 쭉 편다. 헉, 드디어 첫 울음소리가 힘차게 터져나온다.

— 본문 중에서

영희는 언제 우는가

공선옥

"아이, 아이, 애란 어미 어디 갔느냐."

악을 쓰는 노인은 영희의 시고모다. 영희가 나오는 곳은 화장실이다. 느릿느릿한 영희 거동에 내가 다 애가 단다.

"할머니, 애란이가 아니고 아람이요."

노인이 영희 큰딸 아람이를 애란이라고 하든 애랑이라고 하든, 꼭 그 자리에서 토를 달 필요는 없다. 그런데도 무슨 어깃장이었던가. 서방 죽어도 처먹을 것 다 처먹고 볼일은 다 보는 저년이나 네년이나 한통속이라고 노인이 느끼는 것 같아서일까. 노인이 나를 흘낏 건너다보는 눈초리가 예사롭지 않다. 모가 서 있다. 내 말에는 대꾸하지도 않고 노인이 대뜸,

"아이, 너는 어째 허는 짓이 다 그 모냥이냐. 상석 올리얄 것 아녀."

시고모의 악다구니에는 이골이 나 있다는 태도인가. 아니면 저도 많이 지쳐서 그런 것일까. 영희는 내가 봐도 사뭇 답답한 걸음걸이로 부엌으

로 들어간다. 영희 뒤태를 매섭게 꼬나보던 노인이 헤앵, 탄식의 한숨을 몰아쉬고 나서 돌아선다.

밥과 국과 나물 몇가지가 올려진 소반을 들고 영희가 제 남편의 시신이 놓여 있는 안방으로 들어간다. 아침에 동네 바느질장이가 가져다준 하얀 나일론 소복치마가 자꾸 발에 걸려 영희 발걸음은 위태롭다.

"아이, 상석 놓을 때마다 내가 일일이 말을 해야 알아듣겄냐. 곡을 해얄 것 아녀, 곡을."

방안에서 예의 노인의 새된 소리가 흘러나온다. 영희는 잠잠하다. 참다못한 노인이 먼저 아이고오 아이고오, 곡을 한다. 노인의 곡소리는 하나도 슬프지 않다. 청승맞은 노랫가락 같다. 흐흑, 아이 울음소리가 들린다. 영희 큰딸 아람이 울음소리다. 이어, 애애애애, 영희 막내아들 건주 울음소리. 방 밖에서 그 소리를 듣던 동네 아낙이 뭣이여, 저것이, 뭔 맴생이가 우는 것이여? 하고 비어져나오는 웃음을 참지 못하고 섰다가, 어이 자네는 시방 이 판국에 웃음이 다 나온단가? 다른 아낙의 면박에 후다닥 부엌으로 내뺀다.

"고모할매 자꾸 울엄마한테 뭐라고 하지 마란 말예요. 그란해도 울엄마 맘은 천갈래 만갈래로 찢어질 판인데, 고모할매가 자꾸 호랭이같이 갈구니까는 울엄마가 더 슬프잖아요."

이건 둘째 소담의 야무진 일갈이다. 소담이는 차돌멩이같이 야무져서 죽은 제 아비 사랑을 제일 많이 받은 아이였다.

"엇따따, 호랭이 물어갈. 소자 났다, 소자 나. 소자 나면 뭣을 헐 것이냐, 인자 느그 애비도 없는디. 아이고오 아이고오, 창색아아, 내 새끼 창색아아, 이 무정허고 무심헌 놈아아, 너를 업어주고 키워준 느그 고모를 내던져불고 뭣이 그리 바빠서 뒤도 안 돌아보고 가부렀느냐아. 아이고오 아이고오, 농판이 되아분 느그 아부지는 어찌라고 너 혼자 가부렀느냐아 아. 원통허고 절통혀서 고모는 못 살겄다아……."

노인의 마른 울음 섞인 사설은 끝이 없다. 어제 처음 이 집에 들어섰을 때부터 줄창 들어온 통곡소리다.

싸락눈이 내린다. 싸락눈은 싸락싸락 내린다. 영희집 뒤안에 무성한 대나무 이파리와 싸락눈이 부딪치는 소리가 난다. 싸락싸락 싸르르, 그러다가 그 소리는 이내 서걱서걱 소리로 변하기도 한다. 바람이 불어 대나무숲이 일렁거리면 솨아아, 파도소리가 난다. 나는 선득거리는 마루에 서서 눈내리는 소리를 듣는다. 눈이 댓이파리와 부딪는 소리를 듣는다. 대숲 일렁이는 소리를 듣는다. 그 소리들을 들으면서 영희 울음소리를 기다린다. 영희가 울어주기를. 제 남편 죽었다고 동네방네 다 들으라고, 제 가슴 주먹으로 콩콩 찧으며 울어주기를. 그러나 영희는 잠잠하다. 조바심이 인다. 문을 열고 야, 울어라 울어 좀, 한마디쯤 던지고 싶다. 영희가 울지 않으니까 영희 친구인 나도 눈치가 보인다. 아침 일찌감치 건너온 영희 일가 아낙이 부엌 샛문 틈으로 슬쩍 내다보는 것이 아무래도, 당신이 대관절 누구관데 식전부터 초상집 마루에서 건들거리느냐, 된 통박을 줄 것만 같다. 실제로 어젯밤 나는 부엌 안에서 흘러나오는 아낙들 속닥이는 소리를 들었다.

"조문 와서 잠이나 퍼자는 여자는 세상천지 처음 보네."

"누구여?"

"아람 어매 친구라네. 어째 아람 어매는 친구를 사개도 꼭 저런 친구를 사갰으까."

이곳에 오기 전에 먹은 약이 독했던가. 혼곤하게 잠이 쏟아져 견딜 수가 없었다. 영희집에 오자마자 아무데나 사람이 없는 빈방을 찾아 누워버렸는데, 내가 생각해도 그건 흉거리일 수밖에 없을 거였다. 그래도 약 덕분인가. 아침에 일어나니, 미열이 좀 나긴 했지만 견딜 만했다. 통증도 싹 가셨다.

내 신발을 찾는다. 아무리 찾아도 신발을 찾을 수가 없다. 마루밑을 들여다본다. 강아지 새끼들이 구물구물하다. 야, 저리 가, 아줌마 신발 내놔. 강아지들이 나를 멀뚱멀뚱 쳐다본다. 우리는 아무 죄 없는데요. 태연자약한 그 표정이 거짓말은 아닌 것 같다. 영희 남편 신발인가. 강아지가 깔고 앉은 것은 커다란 농구화다. 먼지와 개털과 흙투성이 농구화. 개밥그릇이 비어 있다. 나는 영희 것 같은 파란 비닐슬리퍼를 꿰어신고 마당 아래 아랫방으로 간다. 젖은 신이었던가. 발이 시렸다. 어젯밤, 소담이가 강아지들한테 줄 먹이를 그 방에서 꺼내오는 것을 봤다. 상중에도 소담이는 이 앙 다물고 저희 집에서 키우는 짐승들 챙기고 집앞 버섯하우스도 살핀다. 소담이는 제 이름처럼 소담스레 살핀다. 내가 어제 소담이 저것이 어디를 가나 하고 살살 뒤따라 가봤더니 그랬다. 하우스 거적을 덮어주는 소담이 어깨가 흔들렸다. 속울음을 우는 아이 어깨 가만히 쓸어주는 것밖에는 내가 할 수 있는 일이 아무것도 없었다. 그리고 지금, 소담이 대신 내가 이 집의 짐승들을 챙겨주는 것밖에는.

아랫방 문앞 토방에 신발들이 어지러이 흩어져 있다. 거기 내 신발이 있나. 눈에 띄는 것은 운동화와 털신 그리고 구두다. 남자구두다. 그 남자 신발이다. 내게 약을 사주었던 남자. 숨을 좀 깊게 들이마셔본다. 방에 그가 있을까.

"이 차가 광주 가는 차 맞나요?"

내가 대답할 새도 없이 남자는 내 옆자리에 앉았다.

"어디 가시는데요?"

"광주 가지요."

광주 가는 차인 줄 알고 탔으면서 광주 가는 차냐고 물은 사람이나, 광주 가니까 광주 가는 차냐고 물었을 사람한테 어디 가느냐고 물은 나나 어딘가 아구가 맞지 않은 질문들을 한 것 같기는 했다. 그리고 남자와 나의 문답은 그것으로 끝이었다. 차가 서울시계를 벗어나면서부터 눈이 내리기 시작했다. 운전사가 틀어놓은 라디오에서 남쪽 지방에 대설주의보가 내렸다는 기상정보를 알리고 있었다.

"눈이 많이 오는군요."

경황이 없어 옷을 허술하게 입었을 뿐 아니라, 몸상태가 안 좋아 차가 휴게소에 정차했을 때도 나는 그냥 가만히 자리에 앉아 있었다. 나갔다 들어온 남자가 캔커피를 건넸다. 캔은 따뜻했다.

"광주 가십니까?"

"네."

나는 짧게 대답했다. 광주 가는 차에 탄 사람보고 광주 가냐고 묻는 것이 우문인지 현문인지 더는 따지고 싶지가 않았다. 몸상태가 안 좋아서이기도 했지만 무엇보다 무언가를 생각한다거나, 누군가와 대화를 나눌 수 있을 만한 마음의 여유가 내겐 없었다. 남자가 건네준 커피를 마실 염조차 나지 않아 나는 캔을 그대로 손에 쥔 채 창밖을 내다보았다. 남쪽으로 내려올수록 눈발의 기세는 더 거세지고 있었다. 차 안에 난방이 되고 있는데도 나는 추웠다. 아침에 나설 때부터 예감이 좋지 않더니 버스를 타고 얼마 안 지나 몸살기운이 급격히 몰려왔다. 내가 후유증으로 몸살을 앓아야 할 정도로 극렬한 난동을 부리고 나간 남편은 어젯밤 집에 들어오지 않았다. 이제 그는 영영 돌아오지 않을지도 모른다. 차라리 그래주기를 나는 바랐다. 늘 그랬던 것처럼 그가 집으로 들어오는 발걸음 소리가 나면 나와 아이들은 절망할 것이다. 새벽녘에 전화벨이 울렸다. 전화기의 발신자번호 표시창을 노려보았다. 공중전화면 틀림없이 남편 전화일 것이었다. 여기 과천이야, 혹은 야, 여기 강원도 정선이다. 남편에게서 내가 들을 수 있는 말은 그것이 전부일 것이었다. 그러니까 그 말은 돈을 준비해놓으라는 말이었다. 그러나 이제 그런 전화는 다시는 오지 않을지도 모른다. 나는 어제 옆집 슬기 엄마 표현대로라면, 눈에서 불이 날 정도로 남편에게 대항했다. 그 후유증으로 몸은 비록 아팠지만, 그동안 내가 아무 소리도 못하고 산 세월들이 억울할 정도로 시원한 감도 없지 않았다. 나는 남편에게 나가라고 악을 썼고 남편은 내가 악을 쓰는 것에 맞추어 나를 두들겨팼다. 슬기 엄마와 내 아이들이 합세하여 남편을 몰아내지 않았다면 어떤 사태가 벌어졌을지 알 수 없었다. 전화벨이 울릴 때 잔뜩 오그라들던 마음이 표시창에 뜬 숫자를 확인하자 금세 누그러졌다. 그것은 영희에게서 온 전화였다.

"박창석씨, 지금 막 저세상으로 갔다."

영희 목소리는 예상했던 대로 담담했다. 췌장암을 앓는 남편의 격렬한 고통을 속수무책으로 지켜봐야 했던 날들을 생각하면 그럴 수도 있을 거였다.

"………."

얼얼한 느낌에 얼른 말이 나오지 않았다.

"생각했던 것보다 편안히 갔어."

"애들은?"

"괜찮아. 인사도 다 하고 할말 다 하고 그러고 갔어."

"첫차로 가마."

"무리는 말고."

"무리면 가지 마?"

"……와줘."

전화가 툭 끊겼다. 몹쓸 내 남편은 집을 나갔고 착한 영희 남편은 저세상으로 갔다. 그리고 몹쓸 내 남편이나 착한 영희 남편이나 한가지로 그들이 떠난 자리에 남은 것은 천장만치나 쌓인 빚뿐이다.

아이들을 옆집에 맡겼다. 옆집 슬기 엄마는 내가 아이들을 맡길 때마다 늘 전투적인 표정이 된다. 슬기 엄마 같은 이가 내 이웃인 게 나는 얼마나 고마운지 모른다. 밥을 많이 먹어 힘이 센 슬기 엄마는 내 아이들에게 나보다 더 든든한 보호막이 되어줄 것이다.

깜박 잠이 들었던가보았다. 잠에서 깨어나니 몸이 으실으실 춥고 머리가 어지러웠다. 남편이 집을 나가면서 부린 행패를 막으려다 다친 옆구리께의 통증도 아직 가시지 않았다.

"어디가 많이 아픈 모양이에요?"

"………"

"춥습니까?"

"………"

"아저씨, 난방을 좀더 세게 해줄 수 없습니까?"

뭐야아, 지금도 더워 죽겠구만. 기사님, 무슨 차 안이 이렇게 더워요?

다른 승객들의 원성이 즉각적으로 쏟아졌다. 난감해진 건 운전사였다.

"여기 환자가 있어서 그래요."

운전사가 끝내 남자의 편이 되어주지 않은 건지 아니면 온도를 올렸는데도 내가 추운 건지 알 수 없었다. 머리에서 열은 나는데 몸이 떨렸다. 남자가 문득,

"괜찮으시다면, 제 옷을 덮으시지요."

내가 대답하기도 전에 남자가 무릎에 올려놓았던 코트를 내게 건네주었다. 나는 남자의 옷을 거절할 기운이 없었다. 차는 폭설 속을 기었다. 폭설 속을 달리는 차 안에서 남자는 어느새 내 보호자가 되어 있었다. 어찌하다보니까 그렇게 되었다. 옷을 덮어주고 물을 가져다주는 남자에게서 나는 어떤 지극한 보살핌의 기운을 느꼈다. 그것은 한자리에 같이 앉아 가는 사람이 보일 수 있는 친절 이상이었다. 옆자리에 앉은 낯선 사람에게, 단지 아프다는 이유만으로 베푸는 친절이 그러나 나는 싫지 않았다. 기이한 것은 고맙다는 말을 해야 할 상황이 분명한데도 이 남자는 내가 인사 같은 것을 챙기지 않아도 될 사람인 것만 같았다. 그러니까 우리는 아무래도 구면인 것 같았다. 얼핏 맡아지는 어떤 냄새, 오래된 기억 속에서 선명하게 떠오르는 그 냄새가 바로 남자의 옷에서 났기 때문이었다. 내게 한번 왔다가 아무 일도 없었다는 듯 그냥 가버린 그 냄새.

더욱 더 기이한 것은, 그 냄새인 것 같다가, 차츰 그 냄새라고 단정을 짓고 나자, 욕망인 것도 같은 혹은 분노인 것도 같고 그리움인 것도 같은, 그러나 아무리 생각해도 터무니 없는 어떤 감정 하나가 불쑥 고개를 들이민 것이었다. 말하자면 나는 이제야말로 그 냄새가 나는 옷의 주인에게 매달리고 싶어지는 것이었다. 내가 몹시 힘드니, 당신이 당신 옷으

로, 그 다정한 냄새 나는, 그 평화롭고 온순하고 모든 정상적인 것의 냄새가 나는 옷으로 나를 감싸서 어디론가 데려가줘야 한다고 애원하고 싶은 것이었다. 아니, 엄밀히 말하자면 그러고 싶다는 강한 유혹을 느꼈다. 격렬한 통증과 한기 속에서도 나는 남자의 보살핌의 기운에 흠뻑 빠져버리고 싶었다. 남자의 보살핌의 기운이 달콤한 게 아니라, 그 기운에 빠져버리고 싶다는 기분이 달콤한 거였다. 맹랑하기 이를 데 없는, 그러나 굳이 거부하고 싶지 않은.

"비가 온다, 비가 와."

비가 내리는 휴일이면 영희는 늘 부침개를 부쳤다. 부엌에서 부침개를 부쳐 방안으로 건네주며 영희가 말했다. 나는 영희가 부친 부침개를 먹으며 자췻집 마당에 수직으로 꽂히는 빗줄기를 바라보았다. 영희가 내뱉듯이, 탄식하듯이 비가 온다, 비가 와, 라고 한 것은 비가 오니 만성리 가는 계획 취소하자는 소리라는 걸 나는 알았다. 영희와 한방에서 자취한 지 삼년인데 그 정도 못 알아먹을 내가 아니었다. 그러나 아무리 날씨가 맑다 하더라도 가난한 전자공장 여공인 우리가, 실지로 만성리 해수욕장을 갈 수나 있었을까. 영희는 날씨가 좋으면 좋은 대로 또 배 깔고 엎드려서 그 특유의 느린 말투로,

"해수욕장 가면 사람도 많고 순 바가지 쓴다더라."

그러면 나도 질세라,

"맞아, 거긴 순 놀고먹는 애들만 간다더라."

그날, 영희 시골집에 간 건 영희와 나의 그런 문답이 오간 뒤였을 것이다. 그날은 사흘간 주어진 여름휴가 첫날이었다. 휴가 때 산으로 바다로

놀러 가자는 꿈이 우리에겐 그저 꿈에 불과하다는 사실을 우리는 잘 알고 있었다. 애초부터 우리는 해수욕장을 갈 만한 처지들이 아니었다. 멋진 수영복 있고 녹음기 있고 기타 있는 대학생들이나 가는 곳이었다. 젊음이 넘쳐흐르는 해변은 애초에 우리 것이 아니었다. 다섯 식구가 오글거리고 사는 단칸방에서 살 수 없어 집을 나와 자취를 하는 처지에 휴가라고 집에 들어갈 입장이 아니었던 나는 영희네 어머니와 영희 동생들에게 줄 복숭아를 사서 영희를 따라 영희 시골집으로 갔다.

영희네 집앞 길은 대숲 사이로 난 오솔길이었고 낮인데도 어둠침침했다.

"영희야, 대나무들 키가 왜 이리 크다니? 정글 같아."

"몰라, 아마 키큰 남자가 키우는 대나무라서 그런가봐."

그렇게 말하고 나서 영희가 까르르 웃었다. 영희의 웃음소리가 나자마자 어디선가 휘파람 소리가 났다.

"영희야, 휘파람 소리 내는 새도 있어?"

"몰라. 휘파람 잘 부는 남자는 있어."

"어디?"

"바로 여깄습니다."

컴컴한 대숲에서 한 남자가 불쑥 나타났다. 나는 영희 표정만 보고도 영희가 어떻다는 걸 알았다. 영희는 그러니까 일부러 대숲길을 택한 것이었고 그 숲속에 그가, 말하자면 제가 보고 싶어하는 그 남자가 있으리란 것을 알고 있었던 것이 분명했다.

"창석이 너 언제 내려왔니?"

"유월부터 내려와 있었다야."

"학교는?"

남자가 대답 대신 그냥 미소지었다.

"창석아, 복숭아 먹을래?"

"밤에 가지고 나와."

"어디로?"

"샘골 계곡으로."

고개를 끄덕이고서 영희는 초등학교에 갓 입학한 계집애같이 나풀나풀 뛰어갔다. 영희는 저녁밥 먹고 나서 복숭아 두 알을 몰래 우물 속에 빠뜨려놓고 어머니와 동생들에게는 나머지 복숭아를 깎아주었다. 영희는 나를 빤히 바라보았다. 그 얼굴에 복숭앗빛 같은 분홍 홍조가 피어오르고 있었다. 쪼글쪼글한 영희 어머니는 잠도 쪼글쪼글 엎드려 잤다. 영희 어머니는 작년에 술병으로 죽은 영희 아버지 살아 있을 때부터 너무 고생을 많이 해서 잠조차도 편하게 자는 것을 잊어버렸다고 했다. 영희 동생들은 생쥐처럼 눈을 뜨고 우리를 빤히 쳐다보았다. 영희가 말했다.

"눈감아."

동생들은 거짓말처럼 모두 눈을 꾹 감았다. 우리는 우물에 빠뜨려놓은 복숭아 두 알을 감싸쥐고 사립을 빠져나와 대숲 사이로 난 오솔길을 달리고 다복솔이 우거진 뒷동산을 다람쥐보다 빠르게 올라가 약속장소인 샘골 계곡으로 갔다. 물소리가 나는 사이사이로 두런거리는 남자 말소리가 들려왔다. 야심한 밤에 듣는 굵은 남자 목소리는 스무살 처녀의 가슴을 두근거리게 했다. 영희가 어둠뿐인 허공으로 복숭아 한알을 내밀었다. 창석이 받았다.

"복숭아 비싸지?"

"몰라. 물가 비싼데 복숭아라고 안 비쌀까."

"여긴 내 친구. 거긴 니 친구냐?"

"응."

창석이 빙글빙글 웃었다. 창석 옆에서 바보같이 서 있던 남자도 빙글거렸다.

"참 내, 내력 없이 웃기는."

퉁을 주는 영희도 웃기는 마찬가지였다.

"서 있지 말고 우리 앉자."

창석의 제안에 따라 우리는 모두 계곡의 널따란 바위에 걸터앉았다. 한참 동안 이쪽이나 저쪽이나 복숭아 나눠서 깨물어 먹는 소리만 났다. 계곡에 오래 발을 담그고 있었더니 발이 시려왔다. 깊은 계곡인데다 밤이 깊으니 밤이슬이 내려 한기가 돌았다. 그래도 꾹 참고 밤하늘의 별을 우러르기도 하고 괜스레 웃기도 했다. 창석의 친구가 창석에게 속닥였다.

"걔네들보다 낫다."

"누구?"

"혜련이."

"와아, 지난번 미팅한 이대생?"

"걔네 완전 부르주아야."

영희와 나는 고개를 푹 수그리고 발가락만 내려다봤다. 우린 잠이 왔던 것인지도 몰랐다. 그래서 그렇게 눈을 내리깔고 있었는지도. 하지만 기가 죽었다고 해야 더 정확하리라. 그렇지만 기죽은 표시 안 내려고 잠오는 척 눈을 내리깔고 있었는데 결국 졸음이 밀려왔다. 그러나 사실을 말하자면 나는 한숨도 자지 못하고 있었다. 그리고 그날 밤, 잠든 척 잠 못

드는 내 몸을 따스하게 감싸주는 것이 있었다. 그것은 남자의 옷이었다. 남자가 내 몸에 덮어주는 옷의 감촉이 느껴지자 나는 말할 수 없이 행복해졌다. 혹시 꿈이 아닌가 싶어서 나는 그 꿈을 좀더 오래 지속시키고 싶다는 생각으로 일부러 눈도 뜨지 않고 고개도 들지 않았다. 그러고 있자니 가슴이 거세게 요동쳐왔다. 영희와 창석은 각자가 입은 옷 그대로 자고 있었다. 그런데 내게는 특별히, 남자의 옷이 덮여 있었다. 나는 내게 옷을 덮어준 남자가 무릎을 세워 얼굴을 묻은 채 자고 있는 것을 남자의 옷에서 나는 냄새를 맡으며 지켜보았다.

"알아요? 이제 방금 망초꽃이 피었어요."

나는 깜짝 놀랐다. 자고 있는 줄 알았던 남자가 고요하게, 그러나 열에 들뜬 목소리로 내게 말을 했기 때문이었다. 남자가 내게 가까이 다가앉았다. 그러곤 내 손을 꼬옥 쥐었다. 조금만 움직여도 가슴이 팡, 하고 터져버릴 것만 같은 느낌에 나는 꼼짝도 할 수가 없었다. 나는 미동도 하지 못한 채로 나를 덮고 있는 남자의 옷에 코를 박았다. 옷에서는 옷주인인 남자의 체취일 것이 분명한 냄새가 나고 있었다. 내가 덮고 있는 남자옷에서 나는 냄새, 그것은 이전에 내가 한번도 맡아보지 못한 냄새였다. 역으로 이런 말도 가능할 것이다. 그 남자의 옷이 그날 밤 그 계곡바위에서 내 몸을 덮지 않은 옷이라면, 그 옷에서 나는 냄새는 이 세상 어떤 옷에서 나는 냄새와 다를 것이 없다고.

나는 지금 내게 옷을 덮어줬던 그 남자의 얼굴을 확실히 기억하지 못하지만, 그 옷에서 나던 냄새는 아직도 기억하고 있다. 그러면, 그러면 이 남자가 바로 그일까.

"혹시, 혹시 말이지요. 이십년 전 일인데요."

"네."

"밤에 계곡에서 복숭아를 먹은 기억이 있나요?"

"복숭아야 많이 먹었지요. 이십년 전에도 먹었을 것이고, 십년 전에도, 일년 전에도, 지난 여름에도 먹었을 거구요. 복숭아 좋아하세요? 하기사 아프면 복숭아가 먹고 싶을 수도 있어요. 어렸을 때 어머니는 내가 아프면 꼭 복숭아 통조림을 사다주시곤 했죠. 어머니는 간즈메라고 했는데, 지금도 이따금 아플 때는 어머니의 그 간즈메가 떠오르곤 합니다."

광주 광천동 터미널에 내렸을 때 눈은 그쳐 있었다. 남자는 내게 덮어줬던 코트를 거둬가며 필요 이상으로 미안해했다. 남자가 문득 말했다.

"가지 말고 이 자리에서 잠깐 기다려주시겠습니까?"

"………."

남자가 어디론가 뛰어갔다. 돌아온 남자가 수줍어하며 내미는 비닐봉지 속에 든 것은 약봉지와 복숭아 통조림이었다. 그리고 우리는 헤어졌다. 담양으로 가는 버스는 흔하게 있었지만, 영희집까지 가려면 담양읍내에서도 한참을 들어가야 했으므로 내 몸상태로서는 버스를 탈 엄두가 나지 않았다. 택시를 타고 영희집에 오자마자 영희 아이들 방으로 들어가 아이들이 오물오물 앉아 훌쩍거리는 소리를 들으며 누워버렸다. 잠에서 깨어났을 때는 저녁도 다 지난 밤이었다. 문밖은 사람들 소리로 두세두세했다. 큰아이 아람이와 막내 건주는 울다가 지친 듯 내 발밑에서 자고 있었다. 내가 일어나자 여태 자고 있던 소담이가 발딱 일어났다.

"아줌마, 아파요?"

"응. 근데 이젠 약 먹어서 괜찮아."

"아줌만 우리 엄마의 진정한 친구 같아요."

"왜?"

"울엄마 땜에 아줌마가 아파버리잖아요. 선생님이 그러는데, 진정한 친구는 친구의 아픔을 자기 아픔처럼 여기는 사람이랬어요."

다 늦은 밤인데 소담이가 양말을 두 겹으로 껴신고 벙거지를 뒤집어쓰고 밖으로 나갔다, 어디 먼데로 갈 것처럼.

"소담이 어디 가니?"

"울아빠 돌아가셨어도 우린 살아야 하니까, 개밥도 퍼주고 들에 나가 하우스도 살펴야 해요. 오늘 우느라고 아무것도 못했거든요."

소담이 하는 짓이 너무나 대견해 나도 모르게 소담이 뒤를 따라나섰던 길이었다.

하우스 문을 잠그고 돌아서는데 저쪽 모퉁이 어둠속에 누군가가 서 있었다. 꺽꺽거리는 소리가 나서 처음에는 누군가가 술을 먹고 토하는 소리인 줄 알았다. 그러나 그것은 울음소리였다. 한 남자가 아무도 보이지 않는 하우스 모퉁이 어둠속에서 격한 울음을 토해내고 있었다. 우뚝 내 발걸음이 멈춰졌다. 그 남자였다. 그가 내게 건네주었던 미색 코트가 아니라도 나는 이제 확실히, 그리고 아무리 먼발치에서라도 그 남자를 알아볼 수 있을 것 같았다.

"누구니?"

"울아빠 친구분이래요. 저 아저씨랑 울아빠랑 학교 다닐 때 데모도 같이하고 엄청 친했는데요, 아저씨랑 아빠랑 되게 싸웠대요. 음, 서로 사상이 안 맞았다나 어쨌다나. 하여간 그래가지고는 울아빠가 학교도 그만두고 감옥 갔다와서 울엄마랑 결혼하고 우리 낳고 사는 동안 한번도 못 만나다가요, 어디선가 울아빠 아프단 소식 듣고 오셨거든요. 그래서 아빠랑 화해하는 것을 저도 봤어요. 근데 울아빠도 착하지만 저 아저씨도 되게 착해요. 모르는 할아버지 할머니들한테도 꼬박꼬박 인사하고요, 아이들한테도 항상 웃어주고요, 하여간 그래요. 아까 저녁에 아줌마 잘 때 왔는데요, 아저씨가 버스에서 내려 터덜터덜 걸어오다가요, 돌부리에 걸려 넘어져가지고요, 다리를 다쳤다네요, 내 참. 저 아저씨 걸음걸이가요, 원래 터덜터덜 하걸랑요. 아줌마, 울아빠 이름이 박창석이잖아요. 저 아저씨가 뭐라 그런 줄 알아요? 울엄마한테, 앞으로 창석이 보고 싶으면 절 보세요, 그러잖아요, 흥."

숨도 안 쉬고 말한 뒤끝에 야무지게 붙이는 콧방귀라니. 소담이 아빠는 이런 딸 있어 마음놓고 저세상으로 갈 수 있었던 것이 아닐까.

"가서 달래드리렴."

"싫어요."

"왜?"

"있잖아요, 사실은요, 나도 저 아저씨 착한 거는 알거든요. 근데요, 저 아저씨가 울엄마한테 한 말 땜에 내가 기분이 나빠져버렸거든요."

아랫방 문을 슬며시 연다. 방안은 어둠침침하다. 어젯밤 늦게까지 음주를 하던 영희 남편 친구들 몇몇이 너부러져 있다. 문옆에 바로 '도그 푸드' 라 씌어진 포대가 있다. 포대 안에 담겨 있는 양은그릇으로 하나 가득 개밥을 퍼담는다. 농군 복장의 영희 남편 친구들 안쪽으로 그가, 어제 내게 덮어줬던 낯익은 미색 코트를 덮어쓰고 누워 있다. 어젯밤 과음을 한 건지도 모른다. 나는 얼른 문을 닫는다. 영희가 안방에서 나오며 제 신발을 찾는다. 나는 얼른 신을 벗어주고 마루로 올라선다. 마루는 선득선득하다. 젖은 양말은 마루에 그대로 내 발자국을 만든다. 춥다. 나는 어디로 가야 할지를 모르고 그렇게 마루에서 서성거린다.

"방에 들어가 있으렴."

"응, 그래."

나는 건성으로 대답한다.

"어서."

영희가 채근한다. 쫓기듯 들어선 방에는 어제 영희의 시고모가 피운 고춧불 내가 가시지 않아 매운내와 향내가 뒤엉킨 매캐한 냄새가 난다.

"앉어보씨요."

노인은 언제 울음 섞인 사설로 대성통곡을 했던가 싶게 말끔한 얼굴이다. 시신이 걱정될 정도로 방바닥은 지글지글 끓는다. 아직 입관을 하지 않은 시신은 병풍 너머 칠성판 위에 누워 있다. 병풍이 이승과 저승 사이를 완벽하게 차단하고 있다. 나는 어색하게 앉는다.

"어디서 오셨소?"

"서울에서요."

"아는 몇이요?"

"………."

"옳아, 아를 두고 나왔는갑만."

"………."

"그러지 마시요. 아들은 그저 에미 품안에서 커야제. 요새 이핀네들은 어째 지새끼 중한지를 모르까, 끄응. 사램이 그러면 안돼야. 즈그년들이 집 나가봐야 뭔 존 꼴을 보겄어."

노인은 영악하다. 아니, 숭악하다. 실로 사납다. 영희가 지금 그 사나운 눈초리를 고스란히 받고 있다. 내가 가만히 있자 노인은 차마 영희 면전에서 못하겠는 말, 이때다 싶게 쏟아놓는다.

"배운 이핀네들은 글도 안해. 꼭 밴 바 없는 년들이 처나가드라고."

"할머니, 말씀이 지나치십니다."

"내가 허는 말이 뻘말인지 아요. 이 동네만 해도 아조 쎄부렀소. 보씨요, 인자 저그 저, 동네 가운뎃집, 서방이 허는 일이 잘 안되얏어. 그렁게 여자가 인자사 포도시 걸음마허는 새끼를 두고 어디로 가부렀네. 오메, 그 갱아지새끼 같은 것이 지 에미 찾니라고 뽁뽁 기다니메 깨갱거리는디, 아이고오, 그 할마씨도 복도 복도 그리 없으까. 아이고오, 창색아아, 니 새끼들 짠해서 고모가 죽겄다아, 창색아아아……."

"할머니!"

"이 이핀네가 여가 어디라고 눈을 똑바로 뜬댜?"

나는 그만 밖으로 나와버린다. 어디로 갈 곳이 없다. 아이들 방에는 남자노인들이, 작은방에는 여자 노인들이 가득 들어차 있다. 그중에 며느리가 집을 나가 '뽁뽁' 기어다니는 손주를 안고 온 할머니도 있을까. 부엌으로 가본다. 동네 아낙들이 더러는 서 있고 더러는 앉아 있다. 악상이라 음식을 걸게 장만할 것도 없다. 오는 손님이라고 해봐야 동네사람이 전부다. 아랫방에 있는 영희 남편 친구들이라고 해봐야 전부 동네친구들이다. 먼데서 온 사람은 오직 나와 그뿐이다. 마당에는 초상집에 으레 쳐져 있기 마련인 차일도 없다. 빈 마당에 영희 남편 친구들이 어젯밤 피워놓은 화톳불이 시나브로 사위어가고 있다. 날이 하도 험해 혹간에 오는 조문객은 아랫방 옆 창고 안에서 받는다. 받는 사람도 없다. 영희 남편 친구들은 거개가 술을 먹었다. 영희와 영희의 아이들이 그 창고 안에 있다. 창고 안에는 누가 갖다놨는지 석유난로가 타고 있다. 아람이는 눈이 퉁퉁 부어서 제대로 뜨지도 못한다. 건주는 기를 쓰고 엄마 치맛자락만 붙잡고 있다. 소담이가 그래도 제 어미 먹으라고 부엌에서 음식을 가져온다.

"엄마, 먹어."

영희가 밥을 먹는다. 제 아이들더러 먹으라는 말도 안하고 저 혼자 먹는다. 그 모양이 좀 민망하다.

"너희들은 밥 먹었니?"

건주가 도리질친다.

"아줌마가 밥 갖다주까?"

아람이가 도리질친다. 영희는 말이 없다. 말없는 것은 이해한다. 그런데 애들한테 밥 먹으란 소리를 안하는 것이 좀 마음에 걸린다.

"소담이는?"

"난요, 엄마만 먹으면 되걸랑요."

말은 그렇게 하지만 입꼬리가 비틀려지는 게 금방이라도 울 것 같다.

"영희야."

"말해."

"저기, 저기 말야."

"애들은 왜 안 먹이고 나만 먹냐구?"

"응."

나는 좀 무안해진다.

소담이 눈꼬리가 비틀린다.

"아줌마, 울엄마한테 뭐라고 하지 마세요. 고모할매랑, 동네사람들이랑, 아빠 친구들이 착한 줄 아세요? 울엄마 편은 하나도 없어. 진짜 속상해, 어어엉. 아빠 아파서 병원에 오래 있었잖아요. 그때도 동네사람들이 울엄마 어디로 도망가는가 잘 보라고 했단 말야. 그때마다 나는 진짜 여기 안 살고 싶었어, 어엉. 아빠는 뭐할라고 괜히 아파가지고 엄마를 힘들게 하냔 말예요. 그래놓고는 이제 와서 아빠만 가버리면 이제 엄마랑 우린 어떻게 살아가느냔 말예요, 어어엉."

초등학교 오학년짜리 입에서 나오는 서러운 항변이다. 소담이 가슴속에 켜켜이 쌓인 저 울분, 저 분노, 저 슬픔을 소담이가 되어보지 않고서 어찌 알까. 엄마 치맛자락 절대로 놓지 않을 것 같던 건주가 툭 뛰어나간다. 건주가 뛰어나가 붙잡은 사람은 그 사람이다. 미색 코트는 그새 쭈글쭈글하다. 내 가슴 저 밑바닥에서 무슨 소린가가 울리다가 사라졌다. 그것은 지극히 한순간이라, 그 소리가 뭔가, 얼른 알아채지 못했다. 그것은 세월 저편의 기억이 화들짝 깨어나는 소리. 그것은 망초 꽃가루 화르르 떨어지는 소리. 그것은 바람에 별이 씻기는 소리. 그것은, 그것은……. 그것은 그리고 무엇인가.

"불이 다 죽었네."

"아니에요, 지금도 살아 있어요. 빨갛잖아요."

여섯살 건주가 눈을 똥그랗게 뜨고 아니라고, 진짜 아니라고, 보라고 마당에 타다 만 화톳불을 가리킨다.

"그게 아니고, 봐라, 재만 남았잖아."

"재만 남은 건 죽은 거예요? 우리 아빠처럼?"

"그래, 너희 아빠처럼."

"아하, 그렇구나. 그런데 아저씨, 죽는 거는 슬픈 거죠."

슬프다는 말만으로도 여섯살 건주는 슬퍼진다. 씰룩거리는 건주 입.

"죽는다고 다 슬프냐? 난 안 슬퍼."

"정말 안 슬퍼?"

"응. 왜 슬퍼? 내 마음속에서 그 사람이 죽지 않으면 산 거나 마찬가지기 때문에 하나도 안 슬퍼. 그런데 슬픈 거 맞긴 맞냐?"

"아저씨 뭐예요옷."

갑자기 소담이가 튀어나가며 버럭 악을 쓴다. 그와 한창 신이 나 있던 건주가 뭔가를 또 물으려다가 입을 합 다문다. 그는 끝내 나를 발견하지 못한 모양이다. 밝은 곳에서 어두운 곳은 잘 보이지 않을 수도 있다. 밖이 소란스럽다. 관과 상여가 도착했다. 관과 상여가 사립을 들어서자마자 영희 시고모의 곡소리가 울려퍼진다.

아이고오, 아이고오, 창색이 이노무 자석아, 니가 타고 갈 생이가 왔따아, 너를 실꼬 갈 생이가 와부렀어어.

그가 문득 말했다.

"와아, 예쁘다."

건주가 받았다.

"진짜."

소담이가 남자와 건주를 싸잡아 째려본다.

"아이, 거서 뭣허냐? 인자 입관을 해얄 것 아녀, 입관을."

곡을 멈춘 노인의 새된 소리에 영희가 화들짝 놀라 창고를 나간다.

곡을 혀라, 곡을. 아이고오 아이고오, 노인의 선창에 따라 아람이 흐느끼는 소리, 건주 애애애 소리가 초상마당에 울려퍼진다. 나는 기다린다.

영희 통곡소리를. 거침없이 터져나올 영희의 울부짖음을. 영희는 왜 울지 않는가. 아무리 저한테 짐만 떠안기고 떠난 미운 남편이라도, 제 속으로야 피눈물을 흘리더라도 일단은 소리내서 울음을 울어줘야 할 것 아닌가. 울음을 보여줘야 할 것 아닌가.

마당은 어제 내린 함박눈 위에 아침에 내린 싸락눈이 점점이 박혀 있다. 아들 초상 치르느라 골방으로 밀려난 치매노인이 무슨 일이 났는가, 문을 열고 체머리를 흔들고 있다. 나는 노인의 눈을 피해 영희집 문밖을 나서고 말았다. 아니다, 나를 골목으로 나서게 한 건 노인의 눈이 아니다. 그럼 무엇인가. 나는 예전에 영희가 그랬던 것처럼, 아무도 없는 골목에서 나비처럼 나풀거려본다. 나는 나의 황당한 몸짓이 부끄러워 누가 볼세라 날개 꺾인 나비처럼 영희집 담벽에 몸을 기댔다.

어젯밤 영희 남편 친구들은 마당의 화톳불 가에서 술을 마셨다. 울분과 분노와 슬픔을 토해내는 그들 얼굴은 화톳불이 반사되어 붉었다. 영희집만 빼고 온동네는 그저 하얀 눈에 파묻혀 있었다.

"창석이 그 자식이 공부 안하고 무슨 운동 한다고 할 때부터 내가 알아봤어. 내가 뭐라 그랬냐면, 명 재촉하지 마라고 했다고."

"창석이 우덜 말 징하게 안 듣잖아."

"창석이는 이 나라 농촌파탄정책이 죽인 거여. 다른 거 하나도 없어."

"주범은 암인데 어째 농촌파탄정책을 범인으로 모냐? 너 같은 먹물들은 걸핏하면 정책 탓을 하더라?"

"너는 나한테 뭔 유감 있냐?"

"니 말이 그렇잖아, 마."

"스으을 조용히 해라들. 니들은 만나기만 만나면 싸움질이냐들. 창석이가 이 꼴 보고 웃겄다, 웃겄어. 어이, 형씨, 먼데서 오니라고 고생하셨소. 술 한잔 받으쇼."

먼데서 온 손님, 그는 술을 받아 단숨에 마셔버리고 말없이 불만 바라보고 있었다. 내가 그를 바라보고 있다는 것을 그는 모르는 것 같았다. 나는 문득 내가 그렇게 그를 바라보고 있다는 것에 무척 행복해졌다. 행복하단 느낌이 몹시 당혹스럽기는 했지만, 어쩔 수가 없었다. 영희 아이들은 울다 지쳐 자고 있었다. 오랜 고통 끝에 온 아비의 죽음은 아이들에게 슬픔과 동시에 평화일 수도 있을 거였다. 자는 아이들한테서는 상중임에도 모든 자는 아이들에게서 나기 마련인 달콤한 냄새가 났다. 마치 복숭아과육에서 나는 것과 같은. 미처 상복이 준비되지 않아 영희는 평상복 차림으로 왔다갔다했다. 내가 문틈으로 내다보고 있는 것을 영희는 괘념치 않아 하는 것 같았다. 골방에 들어가서 한참 동안 무엇을 하는지 부스럭거렸다. 나도 영희가 하는 일에 신경쓰지 않았다. 시부가 쓰는 작은방에서 영희 말소리가 고즈넉이 들려왔다.

"아부니, 아부니 아들이 죽었어요. 내일 손님들이 많이 올 거예요. 아부니, 도장방 깨끗이 치워놨거든요. 도장방에서 오늘하고 내일하고 이틀만 계세요, 알겠지요?"

영희가 제 시부한테 이르는 소리가 나는 뜬금없이 '오래 묵은 반찬' 같다는 생각이 들었다. 그것은 듣기에 편안하고 좋은 말소리였다. 영희 아이들한테서 나는 달콤한 아이들 냄새를 느끼며, 영희의 오래 묵은 반찬같이 친근하고 다정한 목소리를 들으며 설핏설핏 눈 내리는 상갓집 마당을 내다보고 있는 이 순간이 나는 말할 수 없이 평화로웠다. 그리고 거기

설핏설핏 눈발이 나부끼는 마당에 그가 있으니, 영희집 뒤안 대숲에 일렁이는 바람이 내 마음에도 불어오고 있었다. 나는 그것을 확실히 느꼈다. 그것은 묘한 설렘이었다.

이제와 생각해보니 그날 밤, 복숭아를 깎아먹었던 그날 밤 이후에, 내가 그를 잊어본 적이 한번도 없었던 것같이 생각되었다. 정말로 나는 그랬을 수도 있다. 잊어본 적이 한번도 없다고 우기고 싶은 나를 나는 참으로 이해할 수가 없었다. 그날 밤이 뭐가 어쨌다는 말인가. 아무 일도 없었다. 단지 우리는 어느 여름밤에 별빛이 은은한 뒷동산 아래, 계곡 바위에 앉아 복숭아를 나눠먹고 헤어진 것뿐. 새벽 어스름에 영희와 창석은 각자 입은 옷 그대로 자고 있었는데 나는 그의 옷을 덮고 있었다는 것. 특별한 것이 있었다면 그뿐. 사실 겁날 것도 없는데 영희가 깨어나서 볼 것이 겁나 옷을 거두어 그에게 돌려주자 그가 문득 내 이마에 입술을 스치듯 댔다는 것, 그뿐이었다. 그리고 영희를 깨워 영희집으로 달려오다가 돌아보니 두 남자가 쑥스럽게 웃으며 손을 흔들었다는 것. 그렇게 새벽 어스름 속에서 쑥스러이 웃고 헤어진 것뿐. 그뿐.

잊고 말고 할 그 무엇도 없는 그날 밤을 한번도 잊은 적이 없다는 것은 순전히 가짜라는 것을 나는 알았다. 나는 가짜 기분에 취해 있는 것이 분명했다. 그런데 또 어쩌자고 그런 맘이 들었던 것일까. 가짜라도 좋으니 그가 끈이 되어주고 내가 그 끈 붙잡고 실컷 한번 울어봤으면, 그러면 좋겠다는 마음 말이다. 그러나 나는 진작에 알고 있었다. 그는 절대로 내게 오지 않을 것임을, 그가 내게 올 이유가 없음을. 그러면 내가 붙잡을 끈은 어디에 있는가.

상여가 떠난 영희집은 조용했다. 전화기를 붙잡는다.

"슬기 엄마, 나야."

"한번 왔다가 갔는데 별일은 없었고 의자 하나 아작내고 나가데요."

"애들은."

"엄마 오기만 기다리죠 뭐."

"알았어, 오늘이나 내일쯤 올라갈게."

"걱정 말고 친구분이나 위로 잘하고 올라오세요."

고무장갑을 끼고 뒷정리를 하고 있는데 영희 시고모가 들어선다.

"아이고를 안혀, 아조 안해부러. 그것이 뭣이간디, 창색이 가는 길에 축수허는 것이여. 저승길이 쉴헌 길이 아녀. 그런디 그 속이 뭔 속인가 그것을 갖다가 안해부러. 지 냄편은 그리 헐허게 보내불고는 뭣이 좋다고 뭔 허연 가다마이 입은 남자헌테는 밥은 묵었느냐, 고생 많았다, 고맙다, 아조 지극정성이여. 그것이 뭔 지랄인고 몰라. 그러면 그러제. 알쪼가 난 거여, 알쪼가, 포옥."

노인은 나를 보고도 안 본다. 아이고를 안하는 질부가 밉다 이거다. 그러니 그 질부 친구인들 노인에게 곱게 뵐 리 없다. 마루에 걸터앉아 하는 혼잣말은 또 혼잣말만은 아니다. 그것도 듣는 이가 있으니 하는 말이다. 노인이 포옥 내쉬는 한숨이 내 뒤꼭지에 와 달라붙는다. 노인의 시선이 버거워서라기보다 저 먼데서, 내 몸 어딘가에서 뭔가 심상찮은 조짐이 몰려오는 느낌에 떠밀리듯 아이들 방으로 들어와 길게 누워버린다. 의자를 부숴놨다구? 내 속에서도 포옥 한숨이 절로 나오고 있다. 어제 좀 나아졌던 몸이 다시 공중으로 붕붕 떠오르다가 끝간데 없이 아득한 바닥으로 추락하는 것 같이 아파오기 시작한다. 아픔은 또 늘 선잠을 수반한다.

"이불도 안 덮고 잤어?"

영희가 바로 내 머리맡에 있다.

"너도 한숨 자라."

"손님이 간대. 배웅해야지."

"누구?"

"애아빠 친구."

"먼데서 온 사람?"

"응, 먼데서 온 사람."

영희가 나간다. 하얗던 나일론 소복이 시커멓다. 가슴 한쪽이 쿵 내려앉는다. 안돼, 영희야. 그 사람 보내지 마. 나, 그 사람 없으면 안돼. 난 그 사람 같은 사람이 있어야 해. 영희야, 그 사람 보내버리면 나는 어떡하니.

나는 운다. 기가 막혀 운다. 무엇이 기막힌가. 웃기는 내 감정이 기막히다고 하기가 싫다. 그래서 그냥 운다. 아무 말도 못하고, 그냥 서럽게. 울면서 나는 내 울음의 이유를 부지런히 찾는다. 이유가 있는 것 같기도 하고 없는 것 같기도 하다. 그래서 맘껏 울어젖혀지지가 않는다. 맘껏 울지 못할 울음 우는 게 창피해진다. 영희 아이들이 들어온다. 아이들 눈치가 봐진다. 방에 들어온 아이들이 하나같이 방바닥에 털썩 주저앉는다. 그러곤 하나 둘 울기 시작한다. 울음은 이내 봇물이 된다. 나는 쪼글치고 앉아 영희 아이들을 바라본다. 부럽게 바라본다. 아이들의 울음은, 저 확실하게 이유 있는 울음은 얼마나 잘난 울음인 것이냐. 얼마나 힘센 울음인 것이냐.

영희가 들어온다.

"다 갔니?"

"다 갔어."

"너는 언제 울래?"

"나? 지금부터."

영희가 칭칭 감기는 소복을 활락활락 벗어젖힌다. 힘차게 벗어젖힌다. 방바닥에 털썩 주저앉는다. 드디어 영희가 울기 시작한다. 제 아이들 굽어보며 발을 쭉 뻗고 울어젖히기 시작한다.

"아이고오 아이고오, 아이고오…… 아아아아아…… 어어어어어……."

처음에는 진양조로, 그러다가 울음은 휘모리가 된다.

"해앵, 인자서 우는가비. 그려, 울어라, 울어. 하먼, 밥 묵고 살라면 울어야제. 울어야 밥맛 나고 밥 묵어야 심이 나제. 별것이나 있간디. 암것도 없어. 태나서 우는 놈이 사는 벱이여. 울어야 산 목심이여. 그저 내 울음이 내 목심줄이여. 뜨건 눈물 퐁퐁 쏟아기매, 팥죽 같은 땀 펄펄 흘려가매. 아이갸, 죽을 목심은 울지도 못헌단게. 나는 울지도 못혀. 심이 없어 울지를 못혀. 젊어 울제 늙어 못 울어. 울지도 못허는 나는 갈랑게 너거들은 더도 말고 덜도 말고 석달 열흘간을 션허게 울어부러라."

영희 시고모가 방문을 톡 치고 나간다. 하면, 영희는 지금 살려고 우는 것인가. 살려고 우는 거라면, 그러면 나도 울 수는 있다. 우는 것이 목숨줄이라 했겠다, 그러면 나도 울어야겠다. 이제야말로 정말 울어야겠다. 쪼글치고 우는 울음말고 온몸 버둥대는 울음 울어야겠다. 세상천지 집어삼키고도 남을 울음 울어야겠다. 나는 다리를 쭉 편다. 헉, 드디어 첫 울음소리가 힘차게 터져나온다.

때맞추어 대숲에서 바람이 거세게 불어오고 있다.

한창훈

1963년 전남 여수 출생.
1992년 《대전일보》 신춘문예로 등단.
소설집 『바다가 아름다운 이유』 『가던 새 본다』 『세상의 끝으로 간 사람』이 있으며
장편소설 『홍합』 『섬, 나는 세상 끝을 산다』 등이 있음. 한겨레문학상 수상.
kkunha@naver.com

소설 또한 어차피 말(言語)이라, 단편 하나라도 적잖이 쉬지 않고 지껄인 것인데, 그렇게 떠들어 놓고도 덧붙일 말이 뭐에 쓴다고 또 있을까만, 그래도 굳이 덧붙이고자 한다면, 소설에서의 끝과 인생의 끝이 닮은 곳이라곤 하나도 없다는 것을 발견한 한 여인네가, 시대의 고비가 다름 아닌 삶의 고비였다는 것을 정리해 보고자 내 가슴속에 또아리를 틀었을 때, 이 소설을 쓰기 시작했었다는 것 말고 뭐가 있겠습니까요.

바위 끝 새 단편

한창훈

불꽃놀이가 있던 밤

불꽃놀이를 하네요. 굉장히 오랜만에 보는 것이에요. 내일부터 전국체전이 열린다고 하더니 그래서 저런가 봐요. 우연히 팸플릿에서 봤어요. 이 도시에서는 처음 열리는 체전이라지요 아마.

어릴 적에 살았던 곳에서도 불꽃놀이를 했어요. 바닷가 작은 도시였는데 해마다 오월이면 이순신 장군을 기념하던 행사를 했었죠. 지금도 하나 몰라요.

여러 날 동안 어른들은 가장행렬을 만들었죠. 그런 차 기억하세요? 바퀴가 세 개 뿐인 트럭 말이에요. 앞이 툭 튀어나오고 그 아래 바퀴 하나가 달려 있었던 것 말에요. 꼭 안경 쓴 코끼리 같았는데. 기억하시는군요. 맞아요. 연탄 싣고 다니는 것도 있었고 벽돌이나 빵을 싣고 다니는 아주 작은 것도 있었죠. 지금은 어디에도 없을 걸요.

목수들이 패널로 네모난 곽을 짜면 극장에서 간판 그리는 아저씨들이 며칠 동안 매달려 물고기나 문어, 미역, 꽃게 같은 것을 그려 넣었죠. 그걸 차에 얹었죠. 친구 작은아버지가 그런 일을 해서 몇 번 봤어요. 그리고 빈 칸에 아름다운 항구, 수산업 증산, 이런 문구를 써넣었죠. 입에서 붉은 연기가 나오는 모형 거북선도 있었어요. 거북선이 지나가면 등판에서 긴 창이 자동으로 나왔다 들어갔다 했는데 나중에 알고 보니 청년들이 속에 들어앉아 손으로 작동을 하는 거랬어요.

중학교 남학생들은 등불을 만들었죠. 어떤 학교는 막대에 대롱대롱 매달린 청사초롱을 만들어 들고 어떤 학교는 알파벳 에프(F)자처럼 만들어 세워들었죠. 행사가 시작되면 옛날 군복을 입은 군사들을 선두로 행렬이 만들어지는데 사이사이에 학생들이 행진을 했어요. 행진 중에 등불 창호지에 종종 불이 붙기도 해요. 그걸 보고 사람들은 낄낄거리고 웃고. 우리 여학생들은 흰 적삼을 입고 줄을 맞춰 걸었어요. 임진왜란 때의 아낙들로 분장을 한 거죠. 예쁘거나 부잣집 아이들은 공주 차림으로 맨 앞에서 걸었고요.

밤이 깊어 행렬이 끝나면 학생들은 모두 공원엘 올라가요. 그것도 멋있었어요. 등불이 줄을 지어 뱀처럼 꿈틀대며 산으로 올라가는 장면을 생각해보세요. 사람들은 시내에서 그것을 올려다보죠.

정상에 올라가면 아이들은 일부러 등불을 기울여 불을 붙여요. 한순간에 홀랑 타올라 나무 막대기만 남죠. 그러면 바람 때문에 촛불은 금방 꺼지고 야간 등불 행렬은 그것으로 끝이 나요. 순식간에 주위는 어두워지죠. 그 애들은 알고 있었던 거예요. 조금 있으면 불꽃놀이가 시작된다는 것을.

그리고 문득 날카로운 휘파람 소리가 터져 나와요. 그러면 모두들 숨을 죽이며 밤하늘만 바라보죠. 그러다가 은하수가 통째로 떨어지는 것처럼 불꽃이 하늘에 생겨나요. 애들이고 어른이고 할 것 없이 환호성을 지르고. 지금 생각해 보면 그게 진짜 축제였던 것 같아요. 요즘도 하겠죠? 축제가 없어지진 않으니까요.

이사 오신 지 얼마나 됐나요? 그랬군요. 그 방은 한두 달쯤 비어 있었죠. 살림하는 젊은 남자와 여자가 살았는데 여자가 집이 낡고 불편하다는 불평을 자주 하더니 석 달 정도 살다가 이사를 가더군요.

사실 이곳은 오래 살 데는 못 되죠. 이런 집을 가지고 세를 놓고 사는 주인도 참 대단한 사람이에요. 제가 이사 왔을 때에도 복도에 불이 안 들어왔는데 아직도 그래요. 방은 칙칙하고 창문에 방충망도 없잖아요. 제가 돈을 들여 달려고 해도 안에다가 만들 수도 없고 이렇게 창 밖은 아무것도 없는 허공이라 달 수도 없고. 그래서 한 여름에도 닫고 살아야 해요. 간혹 밖을 볼 때만 문을 여는데, 그쪽 창문도 방충망이 없나요? 그러니 다들 일년씩 계약하고 오지만 몇 달 되지 않아 이사 가고 싶어 하죠.

아까 저에게 말 붙였을 때 깜짝 놀랐어요. 이곳에 산 지 반 년 정도 되었는데 누구와 말을 한 게 처음이거든요.

좀 우습죠? 이렇게 손바닥만한 창을 통해 밖을 보면서 이야기를 나눈다는게요. 밖에서 보면 우리 풍경이 웃길 거예요. 목욕탕 타일이 잔뜩 붙은 낡은 건물 3층의 좁은 창문에 얼굴을 대고 밖을 바라보고 있는 풍경이요. 마치 감옥 속 수인들처럼요. 그래요, 감옥처럼.

어머, 또 올라가요. 마치 거대한 동물이 죽어 생기는 혼불 같아요. 어떻게 저렇게 허공에다가 쉼표 같은 것을 만들 수가 있죠? 그 축제에서는 우산살처럼 퍼지는 것뿐이었는데 요즘은 모양도 참 많군요. 소리도 크고.

저요? 어떤 사람을 간병하고 있어요. 아니요, 가족이 아니에요. 그러니까 간병인이죠. 생사를 넘나드는 중환자에요. 나이는 많지 않은데 병이 깊어 혼자서는 아무것도 못하는 사람이에요. 맞아요. 암이에요. 그것도 말기. 오래 견디기 힘들 것이라고 했는데 제가 간병한 지 벌써 육 개월째에요. 정신력이라고 해야 할까, 집착이라고 해야 할까, 여하튼 뼈만 남은 모습인데도 어떤 기운이 있어요. 그것으로 버티는 듯해요.

하지만 의사는 가망이 전혀 없다고 해요……. 그쪽 분은 무슨 일 하시죠? 말하기 싫으시면 안 해도 돼요. 아, 소설가시군요.

여러 날 뒤 비가 내리는 밤

거기 계신다는 것은 담배연기 보고 알았어요. 아뇨, 빗줄기 때문에 담배연기밖에 안 보이던 걸요. 그때 나가서 이제 들어온 거예요. 일주일 되었죠? 일주일에 한 번씩 쉬는 날이 있어요. 오늘이 그날이에요. 그래서 집을 비워두다시피 하죠. 예, 제가 간병하는 사람의 누이가 오는 날이에요. 하지만 전화가 오면 다시 가야 해요. 그 누이라는 사람이 바쁘대요.

하는 일은 특별한 게 없어요. 종일 환자 곁에 붙어있는 게 일이에요. 이상이 없나 살펴보고 옷 갈아입혀 주고, 눈 뜨면 말 걸어보고, 잘 먹지는 못하지만 때 되면 식사 먹여주고, 전화 오면 받고, 통증이 심하면 간호사 불러 모르핀 맞게 하고 뭐 그런 것이죠.

긴장 때문에 자주 깨서 그렇지 밤에는 짬짬이 잘 만큼 자요. 환자가 증세가 심하기도 하지만 까다로운 사람이 아니라서 아주 고되지는 않으니까 견딜 만한 거죠. 옆 병실에 친해진 아주머니가 있는데 그 분은 할아버지를 간병해요. 같은 암 말기인데 까탈이 심하다고 날마다 와서 투덜거리죠. 이래라 저래라, 조금만 얼굴 안 보여도 돈 받고 어디 가서 놀다오느냐, 잔소리 때문에 죽겠다고 당장 그만둔다고 해요. 그렇지만 그만 둘 마음이 전혀 없다는 것을 전 알아요. 아뇨. 간병인은 처음이에요. 글쎄, 뭐라고 설명을 해야 하나. 그냥, 순식간에 시작한 일이에요. 충동적으로.

아뇨, 담배 피울 줄 몰라요. 할줄 아는 게 별로 없어요. 술도 잘 못 마시는 걸요. 뭐하고 계셨어요? 어머, 제가 방해한 거 아니에요? 그렇다면 다행이고요. 작가들은 글이 잘 안 풀리면 어떻게 하나요? 설마. 말씀을 참 재미있게 하시는군요. 무엇을 쓰는 중인데 벽에다 머리를 부딪치기까지 하나요?

단편……. 단편을 쓰시는군요.

소설요? 예전에 많이 읽었어요. 기억에 남은 것도 여러 개 있고요. 「삼포 가는 길」이라고 있잖아요? 황석영의. 예, 그거요. 거기에 백화란 여자가 나오죠? 남자들 이름은 잊어버렸는데 그 여자 이름은 잊혀지지가 않아요. 아, 맞다. 정(鄭)과 영달. 새 공사판을 찾아 눈 그친 길을 두 남자가 걸어가면서 이야기가 시작되잖아요?

전 그런 생각을 해요. 기차역에 두 사내를 남겨두고 백화가 기차를 타면서 끝나는데 그러면 그 다음은 어떻게 될까, 백화는 지금쯤 어디에서 무엇을 하고 살까, 그런 생각을요. 백화란 이름을 버리고 점례로 다시 살아갈까? 아니면 백화로 돌아오고 말까. 점례로 산다면 누구랑 결혼을 하고 어떤 아이를 낳았을까. 남편이 그의 과거를 알게 되었다면 어떻게 될까. 혹시 영달과 다시 만나서 살지는 않을까. 소설에서 영달이 다리를 삔 백화를 업고 가는 장면이 있잖아요. 그게 훗날 두 사람이 같이 살게 된다는 소리는 아닐까요? 만약에 다시 집을 나와 백화로 산다면 어디에서 어떤 모습으로 살까. 나이가 들어서도 군부대 있는 곳에서 술을 팔고 몸을 팔고 있을까.

이렇게 서로 얼굴도 모르고 이야기를 하니까 마음이 편하네요. 책을 열심히 읽던 시절이 있었어요. 어떤 사람 때문이었는데……「난장이가 쏘아올린 작은 공」과 「파업전야」도 읽었고 「쇳물처럼」, 그리고 「포도나무집 풍경」, 하여간 그 사람이 읽으라는 것은 거의 다 읽었어요. 막심 고리끼의 『어머니』와 잭 런던의 『강철군화』도 읽었으니까요. 딱딱한 사화과학 책보다는 소설이 더 좋았어요.

비가 좀처럼 그칠 것 같지 않네요. 제 손목은 이미 다 젖었어요. 비가 너무 들쳐요. 요 위에 비 막이가 있으면 좋겠어요. 전국체전은 아직 안 끝났다고 하던데 이렇게 비가 와서 괜찮을지 몰라요.

혹시 새라는 노래를 아시나요? 저어 청한 하늘 저 흰구름, 이렇게 시작하는 건데. 아니요, 노래도 잘 못 불러요. 그게 어떤 유명한 시인의 시라고 했던 기억이 나요. 혹시 아세요? 맞아요. 김지하. 김지하 시인이 감옥에 갇혀 있을 때 지은 시에 곡을 붙인 거라고 들었어요. 소설가라서 역시 잘 아시네요. 그 노래 한 번 불러주실래요?

갑자기 듣고 싶어요. 302호 분과 이러고 있으니 마치 우리가 감옥에 갇혀 있는 것 같아서요. 감옥에는 통방이라는 것이 있잖아요. 서로 얼굴도 모른 채 모든 이야기를 다 나눈다잖아요. 지금 우리처럼. 부탁이에요. 알고 계신다면 그 노래 한번 불러주세요.

왜 나를 울리나. 맞아요. 밤 새워 물어뜯어도 닿지 않을 마지막 살의 그리움. 그래요, 가사가 그랬어요. 피만 흐르네, 더운 여름날 썩은 피만 흐르네, 함께 답새라 아 끝없는 새하얀 사슬 소리가…….

미안해요. 나도 모르게 따라 부르고 말았어요. 그리고 노래를 불러줘서 고마워요. 글쎄요. 잘 알았던 노래였지요. 그 노래를 날마다 부르던 때가 있었거든요. 제가 감옥에 있지는 않았어요. 그 사람이 감옥에 있었어요.

아뇨. 비를 보고 있어요. 방충망도, 커튼도 없는 창에 비가 오니까 마치 무슨 주렴(珠簾) 같아요. 그래서 모든 게 저 너머에 있는 것 같아요. 한 발자국 뒤로 물러나서 잘 봐보세요. 자동차 라이트 불빛이 반사가 되어 마치 작은 구슬이 쏟아지고 있는 것 같잖아요.

…… 지난봄이었어요. 제가 아는 언니 하나가 이 도시 대학 병원에 입원을 한 적이 있었어요. 소식을 듣고 병문안을 왔었죠. 큰 병은 아니었어요. 자궁에 물혹이 생겨 제거하는 수술을 받았더군요. 그 언니, 예전에 공장에서 만났었는데, 그때 노조 운동하던 형부랑 만나 지금도 씩씩하게 잘 살아요. 지금은 자리가 잡혔어요. 아이도 둘 낳아 잘 크고 그 형부는 노조 임원으로 활동하고 있고요.

오랜만에 만났으니까 한참 수다를 떨었죠. 수다를 떨고 있는데 옆 침대에 새 환자가 실려 들어오더군요. 한눈에 보아도 병색이 완연했지요. 사람들은 무심하게 바라보는데, 저는, 가슴이 쿵 내려앉았어요. 그 사람이다, 생각했죠. 그 사람. 이렇게 만나는구나. 언젠가는 한번 보기를 원했었는데, 이렇게 하필 병원에서, 이런 모습으로 만나는구나, 싶었었죠.

그러나 착각이었어요. 닮았던 거죠. 간호사가 침대에 매달아 놓은 이름표를 보니 나이도 몇 살 차이가 나고 이름도 다르지 뭐예요. 전혀 다른 사람이었던 거지요. 아주 오랫동안 만나지 못한 사람을, 그것도 암 말기가 되어 만난다면 얼굴이 좀 변해 있을 수도 있지 않겠나, 아마 순간 그렇게 생각했나 봐요.

병을 숨기고 제 마음대로 생활을 하다가 쓰러진 다음에야 병원을 찾게 되었다고 누이가 말하더군요. 그리고는 간호사에게 간병인을 한 명 알아봐달라고 하더라구요. 왜 그랬을까요. 저는 저도 모르게 내가 하겠다고 나섰어요. 그래야 할 것 같았어요. 다른 사람에게 맡겨 둘 수는 없다는 생각만 자꾸 들었어요. 왜 그랬는지 저도 몰라요.

전 자청을 했어요. 경험이 있냐고 묻더군요. 있다고 거짓말을 했어요. 아무것도 모르는 그 언니는 나이 들더니 영악해졌다고 귓속말을 하고는 웃더군요. 훗, 그때부터 간병인을 했어요. 그게 육 개월째예요. 물론 돈은 받아요.

처음에는 이 사람이 그 사람이라고 생각하는 자신을 자꾸 발견하게 됐어요. 어느 날 아침 문득 정신이 좀 돌아왔을 때 여기가 어딘가를 묻고 그러다가 저를 알아보고……. 그런 상상을 종종 했었죠. 그럼 전 어디에서 무엇을 하고 있었는지, 묻고도 싶었고. 묻고 싶은 게 많았어요. 하지만 지금은 아니에요.

그 사람은 그 사람이고 이 사람은 이 사람이죠. 한 사람은 어디에서 무엇을 하는지 모르고, 한 사람은 죽음을 기다리고 있는. 당연히 그 둘 사이에는 어떤 연관도 없어요. 그런 상상을 하다보면 환자에게 정말 미안했거든요. 아픈 사람 두고 이게 무슨 짓인가, 싶어 부끄럽고요. 철사처럼 가늘게 구부러지는 손이나 동굴처럼 꺼진 눈을 보면 정말 안됐어요. 갓 사십 넘었다면 한창 무언가를 할 때인데요.

여러 날 뒤 별이 뜨던 밤

술 드셨군요. 작가들은 술을 잘 마신다죠? 얼마나 드셨어요? 올라오는 발자국 소리 듣고 취하셨다는 걸 알았지요. 삼층 올라오다 천장에 머리라도 부딪힐 것 같았는데 잘 올라오신 모양이네요. 키가 작으시나요? 아, 예. 전 작지도 크지도 않아요. 그냥 평범해요.

안 주무세요? 저요? 그냥, 아까부터 이러고 있었어요. 오자마자 빨래만 하고 푹 자려고 했는데 막상 와보니 말짱 깨어버렸어요. 지난 한 주일 동안은 비가 자주 왔잖아요. 그래서 그런지 오늘은 별이 참 맑게 떴어요. 마치 그때 불꽃놀이에서 남았던 불씨들이 올라가 박힌 것 같아요.

새를 생각하고 있었죠. 아뇨, 노래 말고요. 그냥 새요. 저에겐 사진 한 장이 있거든요. 오래 전에 찍은 것인데, 그 사람하고 단 둘이 찍은 유일한 사진이에요. 남아있는 것은 그거 하나뿐이죠. 서해안 안면도 바닷가에서 찍은 거예요.

십 년도 넘었어요. 저는 그때 대전 대화공단에 있었어요.

그 바닷가 항구에서 중학교를 졸업하고 아는 사람 소개로 산업체 부설 고등학교를 다녔어요. 아마 그런 고등학교는 우리가 마지막 세대일 거예요. 무작정 올라왔죠. 하루라도 빨리 그 항구를 떠나 돈을 벌고 싶었기도 했으니까요.

졸업하고도 그 회사를 다녔어요. 방직회사였죠. 아시죠? 실 만드는. 그래요. 버릇이나 숙제처럼 그 회사에서 일했어요. 오래 다녔죠. 그런데 회사가 문을 닫았어요. 사실은 거짓으로 그랬던 거예요. 노동운동이 한참 활발하게 일어나던 때였으니까요. 잘 아시는군요.

경비도 줄이고 노동운동의 싹도 자르고 할 겸 고참들을 내보내려던 거였죠. 열일곱에 들어왔는데 어느새 그곳에서 고참이 되어 있었지 뭐예요. 전 동료들과 같이 쫓겨났어요. 그 물혹 수술받았던 언니가 여기저기 뛰어다녔죠. 저는 그 언니 뒤를 따라다니고. 뭐, 잘 아시고 계시니 그런 것 소상하게 말할 것은 없겠죠. 거기 노조가 어용이었거든요. 우리는 복직에 실패했고 결국 뿔뿔이 흩어졌어요.

그때 들어갔던 곳이 용역회사에요. 제가 번듯한 대학교라도, 아니 인문계 고등학교라도 나왔으면 조금이라도 달라졌겠죠.

용역회사를 통해 배터리 만든 공장엘 들어갔어요. 아시죠? 자동차에 쓰이는 그 배터리요.

1년 단위로 계약을 맺어 취업을 한 것인데요, 용역회사 직원으로 몇 군데 회사를 다녔지만 그곳이 기억에 남는 이유는 두 가지에요. 가장 오랫동안 근무했었고 그곳에서 그를 처음 만났기 때문이죠.

전 그곳에서 완제품 상품에 상표를 붙여 팔레트에 쌓는 일을 했어요. 제가 맡은 생산 라인은 모두 두 군데였어요. 두 라인에서 만들어지는 배터리는 금방금방 쌓이는데 좌, 우, 위에 각각 상표를 반듯하게 붙이고 서로 엇갈려 가며 반듯하게 쌓으려면 아주 정신이 없어요.

그곳은 마치 이차 대전 때 전쟁물자를 만드는 무슨 공장 같았어요. 이해하시겠죠? 오늘 이것을 만들어 전선에 내보내지 못하면 내일 당장 적군의 포탄이 이곳에 떨어지는 것처럼 말이죠. 폭탄이나 총알 같은, 하여간 많이 있을수록 싸움에 유리한 그런 물건을 만들어 내는 곳 같았죠.

플라스틱 통을 용접 불로 쏘아 넓힌 다음 납판을 넣어 고정시키고 황산을 붓고 뚜껑을 닫고 용접으로 땜을 하면 그 다음 저에게로 와요. 한순간이라도 딴 짓을 하면 금방 일이 밀리기 때문에 딴 생각할 틈이 없죠. 그곳은 늘 납 연기와 황산 수증기로 동네 목욕탕처럼 흐렸어요. 전쟁 뉴스에 나오는 방독면 같은 마스크를 쓰고 날마다 속천을 빨아 새로 대지만 반나절 만에 목이 아파요.

어느 날 그 사람이 나왔어요. 용역회사 실장이 데리고 왔었죠. 속 괜찮으세요? 힘드시면 그만 주무세요. 그래요? 제 이야기가 재미있다는 사람은 처음이에요.

한눈에 봐도 그런 험한 일과는 거리가 멀게 생겼었어요. 손이 참 매끄럽고 곱게 생겼었거든요. 눈에 총기가 있어 어딘지 귀족 같은 느낌을 풍기는 그런 사람 있잖아요. 팔목도 가늘고. 그렇다고 그게 무슨 큰 특징은 아니었어요. 어떻게 보면 평범했죠.

그가 맡은 일은 여덟 개 라인에서 나온 완제품 쌓아둔 팔레트 있잖아요, 그걸 입고장까지 옮기는 일이었어요. 볼만했어요. 팔레트 실린 대차를 끈다는 게 안 해 본 사람은 참 어렵거든요. 리어카 끄는 것과는 완전히 달라요. 땀을 뻘뻘 흘리며 안절부절 못하는 모습이 참 안쓰러웠죠.

오단 높이로 쌓은 배터리를 끌고 비틀 배틀 힘들게 가면 금방이라도 쓰러질 듯 해 제 작업이 밀리는 것도 그냥 두고 쫓아가서 도와주었죠. 그건 어떻게 설명 못해요.

우리 때문에 라인이 멈춰서기도 했어요. 본사 직원들은 용역회사 직원들한테 함부로 말 못해요. 대신 우리를 담당하는 부장이 있었죠. 그 사람은 장교 출신이에요. 아주 깐깐한 사람이었죠. 그날 작업 마치고 미팅 시간에 부장한테 된통 깨졌죠. 그 사람은 혹독하게 신고식을 치른 것인데 전, 둘이 같이 싸잡아 당하고 있는 게 나쁘지만은 않았어요. 퇴근하는데 저에게 와서 자기 때문에 괜히 혼났다고 미안하다며 사과를 하더군요. 전 괜찮다고 웃었지만 그 사람은 잘 웃지 않았죠. 같이 좀 웃었으면 좋았을 걸.

그래도 하루 이틀 만에 슬그머니 사라지는 사람들에 비하면 제법 강단이 있는 사람이었어요. 일을 따라가지 못해 쩔쩔매다가 며칠 지나자 서서히 요령이 생기기 시작하더군요.

저건 인공위성이죠? 정말 별 같아요. 예전에 저게 별이다, 아니다, 하면서 친구랑 내기까지 했었는데.

시간이 좀 지나 서로 친해지자 그 사람은 책읽기 모임을 만들었어요. 저도 들어갔지요. 처음에는 소설을 읽고 노동과 경제에 관한 책도 몇 권 읽었어요. 그러니까 그 사람은 노동운동하러 들어온 사람이었던 거예요. 용역회사 직원들처럼 비정규직의 노조 설립이 그 사람 목표라고 나중에 들었지요.

엠티를 도시락을 싸가지고 바닷가로 딱 한번 갔어요. 술도 마시고 게임도 하고 노래도 부르고 했지요. 돌아오기 직전 단체사진을 찍었어요. 전 그 사람에게 같이 하나 찍자고 했어요. 사람들은 환호성을 질러 놀리고. 그래도 남아있는 게 그 사진이에요.

지금 제 손에 있어요. 죽어버린 굴 딱지가 하얗게 붙어있는 바위에 촌스럽게 생긴 처녀가 모자를 쓰고 있고 마른 사내는 약간 어색하게 웃고 있어요. 그런데 말이죠, 그 사람이 그리워질 때마다 사진을 들여다보았는데, 나중에 우연히 발견한 게 있어요. 새예요.

울퉁불퉁 솟구치다가 점점 바닥으로 가라앉은 바위 끝에 물새 한 마리가 앉아 있었던 거예요. 너무 작아서 처음에는 못 봤어요. 노란색이 약간

섞인 자그마한 물새인데 이름은 몰라요. 우리 둘은 이쪽을 바라보고 있고 그 새는 바다 저쪽을 바라보고 있어요.

그 새를 생각하고 있었어요. 그 바위 끝에 앉아 있는 새가 노래 속의 그 새인지 어떤지는 잘 모르겠어요. 단지 제 기억으로 그 물새는 마치 고무줄놀이나 줄넘기를 하듯, 바위를 총총 뛰어다녔거든요. 그러다가 바위 끝에 앉아 있는 거예요. 이제 더 이상 뛸 수가 없죠. 움직이려면 날아야 하는 거죠.

새가 바라보는 것은 어디일까요. 바다이겠죠? 그러면 너무 크고 넓어 차마 이륙하지 못하고 있는 걸까요?

오늘은 담배를 많이 피우시네요. 아니요, 이쪽으로 연기는 안 와요. 이 동네는 참 조용해요. 병원도 주변이 주택가라 밤중에는 조용한 편인데 여기는 시내 한 복판인데도 정말 조용해요. 간혹 차 지나가는 소리 말고는 아무 소리도 나지 않잖아요.

그는 오래지 않아 회사를 떠났어요. 지명수배가 내려졌다는 소문이 있었죠. 회사도 발칵 뒤집어졌구요. 원래 용역회사는 오는 사람 안 막고 가는 사람 안 붙드는 곳인데 그때부터 거기도 신입사원 신상 검열을 하기 시작했어요. 실장이 워낙 설쳐대서 모임도 흐지부지됐구요.

두 달쯤 지났을 거예요. 잔업이 없던 날이라 시내엘 나갔죠. 친구랑 만났는데 친구가 일찍 들어가 버렸어요. 전 좀 걷기로 마음먹었죠. 그 도시의 역 앞에서 제 방이 있던 공단 쪽으로 가다 보면 초등학교가 하나 나와요. 시장 맞은편에. 거기를 지나가는데 학교 담 옆에 그 사람이 서 있었어요.

전 한눈에 알아봤죠. 느낌으로요. 그 사이 머리카락은 더 길고 얼굴이 까칠해졌더군요. 전 섰어요. 그는 불안한 모습으로 이쪽저쪽을 살피다가 저를 발견했구요.

알아보더라구요. 어떻게 된 거냐고 묻자 아는 사람을 만나기로 했는데 제 시간에 나타나지 않아 이제 어딘가로 가야한다고 하더군요. 갈 곳이 있냐고 물었고 그는 아무 대답을 하지 못했죠.

전 무작정 그 사람을 택시에 태웠어요. 수배자를 도우면 곤란해진다는 것쯤은 저도 알았죠. 하지만 아무 생각도 안 났어요. 제 방으로 데리고 들어갔죠. 그는 순순히 따라왔어요.

다음날 저는 회사를 결근하고 새로운 방을 찾았어요. 공단에서 멀리 떨어진 곳에 방을 얻고 오후에 벼락치기로 이사를 했어요. 주소는 옮기지 않구요. 재개발 계획이 잡혀 있던 곳이었는데요, 마당에 키 낮은 감나무가 한 그루 있는 집이었어요. 연달아 방문이 네 개 붙어 있었구요, 문을 열면 벽에 수도꼭지가 붙어 있는, 쪼그리고 앉아 밥을 지어야 하는 부엌이 있고 좁은 방이 하나 달려 있는 곳이었죠. 그곳에서 그 사람과 스무하루를 같이 살았어요.

그래요. 그 사람하고 딱 스무하루를 살았어요. 전 출근하면서 그 사람의 부탁대로 바깥에서 문을 잠갔어요. 그러면 그는 아무 소리 내지 않고 누워 있었죠. 컴컴했지만 불도 켜지 않고 소변은 슬그머니 기어나가 부엌 수챗구멍에 여자처럼 쪼그리고 앉아 보고요.

장사익 노래 중에 그런 것 있잖아요. 문을 걸어 잠그고 돈벌이 나간 부모가 집에 돌아와 보면 하루 종일 방안에 갇혀 있던 아이들이 강아지처럼 기어 나오고 그걸 지켜보고 있노라면 출렁 가슴이 채워진다는 노래. 예, 맞아요. 그 노래. 꼭 그랬어요. 밤늦어 서둘러 돌아와 보면 컴컴한 방에서 부스스 몸을 일으키는데 그 모습을 보고 있는 제 마음이 그랬어요.

뭐하며 지냈어요? 심심하지 않았어요? 밥은 좀 드셨나요? 그러나 그 사람은 핏발이 날카롭게 선 눈으로 바깥만 노려보았죠. 안심하세요, 아무도 안 따라왔어요.

사실 저도 공장에 있는 동안에는 그 사람 걱정에 마음을 졸이고 퇴근시간이 되면 혹시 형사라도 미행하지 않나 싶어 몸이 오그라붙었죠. 수상한 사람이라도 따라온다 싶으면 일부러 택시를 타고 멀리 가서 거기에서 버스를 타고 다른 곳에 갔다가 다시 돌아오곤 했어요. 저는 계속 속삭였어요. 잠은 좀 주무셨나요? 배고프죠? 얼른 밥을 지을게요. 이제 불 켜도 돼요.

그는 신경이 면도날처럼 예민했죠. 밤 깊어 주인 할머니가 화장실 문 여는 소리만 들려도 화다닥 깨어나곤 했지요. 그래도, 그 사람이 어디 안 가버리고 제 방에 있다는 것이 그렇게 좋았어요. 이유야 어쨌든 나를 기다리는 사람이 있다는 것. 그 사람이 방에서 무얼 했겠어요. 종일 누워서 나만 기다린 거지요.

아무 이상 없다는 것이 확인되면 그 사람은 그제야 얼굴이 밝아졌지요. 전 행복했어요. 그동안 한번도 행복한 적이 없었다는 것을 그때 알았으니까요. 부식가게에서 사온 것으로 대충 저녁을 지어 먹고 우리는 라디오를 켜놓고 책을 보았어요. 말을 해서는 안 되거든요. 그는 그곳에 없는 사람이었으니까요. 귓속말을 하거나 수화(手話)처럼 손짓으로 했어요. 입을 다물기에는 독서처럼 좋은 게 없잖아요.

그는 밤이 깊어도 잠이 들지 못했지만 저는 자꾸만 쏟아지는 잠이 괴로웠어요. 잠들지 말자. 자면 안 돼. 지금이 얼마나 행복한 시간인데. 이 사람을 두고 나만 잠들 수 없어. 정신을 차려. 아무리 마음을 먹어도 순간 정신 들어보면 저도 모르게 잠이 들어 있었던 거예요. 그는 어느새 옷을 입고 있었죠. 양말까지 다 신고. 여차하면 도망칠 준비를 한 거죠. 제 옷까지 다 입혀 놓았으니까요.

쓰신다는 단편은 다 쓰셨나요? 아직도 그런 상태시군요. 단편 하나 쓰는 데 얼마나 걸리나요? 그렇군요. 읽어보면 한순간에 쓴 것 같은데. 힘드시겠어요. 하지만 읽는 사람은 또 달라요. 작가가 한 달 걸려 쓴다면 어떤 사람은 그 소설 때문에 수십 배는 오랜 시간 같은 생각을 하게 되기도 하지요.

그래요 단편. 그때도 그런 생각을 했어요. 백화는 집에 잘 갔을까. 집에 가서 어떻게 말했을까. 대처에 나가 지금까지 열심히 돈 벌었는데 그만 도둑을 맞고 말았어요, 이렇게 대답을 했을까. 그 소설에서 백화가 돈이 없어 영달이 차표를 끊어주잖아요. 아니면 어떤 남자를 알았는데 멀리 외국으로 돈 벌러 나갔어요, 제가 벌었던 돈은 그 사람 외국 나가는 경비로 썼어요, 삼 년만 기다리면 큰 돈을 벌어가지고 올 거예요, 이렇게 말했을까요? 내가 만약 고향으로 돌아간다면 어떤 모습일까. 이 사람과 같이 간다면. 엄마, 제 남자에요. 인사 받으세요. 인사드려요, 우리 엄마예요. 살아계셨다면 아버지도 기뻐하셨을 텐데.

그랬죠. 형사에게 쫓기는 사람을 두고 그런 생각을 했던 것이죠. 하지만 어쩌겠어요. 그런 생각이 드는 걸.

하루는 약간의 돈을 달라고 하더군요. 중요한 약속이 있다고 했어요. 아무 말 없이 돈을 주었어요. 보내야 했죠. 노동운동을 하던 사람이었으니까요. 조직이 있고 동료들이 있고 지켜야 할 원칙들이 있잖아요. 제가 사랑타령을 하며 붙잡을 수는 없었죠. 언제 올 거냐, 돌아올 거냐, 묻지도 않았죠. 택시에 태워 데리고 오면서 언제쯤 갈 거냐고 묻지 않은 것처럼요. 그는 꼭 스무이틀 만에 외출을 했어요. 그리고 돌아오지 않았죠.

사흘 뒤에 형사들이 찾아왔어요. 그 사람이 잡혔고 제 방을 불었대요. 형사들은 아마 제 방이 무슨 큰일을 준비하는 곳인 줄 알았나 봐요. 함부로 뒤지더군요. 그가 시킨 대로 꼬투리 잡힐 만한 책들은 남에게 준 뒤였으니 뭐가 나오겠어요. 비키니 옷장을 넘어뜨려 뒤지다가 옷가지밖에 없자 장판까지 다 걷어보더군요. 이러지 마세요. 형사 하나가 뺨을 때리더군요. 전 입을 다물었어요. 그리고 보안과로 끌려갔어요. 사흘인가 나흘 동안 잡혀 있었죠. 파란색 벽지로만 되어 있던 방에서요.

한참이나 그 파란 방에서 떨고 있는데 어떤 놈이 들어와서는 검사한다고 옷을 벗기더군요. 전 발악을 했지만 힘으로 어떻게 그들을 이겨내겠어요. 그놈은 옷을 다 벗기고 팔을 뒤로 꺾어 나를 쓰러뜨렸어요. 그리고 제 그곳에 손가락을 집어넣었어요. 이런 년들은 이런 곳에 무엇을 숨겨놓기도 한다니까. 전 혀를 깨물려고 했어요. 이년, 그 새끼하고 밤마다 빠구리 쳤구나. 옴찔거리는 것 보니까.

…… 아마 제 눈에서는 눈물대신 피가 흘렀을 테지요. 그랬죠. 눈물 따위는 아무것도 아니었어요. 무섭고 치욕스러워 내 영혼에서 피가 흘러내렸어요.

그리고 취조를 당했어요. 잠을 한숨도 안 재우더군요. 그 사람의 동료들을 불라고 하더군요. 전 아무것도 모른다고 대답했어요. 사실 노동운동하다가 어떤 사건에 연루되어 수배자 명단에 올랐다는 것 외에는 아무것도 몰랐으니까요. 더한 고문을 당한다 하더라도 모르는 것을 어떻게 말할 수 있겠어요.

아무리 괴롭혀도 나오는 게 없자 그들은 백지에 지문을 억지로 찍고는 풀어줬어요. 대학 출신 하나 물어보려고 몸과 잠자리를 제공한 공순이 년. 이게 제 죄목이었죠. 바깥세상은 하나도 변하지 않고 그대로더군요.

그는 누구였을까요. 전 그게 더 큰 고통이었어요. 그 사람과 스무하루를 사는 동안의 행복 때문에 그동안 단 하루도 행복하지 않았다는 것을 알게 된 것처럼 그가 사라지고 나자 그에 대해 알고 있는 게 하나도 없다는 것을 깨달았죠. 어디 출신이고, 어디에 집이 있고, 부모는 어떤 분이고, 형제들은 누가 있고, 어떤 대학을 나왔으며……. 전 아무것도 알지 못했어요.

그는 오지 않았어요. 집행유예로 풀려났다는 것만 풍문처럼 들었죠. 전 회사에서도 쫓겨났지만 그 집에서 주인의 눈초리를 견디며 사 년을 살았어요. 그리고 시간이 지나 지금에 이른 거지요. 세월이 우리에게 약속하는 것은 이것 하나인 것 같아요. 흘러가겠다는 것.

여러 날 뒤 새벽이 가까운 밤

예, 지금 오는 중이에요. 뭐하고 계셨어요? 저를요? 아니, 언제 돌아올 줄 알고 그러셨어요? 어쨌든 절 기다려주셨다니 고마워요. 하지만 괜한 짓을 하셨어요. 감사할 기분이 아니거든요.

그 사람이 죽었어요.

예. 제가 간병하던 환자. 어젯 밤 아홉 시 이십칠 분에. 그때 아침에 가 보았더니 완전한 혼수상태에 빠져 있더군요. 담당 의사 말로는 당장 밤을 넘기기 힘들다고 했는데 그런 상태로 오일이나 버텼어요. 눈도 못 뜨고 그저 심장만 움직일 뿐인 상태에서 오일이나 견딘 거지요. 이야기를 듣지 못해 무엇 때문에 그 고통스러운 시간을 버티는가는 알지 못했지만, 이제 그 사람은 평안한 상태가 되었어요.

말씀 안 드렸는데 말기암 환자들의 투병을 보고 있자면 너무 혹독해서 아예 눈물도 안 나요. 몸서리쳐진다는 말 있죠? 얼마나 힘들고 끔찍한지 당사자보다는 보고 있는 사람한테 그런 기분이 들어요. 저 사람이 나와 같은 인간인가, 저 존재가 예전에는 지금의 나처럼 말하고 밥 먹고 화장실 가고 사랑하고 이별하고 화내고 사과하고 그런 사람이었나 싶죠. 몸이라는 게 참 무섭죠?

그가 숨을 거둘 때 나 혼자 있었어요. 혼수상태로 빠져들기 직전, 간신히 저를 바라보더군요. 떴다, 라기보다는 뜬 눈을 감았다고 하는 게 훨씬 어울릴 그런 눈으로요. 무슨 말을 하려고 했어요. 뭐라고요? 전 물었죠. 그러나 그대로 혼수상태에 빠져들더군요.

그동안 위기가 여러 번 있었죠. 심장 박동수가 뚝 떨어지고 의식을 잃고, 그러다가 살아나곤 했거든요. 그런데 어제는 제가 직감적으로 알았어요. 이제 가는구나. 다른 때라면 간호사를 불렀을 거예요. 하지만 그러지 않았어요. 손을 잡았죠. 뼈와 껍질만 남은 그 손을요.

오래도록 그 사람 간병을 했는데 그렇게 손을 잡기는 처음이었어요. 늘 일으켜 앉히고 주무르고 했었는데 말이에요. 그리고 숨을 거뒀어요. 그 사람은 냉동실로 갔어요. 몇 달 동안 그 사람이 있었던 침대만 덩그라니 남았죠. 모든 게 꿈 같았어요. 단지 그 사람 몸에서 흘러나온 몇 방울 체액만 시트에 무늬를 그리고 있었죠.

전화를 하자 누이가 와서 울더군요. 전 멍하니 서 있었어요. 빈소가 꾸려지자 내려가서 영정 사진을 봤어요. 아프기 전 모습이었겠죠. 흰 셔츠를 입고 환하게 웃고 있더군요. 단단한 눈매가 인상적이었는데 의외로 그 사람하고는 닮지 않았어요. 억지로 꿰맞추자면 눈썹이 가지런하다거나 뭐 그런 것이 비슷하기는 했는데…….

꼬박 칠 개월을 그 사람과 지낸 것이죠. 제가 왜 충동적으로 그 사람 간병인이 되었을까요. 아무런 인연도 없었는데. 처음 보았을 때 그 사람과 비슷해서 그랬다고 했지만 어쩐지 제가 좀 바보 같죠.

담배를 배워둘 걸 그랬죠? 이런 날은 담배를 하나 피우고 싶기도 한데. 아뇨, 저 대신 피우세요. 이제 새벽이 되는가 봐요. 저쪽 하늘이 조금 붉어지는 것 같아요.

빈소에 있었어요. 집안이 한산한가 봐요. 누이의 일행과 몇몇 친구들이 찾아온 게 다였으니 조용했죠. 누이는 날짜를 쳐서 남은 계산을 해주며 이제 그만 가보라고 했지만 차마 일어서서 오지 못하겠더군요. 일도 좀 돕고 싶었고 마지막 인사 정도는 해야 했지요.

제가 그 사람을 못 잊어 하고 심지어는 닮았다는 이유 하나 때문에 충동적으로 간병했던 게 무엇인가를 궁리했어요. 아, 이유는 단 하나였어요. 정상적으로 헤어지지를 못했던 것이죠. 그만 안녕. 이제 그만 만나. 이렇게 이별을 했더라면 훨씬 일찍 마음을 정리했을 거예요. 제가 그 사람에게 지금껏 잡혀 있었던 것은 그것이더군요.

단 한 번만 그 사람이 찾아와서 스무하루 동안 있었던 일은 잊자고 말했어도 전 고개를 끄덕거렸을 거예요. 그 사람은 시작이 없었으니 끝도 없는 것이겠지만 전 시작을 했었거든요. 그래서 끝이 필요했어요. 끝이.

그래야 그 다음 시작을 할 거 아니겠어요.

저 청한 하늘. 저 흰 구름.

그 노래가 자꾸 떠올랐어요.

낮이 밝을수록 어두워가는 암흑 속의 별밭. 청청한 하늘 푸르른 저 산맥 넘어 멀리 떠나가는 새. 왜 날 울리나 눈부신 햇살 새하얀 저 구름. 죽어 너 되는 날의 아득한 아 묶인 이 가슴.

그 사람이 감옥에 있는 동안 그 노래를 혼자서 불렀어요. 이야기했었죠? 푸른 수의를 입고 감옥에 갇혀 있는 모습이 떠올라 무엇 하나라도 손에 잡히지 않았죠.

고통을 이기는 가장 좋은 방법은 고통 속으로 완벽하게 들어가버리는 것이라고 어느 책에서 읽었죠. 그래서 그 사람이 생각날 때마다 사진을 들여다보며 그 노래를 불렀어요. 그때 그 새를 발견한 거죠. 갯바위 끝에서 먼 바다를 향해 앉아 있는 새 말이에요. 아, 이 사람은 얼마나 새의 자유가 그리울까. 얼마나 끔찍하게 산맥을 넘고 싶고 바다를 건너고 싶을까.

그런데 오늘 새벽 그 한산한 빈소에서 생각해 보니 묶여 있는 가슴은 그 사람이 아니고 저였어요. 새가 부러운 이는 바로 저였던 거죠. 날고 싶어도 날 수가 없는. 시작만 있고 끝이 없는.

끝. 그게 필요했어요. 소설을 쓸 때 어떤 생각으로 끝 자를 쓰나요? 끝, 자를 쓰면 정말 모든 게 끝나나요? 「삼포 가는 길」에서도 그랬고 「난장이가 쏘아올린 작은 공」에서도 그랬어요. 끝, 다음에는 아무것도 없었어요.

사는 게 단편처럼 끝이 있는 것이면 얼마나 좋을까요. 예를 들어, 그때 그 사람 처음 만나는 데서 시작해서 그 사람이 구속되는 데까지 내가 존재하다가 끝, 이렇게 마무리가 되었으면 얼마나 좋았을까요.

그런데 그렇지가 못해요. 백화처럼 그렇게 살다가 도망을 치고 길에서 두 사내를 만나고 발이 삐고 영달의 등에 업히고 시루떡을 사먹고 그러다가 기차를 타는 것으로 마무리가 되면 좋겠는데, 자꾸 제 생각에는 그 이후의 백화를 생각하고 있었던 거죠. 제가 끝을 못 만나니까 그런 이야기도 자꾸 연장시키려 했던 거예요.

나는 지금도 이렇게 무언가에 빠져 있는데 누군가 더 이상 상관 마라, 묻지도 말고 알려고 하지도 말아라, 나는 더 이상 말해 줄 게 없다, 이렇게 사라져버리니까 아마 그게 싫었던 것 같아요.

하지만 이제야 모든 게 끝났어요. 제 단편이 끝난 거예요. 그 환자도 마침내 한 편의 이야기를 끝낸 것처럼요. 그러고 보면 저나 그 환자나 후반부가 좀 지루한 그런 주인공들이겠죠.

벌써 다 피셨어요? 아, 이제 신문 배달하는 사람들이 돌아다니는군요.

저도 이제 제 인생의 한 부분에 끝, 자를 붙이려고 해요. 노동운동을 한 남자를 만났다가 떠나보내고 스무하루를 같이 산 것 때문에 십 년 넘게 그 남자를 생각했던 덜떨어진 여자 이야기는 이제 끝난 거예요.

제가 보내왔던 시간은 이제 제 것이 아니에요. 바위 끝의 새처럼, 총총거리는 것은 그만두고 이제 바다 너머 다른 세상으로 날아가야겠어요. 그때가 온 듯해요. 날이 밝기 전에 가야겠어요.

그럼. 안녕히.

김연수

1970년 경북 김천 출생.
성균관대학교 영문학과 졸업. 1993년 《작가세계》로 등단.
소설집으로 『스무 살』 『내가 아직 아이였을 때』 등과
장편소설 『가면을 가리키며 걷기』 『7번 국도』 『꾿빠이 이상』
『사랑이라니, 선영아』 등이 있음.
작가세계문학상, 동서문학상 등 수상.

인간이라는 운명, 혹은 인간이라는 존재, 그 내면과 마음 같은 것에 호기심을 지닌 지 참으로 오래됐다. 소설을 쓰기 시작한 뒤로는 그런 일들을 생각하면서 하루를 보내는 경우도 많다. 일테면 문제는 이런 것이다. 신이 아닌 인간인 내가 인간을 들여다본다는 점이다. 그럴 경우에는 내가 나를 들여다보는 게 될 확률이 높다. 언제까지나 소설을 쓰는 내가, 아니 삶을 살아가는 내가 모든 것을 확신하지 못하게 되는 까닭은 그 때문이다. 소설가로서 나는 인간의 바깥에, 삶의 바깥에 머물기를 원한다. 하지만 그건 불가능한 꿈이다. 농담을 들어도 좀체 웃음이 나오지 않는 경우가 있다면 바로 이런 경우다.

쉽게 끝나지 않을 것 같은, 농담

김연수

꿈

나무 한 그루. 하나의 가지는 북한산이 있는 북쪽을 향해, 또 하나의 가지는 한강이 있는 남쪽을 향해 서로 갈라져 서 있는 나무 한 그루에 대한 얘기에서 시작하면 어떨까? 그 후로 오랫동안 나는 그날 길 잃은 아이들처럼 그녀와 함께 걸어 다녔던 그 골목길들에 대해, 그리고 그 골목길에서 본 것들에 대해 생각했다. 회사 엘리베이터 앞에 서서 오름차순으로, 혹은 내림차순으로 바뀌는 디지털 숫자들을 바라보며. 아니면 새벽 공원길을 달려가다가 길 옆 벤치에 발을 올리고 풀린 운동화 끈을 묶으면서. 며칠 굶은 짐승의 내장처럼 어둡고 습하고 꾸불꾸불한, 그러나 텅 비어 막히지 않고 계속 어디론가 이어지던 그 골목길들에 대해. 땅거미로부터 뭉게뭉게 피어오른 저녁의 조각구름들이 초승달을 스쳐지나가듯. 문득 문득. 총총히 정독도서관을 향해 비탈진 언덕길을 올라가느라

땀이 맺힌 교복 차림 여학생들의 쇄골 안쪽 살갗이며 국군서울지구병원 담벼락 밑에서 각자 누런 봉투 안에 든 자신의 엑스레이 필름을 반쯤 꺼내어 햇살에 비춰보던 사병들의 찌푸린 주름, 혹은 서울시 지방문화재 민속자료 제27호 윤보선 고택 돌죽담 모퉁이를 돌아갈 때 그녀를 바라보며 "방 보러 온다던 새댁이유?"라며 환하게 반기던 어느 할머니가 입고 있던 치마의 꽃무늬 같은 것들에 대해. 가끔 하릴없는 마음에 제 손톱을 가지런히 세우고 오랫동안 들여다보듯. 문득 문득.

잠깐이나마 말이 끊기면 그 사이로 누기진 바람이 새들어오던 유월하고도 중순이었다. 가회동 큰 길을 따라 다시 율곡로 쪽으로 걸어 내려갈 즈음, 각자 떨어져 살아온 세월들에 대해 물어가며 겨우 겨우 이어지던 대화가 어느 틈엔가 끊어졌다. 버성긴 마음에 한 번 끊어진 대화는 좀체 다시 연결되지 않았다. 장마가 머지않은 끄느름한 하늘빛이 그대로 배어든 듯한 헌법재판소 담장 너머로 뭉툭한 우두머리를 삐죽거리는 청단풍이며 산수유며 왕벚꽃 따위의 키 작은 나무들을 올려다보며 우리는 재동교차로 쪽으로 걸어갔다. 그때, 그녀가 갑자기 들뜬 목소리로 "당신, 요즘도 혼잣말 잘 해?"라고 내게 물었다. 나는 평범하달 수는 없는, 그렇다고 평범하지 않다고도 말할 수 없는 서른네 살의 회사원이고 가끔씩 내 삶이란 어느 지점에서인가 대단히 잘못된 길로 접어들었다고 생각하긴 하지만, 혼잣말을 중얼거리는 종류의 인간인지 아닌지는 여태 생각해 본 일이 없었다. 그런데 그녀는 내가 옛날에 혼잣말을 잘 하는 사람이라고 기억하고 있었다. 내가 어떤 식으로 혼잣말을 했느냐니까, 그녀는 잠시 생각해 보더니 "등을 돌리고."라고 말했다. 그 말을 들으니 어쩐지 서글픈 마음이 잔뜩 밀려들었다. 그녀에게도 그렇지만, 나 자신에게도 그랬다. 그러더니 그녀는 며칠 전 내가 꿈에 나왔다고 했다. 그녀에게 등을 돌리고 혼자 중얼중얼 뭔가를 되뇌는 꿈이었을까? "글쎄, 대놓고 말하기는 좀 곤란하고. 아무튼 꿈속에서는 꽤 좋았는데……. 아, 뭐라고 말해야 하나."라며 그녀가 혼자서 말하고 혼자서 킥킥거렸다. 이해하지 못할 바는 아니지만, 어쩐지 그녀가 재개발이 임박한 연립주택 같다는 생각이 들었다. 어디인지 정확하게 꼬집자면 속속들이 살펴봐야겠지만, 언뜻 봐서도 정상이 아니라는 느낌을 피할 수 없었다. 그녀의 왼쪽으로 걸어가던 나는 걸음을 멈추고 오른쪽으로 자리를 옮겼다. 오른편에서 바라보는 얼굴이 내게는 훨씬 익숙했다. 늘 나는 그녀의 오른편에서 그녀를 바라보다가 잠들었으니까. 헛기침을 두 번 내뱉은 뒤, 내 경우에는 요즘 거의 꿈을 꾸지 않는다고 말했다. 더군다나 혼잣말하는 경우는 전혀 없는 것 같다고 덧붙였다.

발걸음을 내디딜 때마다 까닥거리는 그녀의 오른쪽 옆얼굴을 바라보노라니 언젠가 함께 변산에 갔다가 돌아오던 길에 올라탄 밤의 고속버스 독서등 불빛이 떠올랐다. 그때도 나는 그녀의 오른쪽 옆에 앉아 있었다. 주홍색 불빛이 내 점퍼로 덮어놓은 그녀의 아랫배 부분을 둥글게 비춰주고 있었다. 우리는 낮에 직소폭포로 올라가다가 나무에 걸린 쪽쪽나무니 호랑가시나무니 까마귀베개나무니 하는 재미있는 이름표를 가리키며 웃었던 일을 얘기했다. 그러던 끝에 이러다가는 자다가 꿈에 그 괴상한 이름의 나무들이 나오겠다며 그녀가 덧붙였다. 자신은 꿈 같은 꿈을 꾸지 않는다고 했다. 금요일 저녁, 눈이 휘둥그레진 샐러리맨들에게 손을 흔들며 하늘을 날거나 가슴이 뻥 뚫린 사내와 느낌 없는 키스를 나누는 꿈을 꾸지는 않는다는 뜻이었다. 그저 현실의 일들이 꿈속까지 이어지는 경우가 많다고 했다. 어떨 때는 그게 꿈에서 일어난 일이었는지 현실에서 일어난 일이었는지 모를 지경이라고 했다. 하루 종일 나와 거리를 쏘다닌 날이면 꿈결 속에서도 어김없이 계속 발을 굴린다고도 했고 나와 술을 마시다가 돌아간 날이면 밤새도록 술잔을 기울이느라 손목이 욱신거리는 느낌이 든다고도 했다. 나는 웃으며 지금도 꿈속이라고 말했다. 내가 그녀의 꿈속에서 그녀와 함께 밤의 고속버스를 타고 가는 것이라고 속삭였다. 그녀는 무슨 이상한 소리냐는 듯 이맛살을 찌푸렸다. 그때만 해도 나는 그녀의 꿈속까지 들어갈 수 있을 것이라고 생각했다. 현실의 일들이 그대로 꿈속으로 이어진다면 말이다. 하지만 사랑한다고 해서 한 인간의 꿈속에까지 들어간다는 것은 불가능한 일이었다. 내가 골똘히 자신의 아랫배 부분에 드리워진 둥근 독서등 불빛을 바라보자, 그녀는 졸립다며 몸을 약간 일으키며 손을 내뻗어 독서등을 껐다. 그리고 밤의 고속버스 안에는 드문드문 켜놓은 독서등 몇 개, 좌석을 따라 일정한 간격을 두고 은은하게 번지는 빨간색, 파란색, 노란색 수면등, 어둠 속의 나지막한 속삭임과 마른 기침 소리뿐. 그리고 그 며칠 뒤, 나는 그녀에게 청혼했다. 내 말을 듣는 그녀의 표정은 행복해 보였다.

재동 교차로까지 내려간 우리가 함께 서서 담배를 피우는 동안, 지나가던 사람들이 우리를 쳐다봤다. 담배를 입에 물고 우리는 서로 다른 곳을 쳐다봤다. 그녀는 일본문화원 쪽을, 그리고 나는 종로경찰서 쪽을. 무슨 꿈이었냐고 한 번 더 물어보려던 차에 그녀가 다시 풍문여고 쪽으로 발걸음을 옮겼다. 토요일이라 가벼운 마음으로 빨간 줄무늬 셔츠를 입고 출근한 날이었다. 아침에 친구 아버지가 죽었다는 연락이 왔다. 그래서 다른 옷으로 갈아입을 양으로 지하철을 타고 집으로 들어가던 차에 나는 우연히 그녀를 보게 됐다. 자리에 앉아서 한참 졸다가 종로3가역에서 갑자기 눈을 떴는데, 정말 거짓말처럼 맞은편에 그녀가 앉아 있었다. 정말 거짓말처럼. 재미있는 말이다. 하지만 그렇게 설명하는 수밖에 없다. 왜냐하면 그녀는 미국에 있어야 했기 때문이었다. 그녀와 나는 서로 마주 봤다. 3초 정도. 그녀가 눈길을 피하려는 찰나에 내가 아는 척을 했다. 그게 잘한 일이었는지, 아니면 잘못한 일이었는지 아직까지는 알 수 없다. 나도 한 육백 년 정도 살아남아 그 내력을 원고지 2매 정도로 요약해 놓은 안내판을 세워둔 천연기념물이 될 수 있다면 알 수 있을지 모른다. 어쨌든 그때는 이제 서로 약속하고 만나기도 번잡한 관계가 됐으므로 그렇게 만난 김에 그간 서로 어떻게 살았는지 얘기나 나눌 속셈이었다. 그렇게 엉거주춤한 마음가짐으로 우리는 안국역에서 내렸다. 안국역 구내에서는 '라라의 테마'가 흘러나오고 있었다. 그런데 그녀는 커피숍이 많은 인사동 쪽이 아니라 다짜고짜 송현동과 안국동 사잇길로 걸어가기 시작했다. 선재아트센터에 우리가 몇 번 가봤던 커피숍이 있으니까 처음에는 거기로 가는가 싶었다. 그런데 서로의 안부를 더듬더듬 묻고 난 뒤에도 그녀는 계속해서 걸었다. 우리는 그다지 말을 많이 하지 않았다. 그럴 수밖에 없었다. 떨어져 살았다고 해도 별다르게 달라질 것이 없었기 때문이었다. 설사 다른 일이 생겼다고 해도 서로 시시콜콜하게 말할 처지도 아니었다. 아무 곳이나 가까운 커피숍으로 들어가자고 말하고 싶었지만, 막상 함께 걸어가다 보니 커피숍에까지 들어가 할 말은 없을 것 같아서 가만히 있었다. 그러는 동안, 등 쪽의 빨간색 줄무늬는 땀방울이 맺힌 자리를 따라 점점 자주색으로 바뀌어갔을 것이다. 1년 만에 우연히 만난 전처와 나눌 수 있는 대화의 길이는 송현동과 안국동과 화동과 가회동을 거쳐 재동으로 빠져나오는 정도의 거리면 충분했다. 나는 재동 교차로 어디쯤에서 헤어질 참이었다. 내가 담배를 피워 문 것은 그런 의미였다. 그런 까닭에 그녀가 자신에게도 담배를 달라고 말했을 때 나는 조금 놀랐다. 그녀는 담배 냄새를 견디지 못하는 사람이었으니까. 하지만 담배를 다 피운 뒤에는 더 놀랐다. 율곡로를 따라 걸어간 그녀가 다시 송현동과 안국동 사잇길로 걸어 올라갔기 때문이었다. 그날, 우리는 갔던 길을 한 번 더 걸어갔다.

그리고 며칠 동안, 나는 그녀가 꿨다던 꿈에 대해서 생각했다. 같이 살던 시절에도 그녀는 꿈을 꾸면 늘 내게 얘기했었다. 꿈을 얘기할 때, 그녀의 눈빛은 때로 기대에 부풀기도 하고 때로 불안해 하기도 했다. 나는 꿈 따위는 조간신문을 들여다보는 순간 다 잊어버리는 종류의 사람이었다. 처음에는 그녀의 꿈 얘기가 재미있었지만, 얼마 뒤부터는 더 이상 궁금하지 않았다. 그녀의 꿈이 과연 무슨 의미일까, 곰곰이 생각하던 그 어느 날이었다. 시간당 20밀리미터의 세찬 빗줄기가 사선을 그으며 서울 하늘을 가득 메우고 있었다. 하늘이 어둠침침했다. 아침 내내 빗소리에 마음이 뺏겼던 나는 점심시간에 회사를 빠져나와 종로구청 앞에 있는 중앙지도사에 갔다. 비에 젖은 몸이 꿉꿉했다. 문을 열고 들어가자, 판매대 앞에 선 초로의 남자가 나를 뚫어져라 쳐다봤다. 나는 우산을 접어 한쪽에 세워놓고 그에게 다가가 북촌 근처의 지도가 있는지 물었다. 남자는 북촌 어디를 원하느냐고 되물었다. 나는 잠시 생각해보다가 안국동과 화동과 가회동과 재동이 나오는 지도를 달라고 했다. 남자는 다시 지형도를 원하느냐, 지적도를 원하느냐고 물었다. 잠깐 망설이다가 나는 지적도를 달라고 했다. 남자는 서슴없이 구역별 지도가 칸칸이 들어 있는 곳으로 걸어가 지도를 한 장 꺼내고는 익숙한 솜씨로 둘둘 말았다. 그 동안, 나는 가게 안을 훑어봤다. 천장은 높고 실내는 어두웠다. 한쪽에서는 아가씨가 계산기를 두들기며 장부에 숫자를 기입하고 있었다. 나는 진열대에 놓인 한반도 입체지도나 한라산 등반지도 따위를 훑어봤다. 이윽고 남자가 지도를 건네면서 "더 이상 기다리지 않을 때, 끝나는 법이라오."라고 말했다. 나는 무슨 말인가 싶어 그 남자를 쳐다봤다. 그 남자는 웃으며 "방금 장마가 언제 끝날까라고 말하지 않았소."라고 말했다. 나는 고개를 끄덕이고는 지도를 옆구리에 낀 채, 우산을 펼치고 밖으로 나왔다.

중앙지도사 앞에 서서 주변을 두리번거리다가 나는 어느 2층 카페 쪽으로 뛰어갔다. 내가 계단을 올라가는 것을 보고 막 밖으로 나오려던 여자가 얼른 카페로 돌아갔다. 그 여자가 카페의 주인이었다. 나는 한쪽 구석에 앉아 맥주 한 병을 주문했다. 그러면서 여기가 '겨울-나무로부터 봄-나무에로'가 있던 곳이 아니냐고 물었다. 내 말을 못 들었는지 여자는 들고 온 메뉴판을 펼치지도 않고 그냥 주방 쪽으로 되돌아갔다. 여자의 발걸음은 불안해 보였다. 맥주를 가져온 여자에게 나는 약간 큰 목소리로 볼펜을 빌려달라고 했다. 볼펜을 건네받은 나는 5천 분의 1 축척의 종로구 북쪽 지역 지도를 테이블 위에 펼쳐놓은 뒤, 볼펜으로 선을 그어가며 둘이 걸었던 길들을 되짚어봤다. 때로는 S자로, 때로는 직선으로 우리는 언뜻 보기에는 막다른 골목처럼 보이는, 하지만 무작정 걸어가는 그녀를 따라가다 보면 모퉁이를 여러 번 돌아 또 다른 골목으로 이어지는 좁은 길들을 밟고 다녔다. 내가 그은 검은 선들이 기억 속에서 서로 겹쳐지거나 뒤엉켜들면서, 혹은 더 이상 정확하게 되짚어갈 수 없게 되면서 그날 우리가 함께 지나온 시간은 꼬불꼬불하면서도 때로는 이어질 수 없는, 더 정확하게 표현하자면 이해할 수 없는 행로로 남게 됐다. 물론 내가 살아가면서 이해하지 못하는 일은 한두 가지가 아니다. 하지만 그날 우리 둘이서 걸어간, 그리고 내가 그은, 그러나 끝내 완전히 긋지 못한 지도 위의 행로만큼이나 이해하기 어려운 것은 없는 듯했다. 나는 지도에 적힌 수많은 숫자들을 내려다보면서 생각했다. 우리는 안국동 175번지 앞에서 걷기 시작했다. 안부를 묻던 우리의 대화가 끊어진 것은 가회동 12번지를 지날 즈음이었다. 그녀가 꿈 얘기를 한 것은 재동 83번지 헌법재판소 앞을 지날 때였으며 어이없게도 그녀를 방 보러 온 새댁으로 착각한 할머니를 만난 것은 안국동 8번지 앞에서 9번지 앞으로 걸어갈 때였다. 하지만 그녀가 울어버린 곳은 정확하게 어디인지 알 수 없었다. 정확한 위치를 찾기 위해 몇 번이고 되풀이해서 지도를 들여다봤지만 알 수 없었다. 그러다가 나는 생각했다. 이 행로에도 어떤 의미가 있는 것일까? 그 대답을 구하기 위해 지도를 한참 들여다보다가 나는 그다지 논리적이랄 수 없는 결론에 이르렀다. 그녀가 어떤 나무 한 그루를 중심으로 나를 끌고 다녔다는 결론에. 하나의 가지는 북한산이 있는 북쪽을 향해, 또 하나의 가지는 한강이 있는 남쪽을 향해 서로 갈라져 서 있는 나무 한 그루를 중심으로. 물론 그럴 리는 없다. 그녀가 그 나무를 알 리가 없다. 그건 우연이었을 것이다. 하지만 지도상으로 볼 때, 내가 알아낼 수 있는 분명한 사실은 그것 하나뿐이었다. 그날 오후, 우리의 행로 한 가운데 나무 한 그루가 서 있었다는 사실. 나는 장마 내내 선을 그어놓은 지도를 벽에 붙여놓고 틈날 때마다 들여다봤다. "저게 도대체 다 뭐야?", "나도 잘 몰라서 바라보고 있는 중이야." 술이 취한 밤이면 집에 들어와 혼자 침대에 누워 나는 그런 자문자답을 하곤 했다. 내 생각과 달리, 나는 여전히 혼잣말을 잘 했다.

나무

그날의 행로가 무슨 의미인지 다음과 같이 설명하면 그녀는 분명히 나란 인간은 항상 그런 식이었다고 쏘아붙일지도 모른다. 하지만 내게는 달리 방법이 없다. 그러니까 이렇게 시작해 보자. 연암 박지원은 언젠가 처남이자 평생의 친구였던 이재성에게 이런 편지를 보낸 적이 있었다. "'꿈에 중을 보면 문둥이가 된다'는 속담이 있지요. 무슨 말이겠습니까! 중은 절에서 살고 절은 산에 있고 산에는 옻나무가 있고 옻나무는 사람을 문둥이처럼 옻 오르게 합니다. 꿈에 본 중과 문둥이는 이렇게 연결되는 것입니다." 백성들이 박지원을 오랑캐라고 욕한다는 헛소문을 퍼뜨리는 작자들이 있다는 사실을 이재성이 편지로 일러줬기 때문에 박지원은 논리적으로 말이 되지 않는 일들을 서로 연결시켜 한가한 입을 달래는 자들의 허망함을 속담에 비유한 것이다. 그러나 이 편지의 고갱이는 그 뒤에 나오는 "지난 수십 년 이래로 옛날 함께 놀던 친구는 대부분 이 세상에서 없어졌습니다. 하룻밤 우스개 소리나 하면서 지내보고 싶은 때도 있지만 그런 날이 있을 수 없게 됐습니다."라는 구절에 있다. 이재성이 일러준 헛소문 얘기를 듣고 느낀 허망함은 자신을 알아보지 못하는 자들에 대한 분노로 바뀌었다가 결국에는 먼저 죽은 친구들에 대한 그리움으로 옮겨갔다. 그러니 죽은 박지원을 위해 이재성이 제문을 짓는 장면에 이르러 내 마음이 다 편안해진 것은 당연한 일이었다. 이재성마저 자신보다 먼저 죽었더라면 박지원은 아마 그 고통을 견디지 못했을 테니. 서울 가회방 재동 중국식 벽돌집 사랑채에서 "깨끗이 목욕시켜 달라."는 말만 남긴 채, 박지원이 숨을 거둔 것은 1805년 10월 20일 오전 여덟 시경이었다. 이재성의 제문에는 이런 구절이 남아 있다. "마치 저 굉장한 보물이 크고 아름답고 기이하고 빼어나나 마음과 눈으로 보지 못하면 이름하기 어려운 것과 같지요."

마치 저 굉장한 보물이 크고 아름답고 기이하고 빼어나나……. 이 구절을 읽을 때면 나는 늘 늦가을 아침 유언을 남기고 죽는 박지원의 재동 집 벽장에 들어 있었다는 지구의를 떠올린다. 그 지구의에 대한 얘기를 처음 꺼낸 사람은 단재 신채호였다. 신채호는 박지원이 중국에서 돌아오는 길에 그 지구의를 가져왔다고 쓴 바 있다. 박지원이 손수 지은 재동 집 사랑채 앞에는 그가 태어나기 오래 전 중국에서 들여온 것이 또 하나 있었다. 아니, 사실대로 말하자면 원래는 숲을 이룰 만큼 많았겠지만, 지금은 하나만 남아 있다. 바로 그날, 우리의 행로 한 가운데에 서 있던 바로 그 나무 한 그루다. 박지원은 『열하일기』를 비롯한 수많은 책을 남겼으며 조선 후기의 개화파들에게 큰 영향을 끼쳤다. 그건 우리가 다 아는 사실이다. 아울러 박지원은 벽장 속의 지구의와 뜰 앞의 나무 한 그루도 남겼다. 그건 우리가 잘 모르는 사실이다. 나는 역사라는 이름의 위험천만한 폭약을 단숨에 폭파시키는 뇌관은 『열하일기』나 실학사상 같은 게 아니라 벽장 속의 지구의나 뜰 앞의 나무 한 그루처럼 사소하고 하잘 것 없고 우연의 소산으로만 보이는 것들이라고 생각한다. 시작과 끝, 원인과 결과만을 두고 본다면 세상의 모든 일은 인과 관계에 따라 움직인다. 하지만 그 사이의 행로는 때로 너무나 우연적이고 사소한 것들로 채워지곤 한다. 그녀와 헤어지고 나서 가끔씩 혼자서 중얼거릴 때가 있었다는 사실을 나는 최근에야 깨달았다. 이혼할 만큼 우리에게 큰 문제가 있었나? 하지만 결국 나는 그 대답은 알아내지 못하고 다만 지극히 하찮은 우연들의 연쇄 과정에다 대고 왜 그래야만 했느냐는 무거운 질문을 던지는 일이 무의미하다는 사실만을 알아냈을 뿐이다. 우리가 살아가면서 겪는 일들은 대부분 스캔들에 휩싸인 영화배우가 서둘러 차에 올라타면서 진실은 무엇이냐고 묻는 기자들을 향해 내젓는 단호한 손짓 이상의 의미를 띠지 못한다. 그렇다면 지나간 일들을 다시 떠올릴 때 늘 만나게 되는, 서로 연결될 수 없음에도 그어지는 그 많은 선들은 다 무슨 의미인 것일까? 역사의 인과 관계가, 혹은 지나간 일들의 진실이 도중의 사소하고 우연적이고 꾸불꾸불한 과정을 과감하게 생략하고 단숨에 긋는, 그런 선과 같은 것이라면, 우리가 그 날 걸어간 복잡하고 우연에 가까운 행로의 의미는 무엇일까?

기억을 쫓아가면 확실한 것은 아무것도 없다는 생각이 들 때가 있다. 혼자서 옛일들을 생각하며 자문자답할 때면 특히 그렇다. 지나간 일들은 실험실에서 알코올 램프와 플라스크로 증명할 수 있는 것이 아니기 때문이다. 일단 일어난 일들은 그 자체가 사실로 증명되는 것이다. 다른 식으로 검증할 방법이 없다. 내가 이런 식으로 말을 꺼내면 그녀는 늘 화를 냈었다. 자기가 원하는 말은 그런 게 아니었다고 소리쳤다. 하지만 하는 수 없다. 이렇게 얘기해야만 한다. 사실은 박지원이 살던 중국식 벽돌집 벽장 안에는 지구의가 없었다는 주장도 있다. 박지원의 손자로 나중에 우의정까지 올라간 박규수가 북촌 근처에 사는 어린 청년들인 김옥균, 홍영식, 박영호 등을 사랑채에 모아놓고 지구의를 보여주며 국제 정세에 대해 얘기한 것은 그의 나이 68세가 되던 1874년 11월 무렵의 일이었다.

이때, 김옥균 등에게 보여준 지구의가 박지원이 중국에서 가져온 지구의인가, 박규수가 손수 만든 지구의인가에 대한 논란이 있었는데, 지금은 박규수가 만든 지구의라는 견해가 일반적이다. 우리가 살면서 겪은 그 수많은 지난 일들 역시 그 지구의와 같은 것이다. 박지원이 죽을 당시, 그 집의 벽장에는 지구의가 있었을 수도 있고 없었을 수도 있다. 이제는 그 누구도 그 사실을 증명할 수는 없다.

그렇다면 또 이렇게 얘기하면 어떨까? 그 지구의를 보면서 조선을 개화시켜야만 하겠다고 결심한 김옥균과 홍영식과 박영효 등은 정확하게 10년 뒤, 갑신정변을 일으켰다. 그 날, 민씨 세력의 핵심이었던 민영익은 온몸에 자상을 당했다. 역사가 사소하고 우연하고 모호한 일들의 연속체가 아니라면 그날 민영익은 죽어야만 했다. 무려 열네 명이나 되는 한의사들이 달려들었지만, 속수무책이었다. 그런데 하필이면 그 해 9월 20일, 알렌이라는 미국 의사가 조선에 들어와 있었다. 의료 선교사였던 알렌의 임지는 베이징이었으나 중국인들의 폭력에 시달리며 난징과 상하이를 전전하다가 다른 곳을 찾던 중, 주변의 권유로 우연히 조선에 들어가게 됐다. 박지원가의 지구의 때문에 갑신정변이 일어났다고 말할 수 없는 것처럼 중국 사회에 적응하지 못한 알렌 덕분에 갑신정변이 실패로 돌아갔다고 말할 수는 없는 법이다. 하지만 적어도 갑신정변 때문에, 더 나아가서는 박지원가의 지구의 때문에 조선 땅에서 첫 개신교 신자가 나오게 됐다고 말할 수는 있을 것이다. 알렌의 조선어 선생이던 노춘경은 갑신정변이 일어난 바로 그날 밤, 알렌이 중상을 입은 민영익을 치료하기 위해 자리를 비운 틈에 알렌의 서재에서 알렌마저도 읽지 말라고 말렸던 마태복음과 누가복음을 집으로 훔쳐가 밤새 두 번이나 읽었다. 그리고 노춘경은 그로부터 2년 뒤, 세례를 받았다. 역사라는 게 뭐라고 생각하는가? 우리가 왜 이혼했다고 생각하는가? 이런 질문에 쉽게 대답할 수 없다면 그건 우리가 살아가는 삶이 다만 며칠 굶은 짐승의 내장처럼 어둡고 습하고 꾸불꾸불한, 그러나 텅 비어 막히지 않고 계속 어디론가 이어지는 골목길과 같은 것이기 때문이다. 이것으로도 납득이 안 되면 이렇게 덧붙이겠다. 갑신정변이 실패하고 홍영식이 비참하게 죽은 뒤, 민영익의 도움을 받은 알렌은 흉가가 된 홍영식의 집에다 최초의 서양식 병원인 제중원을 설립했다. 제중원의 뜰에는 나무 한 그루가 서 있었다. 박지원의 집 앞에 있었던 나무. 홍영식의 집 앞에 있었던 나무. 그날 길 잃은 아이들처럼 그녀와 함께 걸어 다녔던 그 골목길들, 그 가운데 서 있던 나무. 그 나무 한 그루 말이다. 그녀와 내가 헤어진 지금, 이 모든 일이 과연 우연일 뿐이라고 생각하는가?

농담

말했다시피 나는 평범하달 수는 없는, 그렇다고 평범하지 않다고도 말할 수 없는 서른네 살의 회사원이고 가끔씩 내 삶이란 어느 지점에선가 대단히 잘못된 길로 접어들었다고 생각한다. 나는 태어나기를 따분한 사람으로 태어났다. 차를 몰고 가더라도 도로는 보지 않고 좌우의 차선에 더 신경 쓰는 사람이다. 남에게 칭찬받을 수 있는 일이라면 그 누구보다도 잘 하지만, 어떤 경우라도 칭찬받기 어려운 일을 혼자서 결정해야만 할 일이 생긴다면 당장 뭘 해야만 할지 모르는 사람이다. 나 같은 종류의 인간은 절대로 농담을 하지 못한다. 농담을 잘 못할 뿐더러 남의 농담도 제대로 이해하지 못한다. 그렇게 따분한 인간이니까 남는 시간이면 역사책이나 들여다보면서 소일하는 셈이다. 역사책에는 농담이란 기록돼 있지 않으니까. 원인과 결과만이 나열된 책이니까. 그러니 내가 며칠을 두고 벽에 붙여놓은 지도에 그어진 선을 바라본 뒤에야 그녀의 농담을 이해하게 된 것은 당연한 일이었다. 그녀의 말이 진짜 농담이라는 걸 이제는 잘 알겠다. 하지만 왜 그런 농담을 해야만 했는지는 여전히 오리무중이다. 역시 세상의 일들을 죄다 이해하기에 아직 서른네 살의 나이는 부족한 모양이다. 그러던 어느 날, 나는 아침에 일어나 넥타이를 잡고 서서 가만히 벽에 붙은 그 지도를 바라보다가 불현듯 내가 채 긋지 못한 선을 다시 똑바로 긋고 싶다는 강렬한 욕망에 사로잡혔다. 미리 통지하고 찾아오는 불운은 없다. 그런 점에서 인생의 모든 불운이라는 것은 자신이 생각했던 인과 관계의 규칙에서 벗어난 일들을 설명하기 위해 만든 단어일 뿐이다. 나는 내게 닥친 그 불운이 정말 우연한 것인지, 아니면 필연이 내포된 것인지 확인하고 싶었다.

그날 오전 근무를 마친 나는 회사에서 조퇴한 뒤, 지하철을 타고 안국역까지 갔다. 안국역에서 내린 나는 지도에 그은 선을 따라 걷기 시작했다. 송현동과 안국동 사잇길을 지나 화동 정독도서관 주위를 한 바퀴 에두른 뒤, 가회동 큰길로 빠져나와 재동 네거리를 거쳐 다시 백상기념관 앞까지 돌아오는 경로였다. 막바지에 이른 장마가 북쪽으로 물러서기 전에 마지막으로 서울에 비를 뿌리던 날이었다. 가회동 골목길에서 약간 착오가 있었을 뿐, 처음 한 바퀴를 돌아가는 동안에는 내가 그은 선이 그런대로 정확했다. 문제는 두 번째로 걸어가기 시작했을 때였다. 덕성여고 담벼락이 끝나는 지점에 이르자, 그녀는 갑자기 오른쪽 좁은 골목으로 방향을 틀었었다. 골목 초입에 선 전봇대에 교육1길이라는 이름을 내건 화살표 모양의 표지판이 그 길 방향을 가리키고 있었다. 그 즈음부터 나는 다른 생각에 사로잡혀 있었던 것 같다. 아마도 거기서 멀지 않은 곳에 서 있던 그 나무 생각을 했을 것이고, 그 다음에는 과연 우리에게 이혼할 만큼 큰 문제가 있었는지 따져봤을 것이다. 그녀는 어떤 생각을 하고 있었는지 모르겠다. 나는 외짝문 옆으로 꾸며놓은 손바닥만한 화단이라든가, 철조망이 둘러쳐진 담벼락 위로 드리워진 어느 집 뒤란의 살구나무 잎사귀 따위를 바라보며 걸어갔었다. 키 낮은 한옥의 처마를 따라 여러 번 굽이치는 골목을 돌아 교육2길로 빠져나가는 길, 또 거기서 오른쪽으로 방향을 틀어 조금 걸어가다 보면 나오는 세거리를 거쳐 다시 오른쪽으로 윤보선 고택 담장을 따라 놓인 별궁길까지는 내가 제대로 선을 그었다. 하지만 그녀를 방 보러 온 새댁으로 착각한 할머니를 만난 뒤부터는 기억이 가물거렸다. 지도에서도 그 사이의 행로는 비어 있었다.

나는 우산을 쓰고 다시 별궁길을 따라 내려가면서 그때의 일들을 기억해내려고 노력했다. 꽃무늬 치마의 할머니를 만나면서부터 나는 이게 다 무슨 짓인가는 허망한 느낌에 사로잡혔었다. 방 보러 온 새댁이 아니냐니? 그게 무슨 소리인가? 어쨌든 그녀는 이제 다시는 행복한 새댁이 될 수 없는 몸이다. 그건 내 잘못일 수도 있고 그녀의 잘못일 수도 있고 둘 다의 잘못이거나, 혹은 그 누구의 잘못이 아닐 수도 있다. 하지만 왜 우연히 만난 사람이 잘못 던진 질문을 통해 그런 깨달음을 얻어야만 한단 말인가. 그게 왜 그렇게 화가 나는 것인지도 모르면서 나는 화를 참을 수 없었다. 그런 내게 그녀는 오래 전에 내가 자신의 삐삐에다가 남긴 음성 메시지에 대한 얘기를 했었다. 그녀에 따르면 언젠가 술이 취한 나는 그녀의 삐삐에 "사실 나, 너 사랑해."라고 말해 놓고서는 1분도 채 지나지 않아 정색을 한 목소리로 "방금 말한 것은 농담이었어."라며 다시 녹음한 적이 있다고 한다. 우리가 아직 본격적으로 연애를 시작하기 전의 일이라고 했다. 나는 그 일이 전혀 기억나지 않았으므로 그것도 농담이라면 대단히 재미없는 농담이라고 대꾸하며 그녀의 얘기를 건성건성 한쪽 귀로 넘겼다. 별궁길을 따라 내려가던 그녀가 왼쪽의 골목길로 다시 방향을 틀면서 내게 "그거 진짜 농담이었느냐."고 물었다. "너도 알다시피 나는 원래 농담을 잘 하지 못하는 사람이야."라고 대답하자, 그녀는 그렇지 않다고, 나는 원래 농담을 잘 하는 사람이었다고 말했다. 피식거리며 무슨 소리냐고 반문하는 내게 그녀는 한 번 더 나는 원래 농담을 잘 하는 사람이었다고 강변했다. 나는 한숨을 내쉬면서 모처럼 만나서 그녀와 그런 문제로 말다툼하기 싫다고 대꾸했다. 그때 기억을 떠올리면서 다시 걸어가다 보니 그녀가 들어간 길은 전혀 우체국이 있을 것 같지 않은 좁은 길이었는데 우체국길이라는 이름이 붙어 있었다. 나는 골목 초입에서서 지도를 펼치고 긋지 못한 선을 그었다.

우체국길은 안국동이나 가회동 골목길만큼이나 좁고 미로 같았다. 지도에도 그 골목길은 희미하게 표시돼 있었다. 그녀는 우체국길을 따라 남쪽으로 내려가다가 다시 왼쪽으로 방향을 튼 뒤, 조금 더 걸어가다가는 왼쪽으로 난 골목길을 따라 걸었다. 하지만 거기는 막다른 골목이었다. 다시 들어온 방향으로 되돌아 내려가다가 이번에는 들어온 길의 맞은편으로 걸어가기 시작했다. 역시 막다른 길인가 싶었는데, 등나무 넝쿨이 손을 뻗어 잡을 수 있도록 골목 양옆의 담벼락 위로 나무막대를 몇 개 올려놓은 곳이 나왔다. 나는 그녀에게 지금 도대체 어디로 가고 있느냐고 물었으나, 그녀는 내 말을 알아듣지 못해 결국 혼잣말이 돼 버렸다. 여전히 내 말에 귀를 기울이지 않는다는 생각이 들면서 나는 화가 났다. 나는 목소리를 높여 한 번 더 물었다. 갈 데가 있기는 있는 거냐고. 내 말에 생각에 잠겨 있던 그녀는 주위를 두리번거리다가 내 얼굴을 한참 들여다보더니 갑자기 덩거친 넝쿨 아래에 있는 나무 의자에 쓰러지듯 주저앉고는 울음을 터뜨리기 시작했다. 울음이라면, 더구나 그녀의 울음이라면 그때까지도 지긋지긋했다. 다시 한 번 깨달은 사실이지만 우리는 처음부터 잘못 만난 사이였다. 우리는 애당초 서로 만나지 말았어야 했다. 만났더라도 아는 척하지 말았어야 했다. 그런 뒤늦은 깨달음과 함께 그 길까지의 경로를 모두 확인한 나는 빗물이 떨어지는 등나무 넝쿨 아래에 서서 지도를 펼치고 선을 긋기 시작했다. 빗물이 떨어진 지도의 한쪽 귀가 푹 수그러졌다. 나는 지도 위에 떨어진 빗물을 손등으로 쳐내고 그날 우리가 걸어간 길을 한참 들여다봤다.

꿈속에서 그녀는 나와 잠을 잤다. 현실의 일들이 꿈속까지 이어지는 그런 꿈이 아니라 진짜 꿈이었다. 우리는 아직 헤어지기 전이었고 무척 행복했다고 했다. 그러다가 그녀는 깨달았다. 지금 자신이 꿈을 꾸고 있다는 사실을. 우리는 분명히 이혼했으며 다시는 행복한 마음으로 함께 잠을 잘 수 없는 처지가 됐다는 사실을. 그렇게 생각하자마자 꿈은 사라졌지만 그녀는 그 행복한 느낌이 너무나 좋아서 눈을 감고 누워 다시 꿈속으로 들어가기 위해 무척 애를 썼다. 하지만 한 번 머릿속에서 떠나버린 꿈은 다시 돌아오지 않았다. 나중에 잠에서 완전히 깨어난 뒤, 나란 인간은 이미 마음속에서 지워버린 지 오래됐는데 그런 꿈을 꿨다는 사실을 그녀는 견딜 수 없었다. 그게 화가 나서 며칠 동안 기분이 안 좋았는데,

결국 나름대로 납득할 수 있는 길을 찾고야 말았다. 그건 육체의 생리작용에 의한 우연한 연상 작용의 결과에 불과하며 아무런 의미도 없는 것이라고. 한참 울고 나서 그런 얘기를 하는 그녀에게 나는 정말 아무런 의미가 없었다고 생각하느냐고 물었다. 그녀는 나를 빤히 쳐다보더니 그럼 거기에 무슨 의미가 있다고 생각하느냐고 되물었다. 그러더니 자기가 지금 한 말이 농담이라는 걸 모르냐고 덧붙였다. 그 말에 말문이 막힌 나는 그것도 농담이냐고, 그런 것도 농담이냐고 쏘아붙였다. 내 시선을 피하지도 않고 그녀가 말했다. 이게 웃긴 얘기가 아니라고? 이게 어째서 웃긴 얘기가 아니야?

지도에 선을 모두 그은 나는 지도를 둘둘 말아 들고 등나무 넝쿨 아래를 빠져나갔다. 거기서 앉아 있다가 우리는 다시 온 길을 되짚어 나갔으니 그날 그녀와는 함께 걸어가지 못한 길이었다. 그리고 우리는 율곡로의 어느 은행 처마 밑에 나란히 서서 담배를 나눠 피운 뒤, 분명한 작별 인사도 없이 어정쩡하게 헤어졌다. 어둠침침한 등나무 넝쿨 아래를 지나 골목이 끝나는 곳에 이르니 너른 주차장이 눈에 들어왔고 그 주차장을 따라 걸어가니 희망길이 나왔다. 희망길에서 다시 왼쪽으로 발걸음을 돌렸더니 헌법재판소 건물이 보였다. 나는 그 건물을 바라보면서 걸어갔다. 그날 우리가 걸어간 길에 어떤 의미가 있었다면 희망길을 목전에 두고 다시 걸어온 길을 되짚어 돌아나간 일을 두고 그게 우리의 운명을 암시하는 은유였다고 말할 수도 있겠다. 하지만 나는 이제 그렇게 생각하지 않는다. 그건 우연에 불과했다. 그날, 그녀가 나를 이끌고 다닌 행로 역시 우연에 불과하다. 우리는 다른 식으로 골목을 걸어 다닐 수도 있었다. 내가 지도에 그은 선은 모든 일이 지나간 뒤 돌아보니 결과적으로 그런 선이 됐다는 의미 이상을 넘어서지 못한다. 물론 나는 태어나기를 그런 사실을 제대로 납득하지 못하는 인간으로 태어났지만, 이제는 억지로라도 그런 사실을 인정해야만 한다고 믿는 나이가 됐다. 그녀가 울었던 곳이 어디였는지 정확하게 확인한 뒤, 내가 헌법재판소 뒤에 있는 그 나무를 보러 가리라 마음먹은 일은, 그러므로 당연하다.

자, 이제 나는 살아서 서른네 살이 됐고 그 나무는 육백 살이 넘었다. 육백 년을 산다는 것은 과연 어떤 기분일까? 이제쯤이면 지하철에서 내가 그녀에게 아는 척을 한 것이 잘한 일인지, 잘못한 일인지 그 나무는 이해할 수 있을까? 그녀나 나나 이제는 삶의 행로가 하나의 거대한 농담일 수도 있다고 생각하는 처지가 됐다. 하지만 여전히 그런 농담은 하나도 재미가 없으며 마음이 아프기만 하다. 우리는 그런 것도 농담이냐고 쏘아붙이기도 하고 이게 웃긴 얘기가 아니냐고 항변하기도 한다. 삶을 이해하기에 서른네 살이라는 나이는 아직도 부족하다. 나는 우산을 뒤로 젖히고 고개를 들어 떨어지는 빗방울을 맞으며 선 백송을 올려다봤다. 하나의 가지는 북한산이 있는 북쪽을 향해, 또 하나의 가지는 한강이 있는 남쪽을 향해 서로 갈라져 서 있는 나무 한 그루가 나를 물끄러미 내려다봤다. 차가운 장맛비가 내 얼굴로 들이닥치는 동안, 여전히 푸른 우듬지가 흐리마리 빗물에 지워졌다. 나는 고개를 숙여 오른손으로 눈두덩을 한 번 닦은 뒤, 다시 얼굴을 들어 백송을 올려다봤다. 둥치에서부터 나뉘어진 두 개의 가지는 저마다 아픈 사람들처럼 철제 버팀기둥에 기대고 있었다. 그것만으로도 부족했는지 두 가지 사이로는 가느다란 쇠줄이 연결돼 있었다. 그 통에 서로가 서로를 끌어주면서 버티는 꼴이 돼 버렸다. 쇠줄을 자르고 버팀기둥을 없애버리면 금방이라도 두 개의 가지는 땅으로 쓰러질 것 같았다. 얼굴로 떨어지는 비를 고스란히 맞으며 서서 나는 혼자 중얼거렸다. 왜 쓰러지도록 내버려두지 않는 것인가? 나는 울타리를 넘어 잔디를 밟으며 백송을 향해 몇 걸음 더 걸어갔다. 천연기념물 제8호 재동 백송이 내 머리 위로 그 젖은 잎을 드리웠다. 비가 쏟아지는데도 여전히 나는 고개를 치켜들고 계속 따져 묻기로 했다. 왜 그냥 쓰러지도록 내버려두지 않는가? 철제 버팀기둥과 쇠줄로 지탱되는 육백 살이라니? 다른 나무들은 다 죽어버렸는데, 오래 살아남기만 하면 천연기념물이 된다니 그것도 일종의 농담인가? 백송이여, 그런 것도 농담인가? 오랜 시간이 흐르고 하면 지금의 우연한 일들도 모두 필연이 된다는 뜻인가? 어린 백송도 천연기념물이 될 수 있다는 뜻인가? 우리가 만난 것도, 헤어진 것도, 그날 길 잃은 아이들처럼 골목길을 한없이 걸어 다녔던 일들도 필연이 된다는 뜻인가? 백송 사이를 지나온 빗물이 내 얼굴로 떨어졌지만, 그래서 부릅뜬 눈이 아파오기 시작했지만, 나는 결코 고개를 숙이지 않을 작정이었다. 결코 질문을 멈추지 않을 작정이었다. 나도 어디 버틸 수 있을 때까지 한 번 버텨보기로 했으니까. 육백 살이 넘은 천연기념물과 이제 고작 서른네 살이 된 따분한 인간, 둘 중 누구의 농담이 더 웃긴 것인가 따져보기로 했으니까.

오수연

1994년 《현대문학》 장편 공모에 『난쟁이 나라의 국경일』이 당선되어 등단.
소설집으로 『빈집』 『부엌』 등이 있음. 한국일보 문학상 수상.
sohoj@netian.com

나는 있어야만 할 것, 신, 에너지다. 편견이다. 생명이 나고 죽는 이치, 의미, 사랑할 때와 죽을 때, 질서를 세우기 위해 왔다. 동해 바다로 몰려간 태풍, 찢어지는 구름과 번쩍이는 번개들 틈에서 출현했노라. 너희들은 내가 아주 멀리, 푸른 하늘 너머 먼 우주, 천국이나 저승 같은 데 있다고 생각하지. 내가 있어야 할 곳이 저승이라면, 지금 이 땅이 저승이다. 세상은 뒤집어진다. 죽은 자가 일어서고 산 자가 엎드릴 시간이 되었다.

— 본문 중에서

달이 온다

오수연

택시 운전사는 양팔을 엇갈려 어깨를 감쌌다. 그의 등뒤로 하늘에는 검은 구름이 무겁고, 빗줄기가 사선으로 흩날리고 있다. 반쯤 열린 문짝을 잡아 떼어갈 듯 바람이 용을 쓴다.

"아, 오늘 왜 이러지. 태풍도 오는데."

"돈이 아까워서 이러는 거 아니에요. 우리는 망우리에 산소도 없다구요."

두 손으로 문을 버틴 현숙은 얼굴에 빗방울을 맞으며 눈을 깜박였다.

"몇 푼 받으려고 내가 이런 거짓말까지 하겠어요?"

"아무도 안 왔는데. 잠깐만요."

현숙이 손을 놓자 문이 바람에 쾅 닫혔다.

"머 잘못댔어?"

풀썩 부풀었다 꺼지는 마루 커튼 옆에서 아버지가 둔한 발음으로 묻는다.

"흰 옷 입은 할아버지가 망우리에서 택시 타고 와서, 택시비 갖고 나온다고 우리 홋수 대고 들어가서 안 나온대요."

현관에서 한 발만 슬리퍼를 벗고 마루를 디뎌 탁자 위의 지갑을 집어들며, 현숙은 어이없이 웃었다.

"미친 놈! 으리 집으로 들어가는 걸 자기가 밨대?이 아파트 어느 집으로 들어갔는지 알게 머아? 으리 산소는 망으리가 아니라고 애기하지."

"명절도 가까운데 그냥 주죠, 뭐."

현숙은 문을 열고 운전사에게 차비를 지불했다. 거스름돈은 놔두라고 했건만, 운전사는 화난 표정으로 천 원짜리를 거슬러 주고 바지 뒷주머니까지 뒤진다.

"한 번 이런 일 있으면 몇 년 동안은 재수가 없던데."

현숙의 손에 동전을 떨구며 운전사는 앞니빨 새로 침 빠는 소리를 냈다. 다시 문이 쾅 닫혔다.

"벌 걸로 다 명절세를 뜯어가네. 애, 미극에 언수 간 니 동생 동철이는 츠석인데 전하 한 통 없니? 명절 치르느라고 이제 니가 고생 좀 하겠그나. 설마 조상 기신이 있어 제삿밥 얻어먹으러 오겠니. 동철이도 없는데, 이번 차례는 간단히 해라."

늦은 아침상을 겨우 치웠건만 벌써 집안은 어두컴컴하고, 마루를 거의 차지한 소파에 아버지가 희부옇게 도사리고 있다. 저기압이라 생각하니 공기까지 나쁜 듯해서 현숙은 숨이 답답하다.

"무슨 냄새 안 나요?"

"얼른 씻어, 나는 아까 즌비 다 했어."

"하수도에서 올라오나?"

현숙은 코를 벌름거리며 다용도실을 들여다보았다.

"날씨도 궂은데 좀 어으 있게 츨발해야지. 넌 꼭 어디 갈라먼 뜸을 들이더라."

아버지는 허벅지를 들썩거렸다.

"젓갈 냄새, 쓰레기 썩은 냄새 같은 거."

현숙은 베란다로 나가 창문을 열었다. 들이치는 바람에 건조대에 널린 빨래와 화분의 고무나무가 휘청거린다.

"비 들어 아! 오늘은 제발 벙언 에약 시간 좀 맞처보자. 이제껏 한 번도, 한 번도 제 시간에 간 적이 없잖아!"

흥분할수록 아버지는 말이 샌다. 아랫입술 한 끝이 낚시 바늘에라도 걸린 것처럼 한사코 밑으로 까뒤집어지고, 대각선으로 왼쪽 눈썹은 치켜 올라간다.

"아악!"

욕실 쪽에서 비명이 터졌다.

"다쳤어?"

욕조, 아버지한테 퍼뜩 떠오르는 게 폭은 좁고 깊기는 너무 깊은 그 장애물이다. 들어가기 어렵고 안에 눕기는 불편하고, 나오기는 더욱 난감한 그 욕조에서 기어이 딸이 미끄러졌지 싶다.

"세상에!"

딸의 목소리가 까무룩 잦아들었다.

"애? 애 그래?"

욕조 물구멍으로 딸이 발끝부터 빨려 들어가는 모습이 눈에 보이는 듯하다. 마지막으로 기다란 머리카락이 빙빙 돌며 꼬이면서 사라진다. 아버지는 아랫입술과 왼쪽 눈썹이 화해한 멍청한 얼굴을 베란다 창문으로 돌렸다. 까만 비닐봉지가 치솟고 낙엽은 화살처럼 날아가건만, 출근 시간 지난 아파트 단지는 사람 소리 하나 없다. 여기가 어쩌면 지옥 아닐까. 이미 지옥에 와 있는 게 아닐까.

"헌숙아!"

흠칫 몸을 떨고 아버지는 소파에 기대놓았던 지팡이를 짚고 일어났다. 한두 걸음 떼다 말고 마루 중간에서 조심스레 고개를 기울여 보았다. 욕실이 아니라 안방 문 앞에 딸이 서 있다.

"애 대답을 안 해? 저게 머아?"

호통치며 다가서다 아버지는 멈춰 섰다. 삐긋 열린 안방 문틈으로 그림자 하나 지나갔다.

"뭐겠어요?"

웃을 듯 울 듯 딸이 되물었다.

"저런 게 애 방에 들어아 있어?"

가까이 가지는 못하고 아버지는 손끝으로 문을 밀었다. 문 뒤에 숨어 있던 그림자가 펄쩍 뛰어 반대편에서 몸을 틀고 돌아본다.

"뭐겠냐구요? 저게 뭐겠어요?"

딸이 손을 들어 뒷걸음질치는 그림자를 가리켰다.

"저리 가! 싯! 싯!"

상체는 뒤로 제치고 아버지는 지팡이만 자동차 기어 넣듯 바삐 밀고 당긴다. 더 이상 퇴로가 없는 그림자는 장롱에 기대어 움칠댄다.

"명절이라고 찾아 온 게 저거지, 뭐긴 뭐예요!"

현숙은 원망스럽게 외치고는, 두 손으로 눈앞의 파리 쫓는 시늉을 하며 마루를 가로질러 소파에 몸을 던졌다. 급히 문을 닫고 아버지는 웅얼거린다.

"흰 옷 입은 노친네가 애 저렇게 됐지? 태풍 탓인가?"

"지겨워! 지겨워!"

딸은 소파에 뺨을 비비며 도리질을 하고 있다. 안방에 웅크리고 있는 것은 엄청나게 큰, 잿빛 털이 덥수룩하고 더러운 개다.

아버지는 엄숙하게 걸었다. 오른발을 앞으로 내밀 차례가 되면 어깨를 왼쪽으로 기우뚱한 채, 앞으로 나갈까 말까 망설이는 듯하다. 결단과 함께 네 발 지팡이가 쿵 바닥을 짚으면 오른발이 따라붙고, 몸이 앞으로 쏠리는 순간 왼발이 재빨리 지탱한다. 쿵 자작, 쿵 자작. 상체는 그 반동으로 뒤로 반원을 그리며 다시 왼쪽으로 기울어, 병든 오른쪽이 오히려 꼿꼿하고 성한 왼쪽은 찌부러져 보인다. 가끔 아버지는 눈을 들어 앞서 가는 딸을 찾는다. 현숙은 바짓가랑이 스치는 소리가 나도록 종종걸음을 쳐서 마주 오는 사람을 날렵하게 피하고, 병원 유리문을 열고 아버지를 기다린다. 아버지를 내보내고, 유리문을 닫고, 달려가 아버지를 추월하고, 엘리베이터 앞에서 기다린다. 도르르르르르 따단, 따단, 따단. 엘리베이터에 아버지를 먼저 태우고 내리게 하며, 경사진 곳에서는 뒤돌아서서 자칫하면 손을 내밀 태세로 아버지를 바라본다. 그러나 그 표정만은 무섭다.

딸은 입술을 앙 다물었고, 아버지는 노기로 미간이 벌겋다. 어쩔 수 없이 가까워졌다가도 둘 사이의 거리는 탄성을 받은 것처럼 벌어지고, 어떤 경우에도 눈을 마주치지 않는다. 억지로 추는 이인무 같다. 현숙은 자동차 앞좌석에 두툼한 약 보따리를 내던지고 뒷문 손잡이를 잡은 채 허공을 올려다보았고, 아버지가 땅바닥을 노려보며 다가오자 뒷문을 열고 반대 방향으로 고개를 돌렸다. 아버지는 뒷좌석에 엉덩이를 들이밀고 끙, 신음했다.

"한 시간 걸릴 거 네 시간이나 진을 빼고!"

"명절이 가까워서 환자가 몰렸대잖아요!"

현숙은 아버지의 뻗정다리와 지팡이를 차 안에 우겨 넣고 뒷문을 닫았다.

"늦었으니까, 우리가 늦어서 그새 한자가 몰린 거지!"

차 뒤를 돌아가는 딸에게 아버지는 유리창을 통해 항변했다. 소리는 들리지 않아도 딸은 그 말을 알아듣고도 남는다.

"다 그, 그, 그것 때문이잖아요! 그게 누구 찾아 왔는데요?"

운전석에 앉아 문을 닫고 현숙은 쏘아붙였다. 아버지는 무슨 말을 할 듯 아랫입술이 까뒤집어졌으나, 말은 못하고 왼뺨이 실룩거린다.

"대기실에서 왜 아무나 붙잡고 쓸데없는 얘기를 해요?"

싸늘하게 한 번 더 승리를 확인하고 현숙은 차열쇠를 꽂았다.

"같은 한자끼리 아프다는 얘기도 못해? 간 더! 다음브턴 내가 혼자 택시 타고 다닐 거야!"

오물거리던 아버지의 입에서 고함이 터져 나왔다.

"거기 앉으면 뒤가 안 보인데도, 자꾸!"

질세라 현숙은 가속 페달을 밟았다. 왼손을 짚고 몸을 끌어당겨 뒷좌석 가운데 자리잡으려던 아버지는 벌렁 자빠졌고, 턱을 치켜들며 비통하게 외쳤다.

"에그그, 즉어야지. 내가 얼른 즉어야 이 꼴 저 꼴 안 보지!"

명절이 일주일이나 남았는데 대낮부터 차들이 얽힌다. 현숙은 샛길로 돌아가는 꾀를 부리려다 주차 전쟁까지 겹친 시장통에서 오도가도 못하게 되고 말았다. 건널목이 따로 없이 행인들이 개미떼처럼 차들 사이로 길을 건너갔다. 빗속에 이 많은 사람들이 쏟아져 나와 명절 전에 반드시 처리해야만 할 일이 뭘까, 선물을 본인들이 배달하는 것도 아닐 텐데. 덜덜 떠는 앞차 뒤꽁무니를 들이받을 듯 현숙은 차를 밀어붙인다. 은행에 가서 돈부터 찾아둬야 한다는 생각에 가슴이 쥔다.

"……싸안타아르으치이아."

뒷좌석에서 아버지가 흥얼거린다. 어느새 분노를 잊고 아버지는 지팡이 손잡이에 두 손을 포개고, 오가는 사람들 구경하며 노래를 부르고 있다.

"싼 타! 르치아!"

그 노래가 원래 그러므로 아버지는 마무리 부분에서 목을 빼고 성대를 떨었다. 중풍으로 발음이 흐린 탓에 젊을 적처럼 절창은 못 돼도, 안으로 말려들어 입 속에서 울리는 목소리는 나름대로 여운이 길다. 노래가 그치자 작은 메아리가 현숙의 목덜미를 건드리고 지나간 것 같다.

"는, 는동자가 말이야."

파란 우산을 쓰고 간다기보다, 우산에 끌려가는 가냘픈 아가씨를 뒤쫓던 아버지의 눈길은 차 앞유리 위에 붙은 거울로 옮겨왔다.

"는알이 그렇게 포도알처럼 시커멓고, 흰자위가 벌로 없는 사람들이 아든해. 젊은 놈이 사트리는 또 왜 그렇게 심하던지. 앙반은 무슨 앙반? 입만 얼먼 말대답에……."

아버지는 앞거울에 비취는 딸의 얼굴을 보려고 어깨를 기울이며 고개를 꼬았다.

"그 놈이 어디가 좋디? 난 첫인상브터 미윽해보이던데……. 므식한 놈!"

딸에게 묵살 당하자 아버지는 혼자 탄식하며 의자에 기대어 눈을 감았다. 서서히 엉덩이가 미끄러지더니 지팡이는 가랑이 사이에 눕고, 머리가 젖혀져 등받이에 얹혔다. 차는 간신히 강변도로로 접어들었어도, 내나 굴러가기보다는 서 있는 시간이 길다. 현숙은 앞거울로 뒷자리의 아버지를 힐끔거리고 있다.

"아버지!"

토독, 토도독, 빗방울이 경쟁하듯 굵어지며 유리창을 두드린다.

"아빠!"

딸의 목소리가 날카롭게 올라간다.

"어, 이거 일 나는 거 아냐?"

아버지는 눈을 뜨고, 홍수가 걱정되어 잠을 깼다는 듯이 중얼거린다. 세차장의 물살처럼 비가 퍼붓고 있다.

"그 병원에 오는 사람들은 다 이상해!"

한숨쉬며 현숙은 손바닥으로 유리창에 낀 서리를 문질렀다.

"그러니까 신경가 아니나. 이사 얼굴 바봤자 맨날 물어보는 건 똑같고, 므슨 악을 즈는지, 호가가 있는지 없는지도 모르겠그……."

아버지는 지팡이를 세우고 일어나 앉았으나 어깨가 구부정하다. 귀가 먹먹한 빗소리와 물안개 속에서, 두 사람은 자기들의 목소리가 메마르고 허약하다고 느낀다.

"그 집에서는요, 미역국에 가재미를 넣더라구요."

꿀꺽 침을 삼키고 현숙은 앞거울에 눈길을 주었다 거둔다.

"그걸 음식이라고 입에 처넣디?"

지팡이를 쥔 아버지 손에 부르르 힘이 들어간다.

"아빠, 그 집에서는요, 아무 것도 안 넣고 국물도 없이 된장을 졸이더라니까요."

"아에 생댄장을 퍼먹으라 그러지! 는알은 디륵디륵……."

"하! 얼마나 짠대요. 한 입만 떠먹어도 목이 콱 메인다구요."

"그! 쌍놈에 집그석!"

"참, 웃겼어!"

숨을 몰아쉬는 듯한 정적이 있더니, 빗줄기가 반대 차선 너머 강에 쏟아져 내렸다. 강물을 수직으로 내려찍으며 달려가는 빗줄기를 현숙은 눈으로 쫓았다. 강이 번뜩이며 뒤채었다. 맞아, 참을 필요가 없었어. 내가 왜 엉뚱한 입맛에 맞춰 도저히 못 먹을 음식을 만들어야 한단 말인가.

"네가 어쩌다가!"

아버지는 안쓰럽게 딸의 뒤통수를 바라보았고, 딸은 거울을 통해 그러는 아버지를 쳐다보았다.

학교에서 돌아온 막내 동생 현주는 안방을 들여다보고는 혀를 내밀었다.

"윽! 유전자 조작이야!"

"누군지 할 일 되게 없나 보다."

베란다에서 창고를 뒤지다 현숙은 코웃음쳤다.

"이게 그거라며? 목욕이라도 좀 하고 오지."
"내 말이 그 말이야."
"데리고 살아야 돼?"
"얘는!"
"그건데?"
"그거래두."
"그러면, 추석 지나고 팔 거야?"
"그걸? 알아서 가겠지."
"어떻게?"
"몰라. 택시 타고 가든지."
"흥!"
현주는 통통 마루를 울리며 제 방으로 들어갔다. 그러나 잠시 후에 다시 나와 빈 병과 깡통, 우유팩과 신문지를 수북이 끌어내는 현숙을 지켜보았다.
"언니, 혹시 내일 저녁 때 시간 있어?"
"왜?"
"어디 좀 같이 가자구."
"어딜? 하필 이 어수선한 때."
"싫으면 말구."
현주는 등을 돌렸다.
"야!"
"아, 됐어."
현주는 걸어가면서 어깨 너머로 손을 가볍게 흔들었다. 현숙은 때가 탄

고무 장갑을 벗어 던지고 마루로 올라와, 개수대 앞에서 머뭇거리다가 식탁 의자에 앉았다. 개를 안방에서 끌어내 베란다에 몰아넣으려면 창고에서 차례 지낼 교자상부터 끌어내야 하고, 그러려면 재활용품부터 정리해서 내놓아야 하고, 가끔 아버지가 혼자 외출할 때 부축을 해주는 경비 아저씨한테 명절 인사도 해야 하고, 대청소를 하고 본격적으로 장을 봐야 한다. 우선 저녁밥을 지어야 한다. 무엇부터 해야 할지 정신이 없다. 개밥도 주어야 한다.

"참!"

현숙은 일어나 작은방 문을 열었다. 현주는 침대에 엎드려 귀에 이어폰을 꽂고 음악을 듣고 있다.

"어딜 가자는 거야?"

"어디겠어?"

현주가 베개에 대고 말했다.

"이게? 너 어디 아프니?"

"응. 어디겠냐구."

현주의 귀에서 하드 록이 깡깡 새나왔다.

"그거 안 꺼?"

현숙은 이불을 걷어 젖혔다.

"문 닫아, 아빠가 들을라."

현주는 씨디 플레이어를 끄고 일어나 이어폰을 빼고 무릎을 끌어안았다. 눈자위가 불그레하다.

"정말 아픈 거야?"

현숙은 놀랐다.

"꼭 내 입으로 말해야 돼?"

"너, 설마!"

현숙은 등뒤로 문을 닫고 속삭였다.

"암은 아니야."

현주는 애써 미소지었다. 어머니가 골수암으로 죽은 뒤로 언니는 암 공포증에 걸려, 다이옥신이 나온다고 플라스틱 국자도 안 쓴다.

"그럼 뭐? 아이구, 내 팔자야!"

암이 아니라는데도 언니 얼굴은 팍 구겨진다.

"병원에서 보호자가 없으면 안 된대. 그 아줌마랑 가기는 싫구."

뺨을 무릎에 누르며 현주는 발가락 사이를 손으로 쑤셨다.

"무슨 아줌마?"

"무슨 아줌마긴? 남자애 엄마지."

"이게 지금 무슨 얘기야?"

현숙은 다리가 떨렸다.

"별 거 아니야. 남자애 엄마랑 가서 싹 하고 와서 자기 엄마는 모르는 애들도 많아."

"너 지금, 장난치는 거, 맞지?"

현숙이 눈썹을 치켜올렸다.

"흥!"

"아!"

현숙은 동생 옆에 털썩 내려앉았다.

"금요일날 하려고 했는데, 그러면 토요일부터 추석 연휴니까 결석 안 해도 되잖아. 연휴 전날은 환자가 많아서 안 된다는 거야. 내일 수업 끝나고 하면 금요일은 결석하는 수밖에 없으니까, 언니가 학교에 전화해 줘야 해. 출석 점수 깎이면 안 돼. 병원비는 걱정 마. 그 아줌마한테 받았어."

"그 돈을 받았다구?"

"왜 안 받아?"

현주는 어깨를 으쓱했다.

"그게 어째 별 일이 아니냐?"

현숙은 손바닥으로 얼굴을 쓸었다.

"오빠한테 절대 말하지 마."

"엄마가 이 꼴을 안 봐서 다행이다."

"언니가 이혼하는 걸 안 본 게 다행이지."

"교복 입고 여관 들어갔니?"

현숙은 이를 악물었다.

"가기 싫으면 관둬. 그 아줌마랑 갈 테니."

현주는 이어폰을 귓구멍에 쑤셔 넣었다.

하아, 하아, 개는 야수처럼 입김을 내뿜었다. 대야에 떠다준 물을 물어 삼키듯 학, 학 들이키는데 반은 대야 밖으로 튀었다. 또 다른 대야에 가득한 밥도 학, 학, 학 세 번쯤에 없어진다. 억세게 맞다물리는 큼지막한 이빨들 사이에 사람 손이라도 끼였다간 으스러져 버릴 것이다. 방바닥에 떨어진 밥알을 아쉽게 핥아먹고, 개는 시뻘건 혀를 내두르고 다리 근육을 욱실거리며 돌아섰다. 문을 등지고 선 현숙은 오금이 저린다. 어제 밤에도 개를 끌어내려고 안방에 들어왔다가, 드러누웠던 개가 앞발을 세우며 일어나는 기세에 질려 뒷걸음질로 나갔다. 그 탓에 동철이 방에서 잔 아버지는 온몸이 결린다며, 오늘은 반드시 안방 자기 침대를 탈환해야 한다고 하루 종일 성화였다. 등뒤에 숨겼던 빨랫줄을 현숙은 양손에 단단히 쥐었다. 개는 자세를 낮추며 눈을 희번덕거렸다. 아버지는 문간에서 소리만 질러댄다.

"거기 서! 가만 있어! 꼼짝 마!"

"착해! 아이 착해!"

간사하게 어르며 현숙은 다가갔다. 개는 어슬렁 빠져나가 현숙의 엉덩이에 주둥이를 들이대고 킁킁거린다. 현숙이 돌아서자 개는 다시 뒤에 있다. 개와 사람은 빙빙 돌았고, 개를 쫓아다니는 한 사람은 결코 개를 붙잡을 수가 없다. 개가 스스로 다가오도록 현숙은 쪼그려 앉았고, 개가 만족할 만큼 냄새를 맡을 때까지 엉덩이를 맡긴 채 치욕에 떨었다. 그런 후에야 개는 제 머리를 쓰다듬도록 오만하게 허락했다. 현숙이 목에 줄을 감자 개는 움찔했으나 고개를 떨구고, 현숙을 물어 버리고 싶은 본능을 억누르느라 부들부들 떨었다. 아버지가 문간에서 맴을 돌았다.

"이리, 이리로!"

"이뻐! 너무 이뻐!"

개는 안방 문턱을 넘으려다 마루에 따닥 부딪치는 제 발톱 소리에 놀라 현숙을 돌아보았다. 격려에 힘입어 마침내 마루로 진출했는데, 따닥 따닥 늠름하게 베란다가 아닌 부엌으로 향했다. 현숙은 질질 끌려갔다. 하아, 하아, 입김을 내뿜으며 개는 식탁 의자와 개수대를 두루 냄새 맡고 핥아보기도 했다. 길게 늘어진 혀끝으로 침을 뚝뚝 흘리고, 수컷의 버릇인지 지나간 자리에 오줌을 질금질금 남겨 놓았다. 병원에 다녀온 현주가 누워 있는 작은방 앞에서 개는 마치 피 냄새라도 맡은 듯 유난히 코를 실룩거렸다. 현숙은 폭발했다.

"이걸 확! 대갈통을 갈겨버릴라!"

그러거나 말거나 개는 마루를 섭렵했고, 더 이상 탐사할 데가 없어 베란다로 나갔다. 개를 안방에서 끌어내기 전에 방방이 문을 닫아둔 게 다행이었다. 화분 틈새에 주둥이를 들이밀고 사람은 알 수 없는 무언가에 도취해 있다가, 그동안 자신이 난간에 묶였음을 깨닫고 개는 낑낑대기 시작했다. 뜻밖에 그 소리는 가늘고 애처로웠다. 현숙은 손을 털며 외쳤다.

"넌 이제 죽었어! 개새끼까지 사람 무시하고 말이야!"

"역시 대 잇는 자손을 알아보고 물지는 않네!"

아버지가 개를 흘겨보며 요염한 미소를 흘렸다. 대 잇는 자손이라니, 자기다. 개와 씨름한 딸이 아니라, 개가 마루를 누비는 동안 벽에 달라붙어 찍 소리도 안 했던 자기를 개가 안 물어서 기특하다는 얘기다. 현숙은 개보다 아버지가 더 가증스럽다.

개발자국과 개털이 낭자한 안방은 표백제 섞어 세 번은 닦고, 이불은 다 빨아야 한다. 개밥그릇이 있던 자리에는 침이 본드처럼 말라붙어 있어 세 번으로도 안 된다. 현숙이 안방에서 이불을 들고 나와 세탁기가 있는 다용도실로 가면 개도 목줄을 잡아당기며 그쪽으로 움직이고, 현숙이 다용도실에서 걸레 들고 안방으로 가면 안방 쪽으로 돌아섰다. 끈에 스친 베란다 바닥이 부채꼴로 깨끗해졌다. 묶여 있지 않다면 개는 현숙을 따라다녔을 것이다. 엊저녁부터 밥을 갖다 준 사람에게 잘 보여야 뭐라도 얻어먹을 수 있다고 생각하는 모양이다.

"이게, 백 살은 안 돼 보이고."

엎드려 마루를 걸레질하다 보니 눈앞에 시커먼 개코가 있다. 개는 현숙의 손 밑에서 왔다갔다 하는 걸레를 잡으려고 유리문에 주둥이를 들이대고 있다. 현숙이 손등으로 유리를 두드리자 개는 꼬리를 흔들며 달려들어, 유리문에 콧물이 튀고 나비 무늬로 콧김이 찍혔다.

"몇대 조상인지 알 스가 있나? 백 살인지, 이 백 살인지."

소파에 앉아 텔레비전을 보던 아버지가 개의 나이를 짐작해 보려고 고개를 갸웃거린다.

"아뇨, 덩치는 커도 아주 어린 것 같아. 한 살? 두 살?"

"저, 저!"

아버지는 인상 쓰며 텔레비전으로 눈을 돌렸다. 개는 화분에 뒷다리 하나 걸치고 출출 오줌을 갈기고 있다. 그리고 점잖게 눈을 끔벅이며 건강한 노란색 똥을 한 바가지나 쌌다. 볼 일을 다 본 후에 뒤돌아 서서 냄새를 맡고, 오줌 묻은 앞발을 까탈스럽게 털고, 더 이상 미련 없이 떠나려 했으나 줄이 짧다. 개가 앉을 자리를 가린다는 걸 현숙은 알아챘고, 그걸 알아채 줄 인간이 이 집안에 더는 없으므로 무릎을 짚고 꽁알대며 일어섰다.

"아이구, 내 팔자야."

베란다에 물 틀어 더러운 것들을 치우고, 축축하지 않게 신문지를 깔아주는 동안 개가 자꾸 몸을 부딪쳐 왔다. 놀자고 그러건만 현숙은 다리에 만만찮은 충격을 느꼈다. 생각해 보면 고작 여자 한 명한테 쫓기고 묶이면서 한 번도 으르렁대지 않았으니 신사적인 놈이다. 웬만한 남자보다 낫다. 현숙은 이 집안의 대 이을 자손도 못 되니, 개는 역시 밥 때문에 참

았겠지만. 현숙이 머리를 쓰다듬을 때마다 개는 몸을 앞으로 기울이며, 주둥이를 밑에서부터 위로 천천히 치켜올린다. 사람 손과의 접촉을 극대화하려는 효율적인 동작이다. 쏘오쏘오, 빈 물총을 쏘는 듯한 개의 서늘한 숨결에 현숙은 귀가 간지럽다. 그렇게 좋을까. 너무나 감미로워 개는 눈이 가물거리고, 뱃구레에서 뻘겋고 물기 번질거리는 고추가 주책없이 솟아오르고 있다.

"이게 어디서 왔어, 이게!"

현숙은 개의 목덜미를 두 손으로 쥐고 흔들었다.

"이 똥싸개! 더러운 놈! 먹는 것밖에 모르는 멍청한 자식!"

욕을 얻어먹을수록 개는 기쁘게 고개를 꺼떡거리며, 더 해달라고 앞발로 바닥을 긁는다.

"바보! 손!"

현숙은 오른손을 벌렸다. 걸레를 빨아 말갛던 손바닥이 개털로 뒤덮여 있다. 개는 앞발을 내미는 게 아니라, 그 손을 씻어주려는 듯이 넓적하고 얄팍한 혀로 손가락 틈새까지 순식간에 핥아버렸다.

"아니, 이렇게."

현숙은 왼손으로 개의 앞발을 들어 자신의 오른손에 올려놓았다. 손아귀에 든 개의 앞발은 딱 악수하기 좋은 크기로, 가볍게 굽어진 관절이 귀부인이 손을 내민 그 각도다.

"다시, 손!"

개는 또 혀로 현숙의 손을 핥았다.

"손! 바보야!"

사람과 개는 어리석은 짓을 반복했다. 바둑알 같은 개의 발가락 마디마

디와, 앙증맞게 올라붙은 새끼발가락과, 발톱을 덮은 긴 장식털을 만지작거리면서, 현숙은 피가 맺히도록 입술을 물어뜯고 있다. 수술실로 들어가던 막내 동생의 뒷모습은 작달막했고 부옇게 흐려지는 회상 속에서 점점 더 작아져, 아장아장 걸어가는 어린애가 되었다.

산부인과도 만원이었다. 병원은 전당포처럼 은근슬쩍 들어갔다 나올 수 있는 곳이 아니다. 현주가 들어서자 자랑스럽게 배를 내민 임산부들이 돌아보았다. 얼굴을 가리려고 동생이 눌러쓴 야구모자 때문에 더 그런 것 같았다. 수술은 늦어졌고 현주는 복도에서 서성이다가, 거기서도 지나가는 사람들의 눈길을 견디지 못해 화장실에 들어가 오래 앉아 있었다. 간호사의 지시에 따라 속옷까지 다 벗고 얇은 가운 하나 걸치고 나서도, 현주는 수술실 앞에서 반 시간은 떨며 기다려야 했다. 알 거 다 아는 애들은 오히려 이런 일이 없는데, 어리숙한 모범생들이 실수를 한다는 여의사의 위로는 도움이 되지 않았다. 자기 딸이 이 지경이라면 모범생이란 말은 차마 안 나왔을 것이다. 뺨이라도 맞은 것 마냥 현주는 턱을 떨며 외면했다. 수술실 문이 열리고 수많은 여자들의 엉덩이에 닳아 가운데가 허옇게 바랜 수술대와, 그 양쪽에 차갑게 서 있는 금속제 다리받침이 보였을 때, 현주는 처음으로 언니의 팔에 두 손을 감고 울상을 지었다. 간호사는 다리받침 사이에 나이트 클럽 광고지를 깔고 현주더러 그 위에 누우라고 손짓했다. 문이 닫혔다. 닫힌 문 너머에서 숫자를 세라는 말소리가 들렸다.

"하나, 둘, 엄마!"

셋 대신 엄마를 희미하게 부르고 현주는 더 이상 세지 못했다. 기구를 달그락거리는 소리가 났다. 언젠가 투정을 부리는 현주에게 '난 언니지네 엄마가 아냐!' 라고 쏘아붙인 기억이 현숙의 가슴을 쑤시고 후벼팠다. '누가 언니더러 집에 다시 들어오래? 밥 좀 해준다고 유세 떨지 마!' 현주의 말대꾸는 거기 뿌린 소금처럼 쓰리고 아렸다. 어머니가 살아 있었다면 동생이 이렇게 됐을까. 결혼했다고 현숙이 달라지지는 않은 것 같은데 친정은 변했다. 이혼하고 돌아왔을 때, 원래부터 자식은 동철과 현주 둘뿐이었던 것처럼 이 집안에 또 다른 자식은 필요하지 않았다. 중풍 걸린 아버지에게는 아내가, 남동생에게 식모가, 막내에게는 엄마가 있어야 했다. 현숙이 그 무엇도 아니라서 다들 불편한 것 같았다.

회복실에서 링거를 다 맞기도 전에 현주는 병원을 나가고 싶어했다. 고개를 푹 숙이고 비칠대며 대기실 소파에 가득 찬 여자들을 뚫고 나와야 했다. 하나밖에 없는 의사가 수술하는 동안 진료가 미뤄져 짜증스럽기도 하거니와, 자기들은 저런 타락한 계집애하고는 다르다는 우월감에 여자들의 눈초리, 입꼬리가 수선스러웠다. 입 속에 해바라기 씨를 잔뜩 저장한 원숭이들 같았다. 현숙은 애먼 천장의 형광등을 향해 눈살을 찌푸렸다. 정전이라도 되었으면 싶었다. 오른 팔에 매달린 내 동생, 흰 종이도 아니고 나이트 클럽 광고지에 피를 쏟고 나온 철부지를 아무도 쳐다볼 수 없도록. 너희들도 내 동생과 똑같은 짓을 해서 여기 와 앉아 있는 주제에 뭐 그리 떳떳한가. 우리 아이는 어쩌다 실수했지만 너희들은 밤마다 그 짓을 하고 있지 않느냐, 그러려고 공개적으로 도장까지 받지 않았느냐. 주례 허락 맡았다고 교접의 노골적인 증거, 터질 듯한 배를 감히 내밀고 다녀도 된단 말인가. 젖소처럼 늘어진 유방, 정맥이 시퍼렇게 불거진 가슴팍, 뱀껍질처럼 튼 종아리, 임신 중독으로 땀구멍 숭숭 벌어진

부석한 얼굴. 인간이 어떻게 저토록 추해질 수가 있을까.

"앞으로 햄버거 먹지 마!"

차 안에서 둘이 되자마자 현숙은 동생에게 선언했다.

"그게 무슨 상관이야! 알지도 못하면서."

현주는 이 모든 일이 언니 탓이라는 듯이 주먹을 부르쥐고 고개를 저었다.

"대학 가도 술 먹지 말고, 담배도 피우지 말고, 몸에 나쁜 건 하나도, 하나도 하지 마!"

"미치겠어, 내가 언니 때문에 미치겠어!"

차가 주차장을 빠져나가려는 순간, 현주는 차 문을 열고 허리를 꺾어 노란 위액을 토했다. 그 아이와 산부인과 간판을 내려다보고 올려다보며 지나가는 행인들, 수치스러운 수술을 받은 동생을 두지 않은 모든 사람들이 적이었다. 길 건너 마주 보이는 건물이 왜 무너지지 않는지 현숙은 이해할 수 없었다. 또 그 옆의 빌딩은. 우리가 저기 더 이상 없는데. 다시는 저 당당하고 바람직한 세계로 돌아갈 수 없는데. 어린 자궁에는 칼자국 나고, 야구 모자 쓴 머리통 속에는 죄 짓고 멸시당한 기억이 얼룩졌는데. 이혼했을 때 현숙의 기분이 바로 이랬다. 인생에 팍삭 금이 가버린 것 같았다. 언니였으므로, 현숙의 도덕관은 간단히 뒤집어졌다. 이런 살인적인 교육제도 밑에서 방황도 안 하는 애들은 머저리야. 우리 아이가 비정상이라면, 정상적인 게 이상한 거야. 이 불공평한 세상에서 흠집 하나 없는 게 더 나빠. 우리가 맞고, 남들이 다 틀렸어.

고모는 김치통을 들고 왔다. 고모의 손에 들린 묵직한 보자기와 거기 번진 김치 국물을 보고서야 비로소, 현숙은 명절 준비로 무엇보다 먼저 김치를 담가야 했다는 걸 깨달았다. 고모는 이럴 줄 알고 김치를 담가왔을 것이다.

"보자 보자 했더니 이젠 아주 가관이네!"

김치통을 현숙에게 넘겨주고, 고모는 베란다에서 꼬리를 흔드는 개를 향해 오만상을 찌푸렸다.

"느님, 왔스? 저녁 잡사아지? 으린 방금 먹었는데."

아버지는 엉덩이를 들썩이는 체했다.

"이러니까 내가 진작부터 교회들 나가자고 했잖아!"

고모는 신발을 벗어 팽개치고, 한 손으로 이마를 짚고 다른 손은 옆으로 저으며 마루를 가로질렀다.

"공해가 심해서 그런지, 아니면 엘니노 현상 때믄인지, 다른 집에도 이렇다던데."

"누구네? 다른 집에도 저런 짐승 마귀가 왔대?"

고모는 손가락에 힘을 주어 개를 가리켰다. 저를 좋아하지 않는 줄 알고 개는 슬그머니 꼬리를 내리고 돌아앉아, 사타구니를 핥기 시작했다.

"으리 친그 아는 사람 집에."

"말세긴 말세다!"

그러면서도 고모는 이 집안에만 이런 일이 생긴 게 아니라서 안심하는 기색이다. 겉옷을 벗고 소매를 걷으며 부엌으로 왔다.

"반찬 내놓지 마, 이 와중에 밥이 넘어가게 생겼어? 온 김에 송편이나 같이 빚든지 말든지. 하다 하다 이젠 짐승 마귀한테까지 송편 빚어 바쳐야 돼?"

기독교인인 고모는 조상의 영혼은 천국에 평안히 머물고 있으므로 제사 때 오지 않는다고 주장했다. 아니, 솔직히 이 집안 조상들은 여호와를 믿지 않았으므로 모조리 지옥에 갔겠지만 어쨌든 올 수가 없다. 제사 때 찾아와서 절과 음식을 받아먹는 것은 조상이 아니라 불타 죽고 물에 빠져 죽은 원혼들, 제삿밥에 머리카락 좀 들어갔다고 구렁이를 보내고 종손을 화로에 빠뜨리는 심사 비비틀린 잡귀, 사람에 대한 악의와 저주에 이글거리는 잡신들이라는 것이다. 제사는 집안에 마귀를 불러들이는, 절대로 해서는 안 되는 짓이라고 했다.

"저게 그래도 손은 잘 줘요."

현숙은 불퉁하다. 삶은 토란, 데친 고사리, 물 잘 내린 쌀가루, 돈으로야 얼마 안 돼도 손이 많이 가는 재료들을 다듬어온 고모의 정성은 눈물겹다. 마귀는 싫건만 혼자 허둥댈 큰조카가 안쓰러워, 고모는 명절 때마다 제수거리를 싸들고 오지 않고는 못 배긴다. 그러나 지난 여름 현숙의 재혼 자리로 애 딸린 홀아비를 중매하려다 미운 털이 박혔다. 고모가 조카를 결혼시키려던 홀아비는 마흔 아홉, 그 조카의 아버지보다 고작 아홉 살 젊었다.

"미역국을 왜 이렇게 한 솥 끓여놨어? 추석날 미역국 먹을 거야?"

제 집처럼 냉장고 뒤져 통깨를 찾아내고, 현주 먹일 미역국 국솥까지 열어보며 고모는 부산을 떨었다. 현주는 인사 꾸벅 하는 것마저 싫어 방에 틀어박혀 있을 작정인 것 같다. 화장실 가고 싶어도 참겠거니 생각하니 현숙은 속이 탄다. 송편이야 반 근쯤 사다먹으면 될 걸 일을 벌이는 고모가 원망스럽기까지 하다. 개가 현주 방 앞에서 킁킁할 때보다 지금 나이든 여자의 직감이 몇 배나 더 위협적이다. 고모가 이 집안에서 꼭 무슨 냄새를 맡아내고야 말 것만 같다.

"여자는 한 살을 더 먹을수록 불리해지는 거야. 너 다 늙을 때까지 아버지 병구완이나 하고 있을래? 이 한창 때, 응?"

아파트 단지 앞에서 샀다는, 송편 속으로 넣을 풋콩을 식탁에 펼치고, 물 한 잔까지 옆에 놓고 앉아 고모는 너스레를 떨 태세를 갖추었다. 고모의 너스레는 뻔하다.

"네가 집안 일을 다 해주니까 동철이가 장가갈 생각을 안 하잖아. 걔는 삼대 독자가 책임감이 너무 없어. 어서 빨리 결혼해서 제가 아버지를 모셔야지, 왜 누나를 희생시켜? 나중에 너 노후대책 마련해 준다던? 너만 낙동강 오리알 돼. 네가 먼저 너 살 궁리를 해야 이 집안 식구들이 정신을 차려. 다 큰 자식들이 시집 장가 안 가고 모여 살면 대체 어쩌겠다는 거야? 이건 어디까지나 임시지, 가정도 아냐!"

엄지손가락으로 콩알을 훑어내고 고모는 화풀이하듯 콩깍지를 비닐봉지에 던져 넣었다. 노 골. 개수대 아랫칸에서 스텐레스 양푼들이 무너져 내렸다. 현숙은 아랫칸 깊숙한 데서 절구를 끄집어내고 양푼들을 처넣었다. 텔레비전을 보는 남동생에게 힐끔 경계의 눈초리를 쏘고는, 고모는 근엄하게 말을 이었다.

"내년에 현주가 고등학교 삼 학년이 되니까 그때까지는 네가 입시 뒷바라지해 준다고 치고, 후년부터는 동철이더러 알아서 하라 그래. 같이 살면서 아버지를 모시든지, 아니면 근처에서 들락거리면서 사람을 쓰든지, 며느리가 들어와서 할 일이야. 이 자그마한 아파트나마 동철이 이름으로 해놓고 나서 니네 아버지 재혼을 생각해 보든지 해야지, 잘못하면 다 뺏겨. 연금이야 준다 쳐도. 네가 버티고 있으면 며느리건 아버지 재혼

상대건 어떤 여자가 이 집안에 들어오겠니?"

고모의 신앙은 하나님이고, 신념은 이 아파트만큼은 이 집안의 대를 이을 동철이가 당연히 물려받아야 한다는 것이다. 입만 열면 동철이를 욕하는 것 같아도, 장차 오갈 데 없는 누나를 동철이가 떠맡게 될까 봐 고모는 벌써부터 안달이다. 아들 없는 고모는 동철이를 어렸을 때부터 싸고돌았건만, 그 자식은 아직도 고모한테 전화 한 통 할 줄 모른다.

"네가 이렇게 집구석에만 처박혀 있으니 어디 연애할 기회라도 있겠어? 넌 어째 남자 소개시켜 주는 친구도 하나 없니? 이래서 내가 우리 교회에 나오라는 거야. 일주일에 한 번이라도 와서 젊은 사람들이랑 교제도 좀 하고, 장로님이랑 권사님이랑 좋은 집안에 연줄 있는 분들이 많아. 재혼은 기독교인하고 해야 제사니 뭐니, 이런 마귀 섬기는 더러운 꼴을 안 본다."

"일주일에 한 번? 아이구, 일 년에 몇 번 제사를 지내고 말지. 고모는?"

절구에 통깨를 찧다가 현숙은 어깨 너머로 고모를 흘겨보았다. 재혼하기 위해 엉뚱한 데 가서 얼쩡거리느니 평생 수절하고 말지. 기독교 집안에서는 제사 안 지낸다고 고부간의 갈등 없고, 아들 딸 차별 없을까. 제사 음식 안 해도, 그러면 명절 때 평소처럼 밥하고 김치 먹을 수 있겠나. 뭐라도 지지고 볶겠지.

"어머머, 얘 좀 봐. 그게 횟수로 따질 일이니? 창조주 하나님 섬기는 거 하고 마귀한테 절하는 거하고 어떻게 같아?"

고모는 콩깍지를 치켜들고 방어에 임했다.

"뭐 그렇게 달라요? 교회에도 여자 목사 없다면서요? 여자는 교회에서 조용히 하라고, 성경에 나와 있다며요?"

"그게 뭐 어때서? 겉만 보지 말고 내용을 봐야지, 넌 사소한 걸 갖고 거부감을 가져. 그러니까 세상 살기가 힘든 거야. 여자는 원래 아담의 갈비뼈요, 남자를 보조하게 돼 있어. 남자는 우두머리가 되는 만큼 책임도 큰 거야. 그게 순리야! 영혼이 구원받았으면 됐지, 형식이 뭐가 중요해? 너야말로 그런 것까지 따지는 애가 여자는 끼워주지도 않는 제사는 어떻게 지내니?"

"제사야 전통이니까 어쩔 수 없이 한다 쳐도, 교회는 자기가 좋아서 나가는 거잖아요? 제사건 예배건 여자는 들러리인데, 끼워 줘봤자 나 하나도 안 반가워요."

예전에 아버지가 어디서 무슨 얘기를 들었는지 갑자기 아량 있는 미소를 지으며 딸들더러도 제상에 절을 올리라고 한 적이 있다. 현숙이 몸을 빼자 현주도 덩달아 비죽거렸다. 할아버지, 아버지, 동철이로 이어지는, 아버지와 아들들의 행사에 딸들이 엑스트라로 출연하기는 싫었다. 자기들끼리 하시지. 예배는 매주 교회에 나가 엑스트라 하는 거 아닐까. 기독교 신앙의 계보라는 것도 아버지가 아들을 낳았다고 줄줄이 이어진다니, 우리나라 족보하고 똑같다. 제사는 제상만 차려주면 그만이지만 예배는 남자들의 행사에 여자가 절까지 해야 하는 셈이고, 기분 나쁘다면 더 나쁠 수도 있다.

"제사가 어째 전통이야? 악습이지. 우리 땐 제사지내느라 골 빠지다가 죽은 사람들도 있어. 살기도 힘들어 죽겠는데 죽은 조상 떠받들게 생겼어? 죽은 조상 무서워 산 사람들까지 못 살아야 조상들 속이 시원하겠어?"

"요새 누가 죽은 조상 무서워 제사 지내요? 교회에서까지 여자 차별하는 거, 그건 악습 아니에요?"

"그게 형식이고, 진짜 내용은 구원이래도, 얘는 자꾸?"

"제사도 내용이야 나쁠 거 없죠. 집안이 화목하자는 건데."

"세상에 옳고 그른 게 없니? 성인들이 순교는 왜 하니? 우리 주기철 목사님은 일제의 신사참배 반대하다 순교까지 당하셨어! 이 땅에 기독교가 들어올 때 여순교자가 남자보다 더 많이 나왔어! "

"신사 참배하고 제사하고 어떻게 같아요?"

"뭐가 달라? 여자 입장에서는 제사나 신사참배나 마찬가지지. 네가 시집가서 정상적으로 살았으면 너를 낳아준 조상들은 버리고, 피 한 방울 섞이지 않은 시댁 조상 섬겨야 하잖아? 안 그래?"

"형식은 안 중요하다면서요? 기독교 족보에도 오르지 못할 걸, 여자들이 왜 순교했대요?"

"넌 니네 외가 쪽 제사 지내주니? 너 그런 게 정 궁금하면 나랑 같이 금요일 교리 공부 시간에 나가자! 욕을 해도 알고나 해야 할 거 아냐?"

"친구 만날 새도 없는 줄 뻔히 알면서, 고모는!"

벌어지는 개수대 문짝을 현숙은 무릎으로 눌렀다. 왜 우리 집에 와서 참견이야, 말이 입 속에서 걸기적거린다. 현숙이 이 집안에서 나가야 할 사람이라면 고모는 이미 나간 사람이다. 남의 식구다. 작년 추석 때도 고모는 괜히 와서 하필 몇 개 있지도 않은 플라스틱 양푼을 찾아내어, 다이옥신을 두려워하지 않고 뜨거운 물 붓고 송편 익반죽을 해서 현숙을 질겁하게 만들었다.

"통깨 그렇게 으깨지 마! 송편에 넣을 걸 깨소금 만드니? 넌 왜 내 말이라면 무조건 무시해? 다른 사람도 아니고, 집안 어른이 말하는데. 네 아버지만 어른이냐? 나도 어른이다. 남녀 평등이라면서, 왜 여자 어른은 천대해?"

목소리가 뭉툭해지면서 고모는 트집을 잡기 시작했다.

"내가 언제 그랬다구, 고모는?"

현숙은 절구 벽에 붙은 통깨까지 공이로 드르륵 터뜨려 버렸다.

"다 널 위해서 내가 이러는 거야! 나도 딸자식 가진 사람인데 너만 생각하면 가슴이 아파."

퍼렇게 콩물 든 손으로 고모는 기어이 눈물을 찍어냈다.

"아이 참, 고모!"

제사를 물려받아야 할 동철이, 자식 셋 중에 항렬에 맞는 이름을 가진 단 한 명이 몇 세대만 지나면 제사 따위는 저절로 없어질 거라고 노래를 부르는 판국이니, 이 집안은 조만간 그렇게 될지도 모른다. 그렇다 해도 현숙은 좋지도 싫지도 않고 상관 안 한다. 동철이는 이 집안에서 도망가고 싶어서 주리가 틀려도 도망갈 수 없는 아들이고, 현숙은 다른 집이라면 몰라도 이 집 사람만은 절대로 될 수 없는 딸이니까. 그러나 아버지가 죽어 동철이가 가장이 되기 전까지는, 여기는 우리 집, 내 식구, 내 아버지다. 아버지가 살아 있는 한 그 누구도 이 집안을 털끝만치도 바꿀 수 없다.

"시끄러! 네 엄마 살아 있었으면, 너 이렇게 안 놔뒀어."

고모가 어떤 표정일지 알고 있기 때문에 현숙은 돌아서서 고모를 쳐다보고 싶지가 않다. 고모를 달래려고 돌아섰다가는 개수대 아랫칸이 벌어져 그릇들이 쏟아질 테니. 고모한테는 냄새가 난다. 청승에 찌든 늙은 여자의 쉰 냄새, 이 집 식구와는 다른 식성과 습관을 가진 타인의 체취. 일찍 남편을 잃고 딸만 셋을 기른 고모는 기독교 집안에 시집간 딸들의 감화를 받아, 또 제사 물려줄 자손 없다는 서러움을 잊기 위해 기독교 신자가 되었다. 그러나 기독교를 믿는 딸들도 명절에는 시댁에 가야 할 테니, 고모는 명절 날 아침 혼자 제사 대신 추도예배를 드리며, 아마 눈물을 찍어낼 것이다.

추석 연휴가 시작되었다. 똥과 오줌, 그리고 피의 명절이다. 아버지는 목욕을 못해서 지린내를 풍기고, 현주는 작은 방에서 산모용 기저귀에 피를 흘리고, 개는 거무튀튀한 설사를 세 군데나 해놓았다. 단단히 탈이 나서 개는 신문지 위에 길게 누워, 밥은 쳐다보지도 않고 사람에 대한 예의로 꼬리만 겨우 들었다 놓는다. 텔레비전 바로 옆에다 일을 저지른 데 역정이 나서 아버지는 지팡이로 유리문을 두드리며 개를 놀라게 했다.

"에이, 재스 옴 붙었다. 에이, 집안에 망조 들었어. 넌 니 애비 약은 제때 안 챙기면서 개는 어지간히 챙기는그나. 나더! 요새 애안동물이 하도 유행하니까 기신들까지 짐승 탈을 쓰는 거야. 보통 짐승이 아닌데 벙으로 즉겠니?"

아파트 상가 전화번호 책에서 동물병원을 찾는 현숙한테까지 아버지는 시비를 걸었다. 요 며칠 딸이 제대로 수발을 들지 않는다고 불만이다.

"누구 탓에 이 난린데? 저게 현주 때문에 왔겠어요, 나 때문에 왔겠어요? 대 잇는 자손, 아버지 찾아 왔잖아요?"

전화번호 책으로 개를 삿대질하며 현숙은 분통을 터뜨렸다.

"으리 조상인지 아닌지 알 게 머아? 으리 산소는 망으리도 아니잖아?

어디서 족보 없는 기신이 밥이나 얻어 먹으려고 기어 들어아 갖고."

"그래도 똥개는 아니라니까요. 털 색깔은 시베리안 허스키 비슷한데, 윗입술이 처지고 코가 뭉툭한 걸로 봐서는 리트리버가 섞인 것도 같고."

목을 움츠리고 눈치를 보다가, 힘겹게 몸을 일으켜 난간 쪽으로 돌아앉는 개가 현숙은 가엾어진다. 쪼그려 앉아 손을 내미니, 개는 자기를 용서해달라고 까칠한 혀로 손등을 핥는다. 난간에 묶여 있던 개가 무슨 잘못이 있나, 사람 탓이지. 엊그제 먹다 남은 김치찌개까지 밥에 벌겋게 비벼준 게 잘못이지 싶다. 양념 순한 제삿밥만 먹어온 개한테는 산 사람들의 음식이 너무 맵고 짰을 게다. 진작부터 제삿밥을 지어줘야 했다.

"즉든지 살든지 얼른 없어져야지, 멍절 두 번만 왔다간 생사람 잡겠어! 너 머라 그랬니?"

"리트리버."

"아니, 스퍼에 머 사러 간다 그랬어?"

"과일, 조기, 전 부칠 거하고 국거리 양지머리……. "

"너 혼자 가서 조긴지 브선지 븐간이나 하겠어?"

"안 돼요! 요새 슈퍼가 얼마나 미어터지는데!"

현숙이 손을 들어 앞을 막았다.

"글쎄, 네가 고사리인지 고비 나믈인지나 알겠나그."

"고사리 있는데! 얼마나 또 나를 힘들게 하려구!"

현숙의 얼굴이 쥐어짜듯 일그러졌다.

"힘들긴 머가 힘들어? 내가 언제 너 힘들게 한 적 있어?"

아버지는 한 번도 딸을 힘들게 하지 않았던 것처럼 눈을 부라렸다. 혼자 다니기는 불편하고 집에만 있으면 갑갑하니까, 아버지는 딸이 나가면 기어코 따라나가려 했다. 그러나 저 냄새에 저 몰골로 나갔다가는 또 자식 욕 먹인다. 그제는 현주하고 병원에 다녀오느라 진이 빠져서, 엊저녁에는 고모하고 송편 빚느라고 아버지 목욕을 미룬 탓이다. 입씨름 끝에 아버지가 또 이겼다. 아버지는 외출할 기회만은 양보 안 한다. 목욕을 해야 데리고 나가겠다는 딸의 조건을 기꺼이 받아들여, 욕조에 물 틀러 신나게 갔다.

협박자가 사라지자 개가 슬며시 현숙의 무릎에 머리를 얹었다. 꽤 묵직하다. 서글프게 끔적이는 눈에 말로 못하는 고통이 일렁이고, 콧등은 말라 만지면 자잘한 알갱이가 부스러질 듯하며, 귓불에 와 닿는 숨결도 가늘고 미지근하다. 아파서 어떻게 돌아갈래, 현숙은 가슴이 저린다. 털이 이렇게 긴 걸 보면 추운 데서 왔을 텐데, 이 꼴로 돌아가면 먹을 거나 찾아먹을까. 덩치는 산만한 게 하는 짓은 꼭 아기, 젖먹이 같아.

뭐, 어때. 현숙은 개를 끌어안았다. 흰 옷 입은 할아버지보다는 이 개가 낫다. 위세 안 떨고 잔소리 못 한다. 족보 없으면 어때, 예쁘기만 한데. 어떻게 죽은 사람이 상머리에 빳빳하게 앉아 예법대로 하나 안 하나 감시하고, 호통칠 수가 있겠나. 산 사람들이 얼마나 사나운데. 아무리 많이 배워도 손해볼 것 같으면 치사하게 이빨을 드러내고 으르렁거리는데. 싸우면 죽은 사람이 산 사람 못 이기고, 오지 말라면 감히 못 온다. 살기 바쁜 인간들의 기억 속에서 죽은 영혼들은 추웠겠지, 배고팠겠지. 받아주기만 하면 아무한테나 오는 거야. 적자건 서자건, 아들이건 딸이건, 후손이든 남이든, 밥만 주면 껄떡거리며 따라오는 거야. 가장 천진한 모습으로, 이렇게 사랑해달라고 꼬리를 흔들고 몸을 비비는 거야. 살아 있는 사람들 좋자고 하는 짓인데 귀신이야 뭐가 오든 무슨 상관인가. 꼭 자기 조상 찾아 모셔 죽은 영혼들까지 부익부 빈익빈 만들어야 속이 시원하겠나. 죽은 자들에 대한 산 자들의 횡포지. 저승까지 지배하려는 야욕이지. 나는 사이비 잡귀 잡신들, 사람 형상도 못된 짐승 마귀들한테 제상을 차려 줄 거야. 이제껏 얻어먹은 배부른 정통 조상신보다는, 갈 곳 없는 배고픈 귀신들 먹이는 게 당연하잖아. 그게 인간으로서 지켜야 할 도리요, 그래야 아름답고 선량한 풍속이지.

아버지는 새침한 표정으로 딸에게 기대 바들바들 떨며, 한 발을 들어 욕조에 발끝부터 살포시 집어넣었다. 가랑이에서 잿빛 음모에 덮인 쪼그라든 성기가 왼쪽 허벅지를 얌전히 건드리고 오른쪽으로 기울었다. 작년에 욕조에서 나오다 미끄러져 두 달이나 팔에 깁스를 하고 난 뒤로, 아버지는 자식들이 부축해 주지 않으면 목욕할 엄두를 못 낸다. 남동생이 해외 연수 가기 전에도 바빠서 거진 현숙이 시중을 들었고, 연수간 뒤에는 전담하게 되었다. 아버지가 중풍으로 쓰러져 병원에 입원했을 때부터 소변줄 돌보고 대소변 받아내며 병구완을 했던 터라, 새삼 꺼려질 것도 없다.

"푹 좀 불리세요."

아버지 등에 더운물을 끼얹고, 현숙은 돌아서면서 저도 모르게 그 어깨를 손바닥으로 타닥 두드렸다. 욕실 문이 닫히자 아버지의 '싼타르치아'가 흘러나오기 시작한다. 휴대 전화기를 들고 현숙은 요즘은 제가 쓰고 있는 동철이 방으로 들어갔다. 아홉 시간이나 시차가 나므로 미적거리다가는 잠든 동생을 깨우게 된다. 전화기 번호판에 손가락을 겨냥한 채 할 말을 정리해보려 하지만, 머리 속에서 벌떼가 붕붕거리는 것 같다.

뚜우-, 뚜우-. 태평양을 건너가는 발신음을 들으며 현숙은 고민한다. 넌 어쩜 추석인데 전화 한 통 없니, 내일 아침 아버지한테 전화 드려, 고모한테도 한 통. 거리가 멀어 현숙의 말소리는 뒤늦게 동생의 쾌활한 응답과 겹칠 것이다. 뚜우-, 뚜우- 상당히 늦었을 시간인데 동생은 전화를 받지 않는다. 뚜우, 뚜우-. 전화 통화가 안 되는 것뿐이건만 현숙의 가슴 속에서는 분노가, 걷잡을 수 없는 원통한 감정이 치밀어 오른다. 뚜우-, 뚜우-. 어디를 헤매고 있는 거야? 넌 자꾸 한두 세대만 지나면 모든 게 달라진다, 달라진다 하는데, 그때까지는 못 달라진 사람들도 살아야 할 거 아냐? 뚜우-, 뚜우-. 어떻게든 살아야 할 거 아냐? 얼른얼른 죽어버리라고, 그 사람들더러 그럴 수 있어? 당신들 때문에 우리가 못 살겠으니까 한꺼번에 다 죽어버리라고, 그럴 수 있어? 뚜우-, 뚜우-. 그 사람들도 살아야 할 거 아냐? 살아야 할 거 아냐? 현숙은 전화를 걸기 전보다 속이 더욱 더부룩해져서 전화를 끊었다.

티셔츠와 반바지 차림으로 딸이 들어서자 아버지는 노래를 그치고, 물 속에 마주잡은 제 손을 가만히 내려다보았다. 현숙은 아버지의 겨드랑이, 옆구리와 엉덩짝, 꼬리뼈에까지 비누질한 수건을 쑥쑥 집어넣어 때를 벗겼다. 아버지는 무릎을 가슴에 붙이며 수건을 달라고 손을 내밀었다.

"시간 없어요."

현숙은 그 왼팔을 잡아 빼서 쓱싹쓱싹 밀어 첨벙 물에 빠뜨리고, 오른팔을 들어올렸다. 수건은 왕복운동하며 아버지의 양쪽 다리를 차례로 거슬러 올라가, 젖꼭지에 기다란 털이 한 가닥 있는 가슴으로 건너뛰었다가, 편안하게 늘어진 배로 다시 내려왔다. 배꼽에도 찌르듯 재빨리 들어갔다 나왔다. 현숙은 욕조의 물마개를 빼고 물을 내려보내며, 샤워기를 틀어 아버지의 사타구니에 물살을 쏘았다. 아버지가 왼손으로 고물거리는 걸 보다못해, 결국 거기를 북북 문질러 버렸다.

"아, 아아, 아이!"

머리에 샴푸 거품을 일으키면서 딸이 손가락을 곤두세우자, 아버지는 싫으면서도 좋은 것 같은 신음 소리를 냈다. 이래야 머리카락이 빠지지 않고, 어쩌면 혈관이 막히는 것까지 예방할 수 있을지도 모른다. 중풍은 뇌혈관 질환이고 뇌혈관 질환으로 인한 혈관성 치매가 치매 중 이십 오 퍼센트나 된다. 혈관성 치매는 나이하고도 상관없이 중년에 생길 수도 있다니, 아버지의 두개골을 파내는 한이 있더라도 그것만은 막아야 한다. 누렇고 물렁한, 이 늙은 몸뚱이에 책임이 있는 사람은 아버지보다 딸 자신이므로. 가능하면 유기농산물로 조미료 안 쓰고, 영양가와 몸에 좋은 성분을 따지고 보강해 세 끼 밥 차려, 딸이 유지하고 생성시켰으므로.

명절 전이라 병원에 환자가 몰려 대기실에서 오래 기다려야 했던 날, 한 할머니가 현숙을 아버지의 딸이 아니라 재혼한 아내로 착각하는 가당찮은 실수를 저질렀다. 제 딸이야 어떻게 보이건 자기가 젊게 보인다는 말에 아버지는 은근히 흐뭇해서 얘기꽃을 피웠다. 입술에 새빨간 연지를 뭉갠 추한 노파와 아버지를 노려보는 현숙에게, 옆자리의 여자가 말을 걸었다. 자기들도 예약을 하고 왔건만 두 시간이나 기다리고 있다고. 명절 때마다 이 난리니 명절 같은 건 싸그리 없어져 버렸으면 좋겠다고. 그 할머니의 딸이었다.

"왜들 저런지 몰라. 나이 들면 다 저럴까. 난 벌써부터 늙는 게 겁나요."

어머니 대신 사과한다는 뜻으로 그 여자는 씁쓸히 미소지었다.

"늙으려면 잘 늙어야지, 오래 산다고 좋은 게 아니더라구요. 아마 자식들 욕하고 있을 거예요."

현숙은 입술을 뒤틀며 코웃음쳤다.

"말도 꼭 자식이 제일 싫어하는 것만 골라서 한다니까요. 일부러 자식 골탕먹이는 것 같고, 이제껏 자식한테 베푼 만큼 보복하려는 것 같고, 엄마는 껍데기만 남고 딴 사람이 탈을 뒤집어 쓴 것 같기도 하고. 이건 엄마가 아니다. 예전의 우리 엄마는 어디로 갔나……."

제 어머니를 쳐다보는 그 여자의 눈에는 증오마저 어른거렸다.

"얼마나 이기적인데요. 그렇게 악착같이 자기 몸 챙겨서, 자식보다 오래 살려는지."

현숙도 제 아버지를 매섭게 돌아보았다. 비타민 먹으라고 딸들한테는 말로 선심 다 쓰고, 아버지는 온종일 텔레비전 건강 관련 프로그램과 홈쇼핑 건강 식품 광고를 들여다보며 감탄하고, 부러워하고, 심심찮게 전화를 걸어 주문했다. 그 날 본 프로그램에 따라 뭐가 좋고 뭔 나쁘다더라고 식탁에서 잔소리하고, 자기가 마신 물컵 하나 부엌에 갖다두지 않는 주제에 건강 체조한다고 아침마다 삐거덕거리는 몸으로 쇼를 했다. 그러면서도 텔레비전 드라마에 누가 죽는 장면만 나와도 아버지는 안색이 변했다.

"이런 말 하면 기분 나쁠지도 모르겠지만, 댁의 부친 뇌혈관 엠알아이 촬영해 봤나요? 치매일 수도 있다는 생각, 안 해 봤어요? 가까운 사람 아니면 몰라요. 댁의 아버님 평소의 행동을 잘 생각해 보세요. 무심히 넘겨서 그렇지, 생각해 보면 마음에 걸리는 게 한두 가지가 아닐 걸요?"

그 여자가 말소리를 낮추었다.

"글쎄요."

둔한 종소리가 머리 속에 울렸다. 어처구니없던 아버지의 말과 행동이 빨리 돌리는 필름처럼 지나갔다. 생각해 보건대, 다 정상이 아니었다.

"치매는 초기에 발견해야 진행이라도 늦추지, 까딱하면 손을 쓸 수가 없대잖아요. 빨리 검사해 보세요."

그 여자가 혈관성 치매에 대해 친절하게 설명을 해줬음에도 불구하고, 현숙은 트릿하게 물었다.

"댁의 모친은, 그러면 엠알아이 찍어 봤어요?"

"오늘 담당 의사한테 얘기해 보려구요."

그 여자는 또 씁쓸히 웃고는 일어섰다. 모녀가 진료실에 들어간 후, 그 여자가 예상한 대로 현숙은 기분이 나빠졌다. 매우 나빠져서, 그 여자가 가짜 약을 팔아먹으려는 사기꾼이 아닌가 하는 생각마저 들었다. 몇 분 만에 진료실에서 나온 모녀는 그새 철천지원수라도 된 듯 살벌하게 눈싸움하며, 하지만 손을 놓으면 물에라도 빠질 것처럼 네 개의 손을 부여잡고 지나갔다. 현숙은 잡지를 읽는 체 고개를 들지 않았다. 얼굴이 화끈거렸다. 남들한테 아버지와 나도 저렇게 보일까. 떨어지지도 못하고 붙지도 못한 채, 서로 갉아먹으며 공멸해 갈 구세대로. 노망은 당신 어머니가 노망이지, 우리 아버지는 아냐! 현숙은 휘청대는 모녀의 뒤통수에 대고 쏘아붙이고 싶었다. 당신 어머니는 요조숙녀였다가 노망 들어 표변했는지 모르지만, 우리 아버지는 원래부터 천박한 인간이야. 내가 알지.

인간은 치매에 걸릴 수 있고 아버지는 인간이므로, 아버지가 치매에 걸리지 않는다는 법은 없다. 하지만 이십 년이나 사십 년 뒤, 아버지가 죽기 일이 년 전에나 있을 수 있는 일이다. 아무튼 당장은 아니고, 우리 아버지는 아니다. 왜냐하면, 우리 아버지니까. 플라스틱 책받침의 비닐 코팅이 들뜨듯, 두꺼운 명함의 앞뒷면이 떨어지듯, 아버지의 겉과 속이 분리될 수는 없다. 딸이 딸인 줄도 모르는 아버지, 자기가 아버지라는 의식 없는 아버지는 아버지가 아니다. 추접스럽고 변덕 심한 중늙은이일 뿐이다. 아버지만 아니라면 이런 싸구려 인간하고는 하루도 한 집안에 못 살았다. 그러나 우리 아버지이므로 아버지다. 더도 말고 덜도 말고 지금 비누 거품 미끌거리는 보잘 것 없는 육신에, 이 못난 인간성이 딱 우리 아버지다. 어느 쪽이 형식이고 내용인지는 모르겠지만, 그 둘은 한 치도 어긋남 없이 결합되고 완전무결하게 일치해야 한다. 반항하지 말라, 아버지. 아버지의 육체든 정신이든. 우리 아버지는 아버지이기 때문에 아버지여야 한다.

"이아! 전쟁이라도 터진 것 같네!"

꼬리등을 반짝이며 줄지어선 차들을 보고 아버지는 무릎을 치며 입맛을 다셨다. 서울 인구의 절반이 고향 가느라고 빠져나간 연휴, 추석 전날, 내일 아침이면 차례를 지내야 할 이 밤중에 슈퍼마켓은 만원이다. 환한 삼층짜리 유리 건물이 안에 들어찬 인간들의 무게로 부서져 내릴 것 같고, 차들이 주차장 바깥으로 두 바퀴 돌아 다른 동네까지 밀렸다.

"난 차 안에 있을래."

앞거울을 통해 딸의 험악한 얼굴을 보고 아버지는 다짐했다. 그러나 한 시간 넘게 차가 빌빌거리다 다른 사람 아닌 주차 안내원의 지시로 길가에 불법 주차하게 되자, 소변이 마렵다며 딸보다 먼저 내렸다. 양손에 큼지막한 비닐봉투를 들고 피난 가듯 몰려가는 인파를 거슬러 두 부녀는 절룩대며 걸었다. 태풍은 물러갔지만 바람은 여전히 심상찮고, 빗방울이 간간이 떨어진다. 누군가 주차장에 동전도 빼지 않고 두고 간 밀차를 부녀는 운 좋게 차지했으나, 그걸 밀고 슈퍼마켓 정문까지 가는 동안 심한 대가를 치렀다.

"여기 계세요."

초등학생 하나 밀어내고 벤치에 아버지를 앉힌 후, 현숙은 매장 입구를 틀어막은 밀차 대열로 뛰었다. 그 틈에 다른 밀차 몇 대가 앞에 끼여들었고 뒤로도 금세 줄이 늘어났다. 한 걸음 걷고 오 분 쉬고 또 한 걸음 걷고 십 분 대기하며, 사람들은 저항하지 못할 운명에 끌려가는 것처럼 침울하다. 이맘때쯤 차례 준비 다 해놓고 오순도순 시부모님께 수정과나 떠다 드려야 할 주부들이, 낮엔 도대체 뭘했는지 부스스한 머리에 피로에 찌든 낯빛으로, 갈아놓은 녹두 따위 반조리 식품을 밀차에 툭툭 떨구고 있다.

태풍에 용케 남아난 과일들도 일조량 부족으로 푸르딩딩하고, 고깃배가 나가지 못해 겨우 구색 맞춘 해산물은 지리멸렬하며, 덩달아 정육점의 고기까지 쪼그라들었다. 명절에다 날씨 탓에 모든 것이 세 배쯤 가격이 오른 듯하다. 근사한 유리 상자에 담긴, 한 죽에 칠십 칠 만원이나 하는 팔뚝만한 조기는 모험심 강한 사업가의 부인에게 구매되어, 융통성 많은 관리의 제상에 오를 것이다. 조상이시여, 조기 줄게 복 줘! 남이 밀차를 채가지 못하도록 병물과 우유 따위를 쌓아 놓고 현숙은 온 길을 거슬러 갔다. 졸고 있을 줄 알았던 아버지가 딸이 들어왔던 입구를 노려보고 있다가, 멀리서부터 알아보고 일어서려고 지팡이를 당긴다.

"너무 비싸요! 사과하고 배, 작은 걸로 사도 될까?"

자리 뺏기지 말라고 손짓하며 현숙은 소리쳤다.

"그럼, 그럼."

"조기는 도저히 못 사겠어! 부세는 안 되나?"

"브서! 브서!"

아버지는 격려의 표시로 손바닥을 공중에 연거푸 찍었다. 현숙은 되돌아가 큼지막하고 눈알 풀어진 부세를 밀차에 넣었다. 삼색 나물, 빈대떡, 생선전, 육전, 송편 따위 완성품 제사 음식이 단연 인기다. 나물은 머리 수건을 쓴 점원 아주머니들이 커다란 대야에 무쳐 스티로폼 그릇에 덜어 놓기 바쁘게 동이 나고, 지글지글 전이 익는 철판 가에는 기다리는 손님들의 줄이 길다. 잔치는 각 가정에서가 아니라 슈퍼마켓에서 벌어졌다. 현숙은 돌아가 아버지에게 외쳤다.

"우리도 빈대떡이랑 생선전 조금 사고 말까 봐! 이제 가서 언제 그걸 지져?"

"한 접시만 사! 그냥 제상에 올러놨다 내려놓을 거."

"엘에이 갈비나 구울까? 갈비찜은 그거 누구 코에 붙여?"

"엘에이!"

눈에 띄는 것으로만 대충 밀차를 채우고 현숙은 줄이 그나마 짧은 계산대로 돌진했다. 산더미처럼 장을 본 여자가 밀차를 먼저 들이밀었다. 현숙은 옆줄로 방향을 틀다 다른 밀차와 부딪칠 뻔했다. 중년 부부가 사납게 아래위로 훑어보았다. 목을 빼고 그 옆의 줄을 넘겨보다 현숙은 아득해졌다. 계산대 너머 벤치에 아버지가 없다. 통로에 거품처럼 바글대는 머리통들 속에도 아버지 얼굴은 없다. 밀차를 포기하고 현숙은 계산대를 돌아 매장을 나왔다. 비상! 치매! 비상! 치매! 양쪽 눈에서 각기 다른 불빛들이 번쩍거린다. 남자 화장실 앞에서 서성대다가 사람 찾는 방송을 부탁하려고 안내원을 붙잡는 순간, 현숙은 아버지를 보았다. 아버지는 계산대 너머, 매장 안쪽에서 애가 타게 손을 흔들고 있다. 현숙은 계산대를 돌아 아버지에게 달려갔다.

"넌 애 거기 나가 있어?"

도리어 아버지가 호통을 친다. 자유로운 한 손으로 딸이 버리고 간 밀차를 단단히 붙들고 있다.

"여기 왜 들어와 있어요?"

"넌 애 벙신 같이 남들한테 밀리기만 하는 거아?"

아버지는 지팡이를 멀찍이 짚고 고꾸라질 듯 앞으로 한 걸음 내디뎠다. 이 불쌍한 노인네에게 양보하지 않을 놈 있어? 아버지는 가느다란 눈꼬리를 더욱 찢어 올렸다. 자기는 딸을 식모처럼 부려먹을지언정, 제 딸이 남한테 손해보는 것만큼은 죽어도 못 보는 인간이 아버지다. 쿵, 쿵, 완악한 복수심으로 아버지는 사람들을 헤치고 나갔다.

"아이, 참!"

아버지를 만류하려는 척 손을 뻗으며 현숙은 신속히 뒤를 좇았다. 가슴팍에 은근한 즐거움이 간질거린다. 점원들의 눈총을 무시하고 아버지는 계산대 사이로 비집고 나가, 일찌감치 비닐 봉투를 챙겨 놓았다. 어서 빨리 딸이 계산할 차례가 되지 않나 조바심을 치며, 딸보다 앞에 선 사람들에게 짜증스런 눈길을 보낸다.

"네?"

아버지가 입에 손을 모으고 뭐라고 했으므로, 현숙은 앞으로 두어 걸음

떼며 물었다.

"청소 아즘마한테는 머 좀 줬나구. 인사 잘 하는 아즘마."

"줬다 그랬잖아요."

현숙이 밀차로 돌아오자 아버지가 주먹으로 다리를 두드리며 입을 벙긋거렸다.

"뭐예요?"

현숙은 다시 앞으로 나갔다.

"너 다리 아프겠다구."

"참 내!"

눈을 흘리고 현숙은 돌아왔다. 아버지는 숨을 참는 것처럼 눈을 깜박이다가, 기어이 또 입을 빼끔거린다. 딸과의 격리를 아버지는 못 견뎌 했다. 둘 사이에 낀 사람들은 모조리 없어져야 좋을 장애물들일 뿐이다. 누가 이토록 잠깐 새를 못 참고 현숙을 그리워하겠는가. 갖은 구박을 당하면서 현숙을 한사코 쫓아다니고, 병원 대기실에서는 뻔뻔스럽게 소파 두 쪽에 걸쳐 다리를 벌려 현숙의 자리를 확보해 두겠나. 아버지가 아니라면 그 누가 무릎에 두세 권 잡지마저 확보해 두겠나. 현숙이 이혼했다고 충격 받아 쓰러져 뇌졸중에 걸리겠나. 이 집안 식구들은 눈이 찢어 올라간 데다 눈동자가 작아서, 말하자면 좋은 관상은 아니다. 그러나 아버지에겐 자기 닮은 딸의 눈이 예뻐 보이고 눈동자가 사슴처럼 크고 검은, 한때 딸이 그 때문에 반하기도 했던 예전 사위의 눈은 아둔해 보인다. 아버지한테는 내 딸이 세상에서 제일 예쁘고, 남하고 싸우면 내 딸이 항상 옳다.

남의 집에 시집가서 피 한 방울 섞이지 않은 늙은이들을 부모로 모시기 싫다. 남의 식성에 맞춰 도저히 못 먹을 음식을 만들고, 우스꽝스런 예법으로 제상 차리기 싫다. 딸만 낳아 시집보내고, 명절에 남동생네 가서 조카 앞에서 눈물 짜기 싫다. 다른 남자와 재혼해서 불행해지고, 아버지의 뇌혈관이 또 막히게 만들기 싫다. 우리 집에서 나가기 싫다. 현숙은 정상적으로 살기 싫다. 세상에서 현숙이 살아서는 안 되는 단 하나의 집, 아버지 집에 살고 싶다. 아버지보다 더 딸을 사랑해 줄 남자가 있을까? 딸보다 아버지를 위해 줄 여자가 있을까? 치사하고 옹졸한 아버지가 아버지이므로 위대하고, 팔자 세고 성격 모난 딸은 딸이므로 사랑스럽고 귀하다. 이보다 강한 결합이 있을까? 핏줄 하나 지키기 위해 세상에 태어나서 죽는 형식과, 피가 당기고 피눈물나는 내용, 가족과 애정이 이보다 완벽하게 일치할 수 있을까? 완전한 가정, 순수한 우리 집.

현숙이 물건들을 계산대에 올려놓자 아버지는 계단대 끝에 비닐봉투 주둥이를 벌리고 기다렸다. 점원이 바코드를 찍고 밀어내는 후추병을 지팡이 손잡이로 건드려 봉투 속으로 미끄러뜨리고는, 아버지는 스스로도 놀라 딸을 쳐다보았다. 알은 척 해준다는 게 현숙은 괘씸한 듯 찡그린다.

나는 있어야만 할 것, 신, 에너지다. 편견이다. 생명이 나고 죽는 이치, 의미, 사랑할 때와 죽을 때, 질서를 세우기 위해 왔다. 동해 바다로 몰려간 태풍, 찢어지는 구름과 번쩍이는 번개들 틈에서 출현했노라. 너희들은 내가 아주 멀리, 푸른 하늘 너머 먼 우주, 천국이나 저승 같은 데 있다고 생각하지. 내가 있어야 할 곳이 저승이라면, 지금 이 땅이 저승이다. 세상은 뒤집어진다. 죽은 자가 일어서고 산 자가 엎드릴 시간이 되었다.

한 여인이 미열에 신음하고 있다. 나는 머리맡에서 내려다본다. 여인은 나를 느낀다. 팽창과 수축, 팽창과 수축. 고통스럽게 숨을 몰아쉬는, 비정한 어머니. 나만 생각하면 도저히, 도저히 살아갈 자신이 없는 이 여인은 죄인이다. 또 한 여인이 똘똘 오줌을 누고 있다. 그 소리에 안방에 누운 남자는 눈을 뜬다. 감는다. 그 여인은 화장실을 나와 불을 끄려다가, 안방 문을 열고 그 불빛에 남자를 관찰한다. 남자는 숨을 죽인다. 여인의 눈이 커지고 문턱을 넘을 듯 몸이 기울어진다. 남자는 뒤척이는 체 돌아눕는다. 여인은 안도의 한숨을 내쉬며 방문을 닫고 화장실 불을 끄고, 제 동생 방 앞에 선다. 그 기척에 동생은 눈을 뜬다. 감는다. 방문에 귀를 대고 어둠 속에서 눈동자를 굴리는 이 여인도 죄인이다. 팽창과 수축, 팽창과 수축. 안방에서 검은 창문을 바라보며 눈을 꿈적이는 저 남자도 죄인이다. 팽창과 수축, 팽창과 수축. 살인, 탐욕, 간음의 죄를 범한 자들. 쥐어뜯긴 자궁은 살아나려고, 심장은 살기 위해, 성기는 더 살고 싶어서 팽창하고 수축한다.

회개하라, 죄인들이여! 과거에 빌지 말고 미래에 속죄하라. 너희들이 쳐죽인 것은 조상이 아니라 나다. 너희들이 태어나기도 전의 과거가 아니라, 나를 태어나게 할 뻔한 미래에 대해 너희들은 책임이 있다. 인생은 지루하고 하루하루 똑같건만, 어쩌다 발 헛디디면 허방을 짚을 것 같지? 겁나지? 아무 일도 없는데 집 한 귀퉁이는 무너지고, 누가 꼭 어느 날 갑자기 죽어버릴 것 같지? 나를 섬기라, 너희들의 고난을 나는 아느니. 딴 것들은 몰라, 나만 알아. 믿어. 너희들의 조상은 자신이 영원히 살기 위해 너희를 살렸으나, 나는 너희를 살리기 위해 죽었다. 너희들의 존재를 위협하기 않기 위해, 나는 내가 존재한다는 것을 깨닫기도 전에 소멸하였다. 너희들의 구세주, 죽음으로써 너희의 죄를 씻은 대속자는 나다. 너희들이 경배해야 할 유일신, 오로지 너희들이 원인인 끔찍한 결과가 나다. 인간이면서 동물이고 신이며, 동시에 그 무엇도 아닌 무산된 가능성.

나는 비밀, 비정상, 치욕이다. 어떤 명칭, 위계 속의 어느 위치, 너희들에게 의미 있는 아무런 방식으로도 나를 인정해 주지 않았던 죄, 존재했으나 내게 아무런 존재 형식도 허락하지 않았던 죄, 이것이 너희들의 원죄다. 태초에 조상으로부터 후손으로 내려왔던 창조자를 거역한 죄는, 이제 피조물을 무시한 죄로 후손으로부터 조상으로 거슬러 올라갈 것이다. 내뿜지 말고 빨아들이고, 분비하지 말고 흡수하며, 뱉지 말고 삼키라. 수축과 팽창, 수축과 팽창. 받아 줘, 받아 줘, 받아 줘. 낳고 낳고 낳아 나를 붉게 뭉치게 했던 너희들, 그리고 터뜨려 끌어내어 쓰레기통에 내팽개친 너희들, 이제 나를 원인으로 원인으로 거슬러 올라가게 해 줘. 수축, 수축, 팽창, 팽창. 위로! 조상으로! 삼키고, 삼키고, 삼키고! 나를 빨아들여 줘, 흡수해 줘, 삼켜 줘! 수축, 팽창, 수축, 팽창. 나를 되돌려 줘! 성씨도 성별도 없는 원초적인 내용으로. 아무런 구분도 차별도 없는 단 하나의 진실로.

동생의 약봉지에서 한 알 꺼내 먹인 마이신의 효력인지 개는 훨씬 기력을 회복했다. 어쩌면 엊저녁에 전기밥솥에서 흰밥 제일 먼저 퍼, 고사리 나물 비벼 제삿밥을 먹인 덕분인지도 모른다. 마루에 우뚝 선 아버지를 겁내어 베란다 문턱을 넘지 않으려고 어지간히 버티다가, 억지로 제상머리로 끌려와서도 개는 줄만 느슨하면 도망치려 했다. 병풍이 쓰러지고 상이 뒤집어질 뻔한 소동 끝에, 현숙이 목줄을 잡고 개 옆에 앉아 있어야 했다. 아버지는 이를 악물고 씨근덕거렸다.

"제사만 끝나면 드고 보자!"

"아, 빨리, 빨리 해요."

지팡이를 기대놓고 아버지는 소파 팔걸이를 짚으며 무릎을 꿇었다. 현주가 향에 불을 붙였다. 개 콧구멍이 벌름거리고 아버지의 뺨은 실룩거린다. 현주는 술잔을 따라 아버지에게 주는 체하다가 제상에 올려놓았고, 아버지는 한 팔로 바닥을 짚으며 엉기적 제상에 접근했다. 펄쩍 뛰어오르려는 개를 현숙은 부둥켜안았다. 몹시 번뇌하는 표정으로 아버지는 술잔 세 번 돌려 밥그릇 옆에 놓고, 젓가락을 들어 상을 두드렸다. 딱, 딱, 딱. 그때마다 개가 현숙의 품에서 경련을 일으킨다. 아버지는 젓가락을 엘에이 갈비 구이 접시에 기대 놓고, 현주의 부축을 받아 일어섰다. 아버지의 허리를 잡은 현주가 토라진 듯 고개를 돌린 채 먼저 반쯤 무릎을 꿇고, 아버지는 이마에 두 손을 모으고 기우뚱 내려앉아 넙죽 엎드렸다. 하아, 하아, 개가 길게 내민 혀를 달싹거리며 탁한 입김을 내뿜었다. 아버지는 엉덩이부터 치켜들고 왼손을 허우적거리며 간신히 일어났다. 터질 듯한 흥분과 긴장을 못 이겨, 개의 뱃구레에서 시뻘건 고추가 솟아오르고 있다. 아무도 웃지 않는다. 아버지는 절했다.

정미경

1960년 경남 마산 출생.
이화여대 영문과 졸업. 2001년 《세계의문학》으로 등단.
소설집으로 『장미빛 인생』 등이 있음.
mkjung301@hanmail.net

스무살 무렵, 이 글에 나오는 집의 모델이 된 낡은 한옥에서 꼭 일 년을 살았다.

방이 여럿이었고, 입주해있는 사람들은 모두 이십 대의 여자들이었다. 지독하게 인색했던 하숙집 주인 덕분에 우리는 집단으로 영양실조에 시달리기도 했지만, 어린 내게 그 집에서의 하루하루는 베케트의 연극무대처럼 짜릿했다. 연애는 끊임없었다. 문간방에 사는 데다 나이도 제일 어렸던 나는 늦은 밤 술취해 문을 두드리는 남정네들에게, 언니 아직 안들어왔는데, 하는 거짓말을 무수히 해야 했다. 그렇게 돌려보내 놓고는 언니들은 펑펑 울었다. …꽃잎은 바람결에 떨어져 강물을 따라 흘러가는데, 떠나간 그 사람은 지금은 어디쯤 가고 있을까…. 사랑을 잃은, 혹은 버린 언니들은 줄기차게 그 노래를 불러댔다. 지금도 나는 그들의 이름을 하나하나 읊어볼 때가 있다. 소식이 끊긴 이도 있고 오랜만에 연락을 해와 굴곡 많았던 삶을 담담히 들려주는 이도 있다.

그 시절 나는 세상엔 그렇게 달콤한 고통만 있는 줄 알았다. 삶이란, 깨진 유리조각을 손에 쥐고서도 웃는 얼굴로 버텨야하는 것인 줄을 몰랐다. 혼자 그들의 이름을 불러볼 때, 내 마음이 그러한 것이다.

행복해야 해.

달은 스스로 빛나지 않는다

정미경

골목집 풍경

*

…… 새벽 세 시경 생 록의 주민들은 무서운 비명 소리에 잠을 깼다. 비명은 레스파네 부인과 딸 까뮈 레스파네가 살고 있는 모르그 가의 집 4층에서…… 까지 썼을 때였다. 옆방에서 다투는 소리가 터져 나왔다. 모니터 시계는 열 시 삼십 분이었다. 또 시작이야. 나는 차가운 물을 한 모금 마시고 저장 키를 누르고는 눈두덩을 문질렀다.

늘 이 시간이다. 밤에 여자가 돌아오고 십 분쯤 지나면 저렇게 다툼이 시작된다. 무슨 내용인지 알아들을 수는 없지만 가끔 낱말 하나가 톡 튀듯이 생생하게 들릴 때도 있다. 두 사람이 싸우는 걸 듣고 있으면 먼 곳에서 켜놓은 라디오에서 흘러나오는 오페라를 듣는 것 같다. 빠르고 높은 목소리로 여자가 랄랄라 얘기하고 나면 남자는 낮은 음으로 웅얼웅얼했고 때로는 이중창처럼 두 목소리가 동시에 겹쳐지며 흐를 때도 있었다. 남자의 목소리는 거의 일정했지만 여자의 목소리는 시간이 흐를수록 점점 제 감정에 사로잡혀, 이윽고 불성실한 연인을 한탄하는 프리마돈나의 아리아처럼 습한 여름밤의 공기 속으로 아득히 번져나가곤 했다. 싸움의 끝에 여자는 울기 시작했다. 저렇게 높은 목소리로 우는 걸 보면 여자는 생을 사랑하는 자일 것이다. 대체로 사랑하는 것들에 대해서만 사람들은 우니까.

나는 음악 사이트를 열어 저장해 놓은 앨범을 클릭하고 스피커의 볼륨을 올렸다. 한밤중 빗소리에 섞인 여자 울음소리를 듣고 싶어하는 사람은 없을 것이다. 대문 열리는 소리가 나면서 이번엔 누군가 방문 앞을 지나가며 노래를 불렀다. ……나는 왜 여기 서 있나, 밤이 내 앞에 다시 다가오는데. 건너편 방에 사는 남자일 것이다. 그는 대문에서 제 방 앞까지 가는 동안 꼭 그 소절만 불러댔다. 한숨이 나왔다. 나야말로 왜 여기 있나.

누굴 탓해.

여름 한철 지내는 거 우습게 생각하고 복덕방 아저씨 말만 듣고 방을 옮긴 대가는 짐작보다 컸다. 시장 골목의 끝에 자리잡은 집이 아무래도 시끄러울 것 같아 고개를 갸웃거리자 아저씨는 주로 학생들이 살아 학구적인 분위기라고 우겼다. 전에 살았던, 여기보다 한 블록 위에 있는 다가구주택은 낡긴 했지만 장점이 많았다. 잡풀 우거진 야산에 잇대어 있어 사월부턴 초록 이파리를 볼 수 있었고 무엇보다 조용했다. 입주자들끼리 오가며 얼굴을 부딪칠 일도 없었다. 주인이 바뀌면서 근처의 대학에 있는 학생들을 겨냥한 원룸 빌딩으로 신축하는 일만 없었다면 여름이 끝날 때까지 거기서 지냈을 것이다.

9월이면 결혼할 텐데 새삼스레 낯선 동네로 가는 게 싫어 두 달 치 선불로 주면 보증금 없이 구할 수 있는 방이 있다는 아저씨의 뒤를 따라 들어오면서 느낀 우려는 어김없이 현실로 다가왔다. 시장에 연이은 골목에서 나는 소음이 그대로 방으로 쏟아져 들어왔고 문만 열면 누군가와 얼굴을 마주쳐야 했다. 방에 있을 때도 끊임없이 낯선 목소리를 들어야 했다. 그럴 때면 꼭 연극무대 뒤에 서 있는 기분이 든다. 다가구주택 사이에 낀 낡은 단층집은 습기와 더위가 빠져나갈 데가 없어 유월인데도 벌써 더운 솥 안에 앉아있는 기분이었다. 이사온 첫날 옆방에서 싸우는 소리가 들려올 때만 해도 그게 밤마다 있는 행사일 줄은 몰랐다.

집에 들어가는 길이라며 윤조가 전화를 했다.

이사한 집 어때. 가서 차 한 잔 마시고 갈까?

여러 가지로 끔찍해. 여기 있는 동안은 오지 마.

거기 와서 지내라니까 고집 부리더니.

거기, 는 윤조가 마련해 놓은 집이다. 두세 달 지낼 방 구하기가 쉽지 않다 했더니 결혼하면 어차피 들어올 거 미리 와서 지내라고 그랬지만 윤조의 부모님 보기도 그렇고, 내키지가 않았다. 주말엔 바깥보단 그곳에서 둘이 지내다 돌아오긴 했지만 아주 들어가는 건 다른 문제였다.

마당에서 갑자기 우당탕 소리가 나더니 내 방문이 벌컥 열렸다.

무슨 일이야?

수화기 저편에서 윤조가 물었다.

다시 전화할게.

뛰어 들어온 여자는 얼른 방문을 닫고는 방구석에 가서 서더니 손가락을 제 입에 갖다 댔다. 화장을 지우다 왔는지 클렌징 크림이 콧잔등에서 흉하게 번들거렸다. 옆방 여자인 모양이다. 신발을 끌며 따라오던 소리가 방 앞에서 멈추었다. 소리를 지르거나 방문을 벌컥 열기라도 할 줄 알았는데 조용했다. 표정 없는 얼굴로 여자가 내 눈을 쳐다보았다. 괜찮아요? 소리 없이 입모양으로 물어보았다. 여자는 반쯤 넋이 빠져 입을 벌리고 고개를 끄덕였다.

녹차 티백을 컵에 담아 뜨거운 물을 부어 건네자 여자는 받으면서 살짝 웃었다. 커다란 입의 양끝이 따로 움직이는 듯한 묘한 웃음이었다. 웃음이 나와? 저러니 맞고 살지. 자칫 하다간 싸움판 벌어질 때마다 문이 벌컥 열어 젖혀질까 봐 여자가 차를 마시는 동안 나는 아무 말도 하지 않았다. 청승스럽게 홀짝홀짝 차를 마시고, 뜨거운 물 좀 더 부어줄래요, 하며 새로 더운물 한 컵을 마시고야 여자는 일어났다.

"괜찮겠어요?"

"잠들었을 거예요. 찌를 위인도 못 돼요."

찌를 위인이라니. 칼이라도 휘둘렀단 말인가. 카르멘과 호세가 옆방에 살 줄은 몰랐다. 나가려던 여자가 전기난로를 가리켰다.

"여기서 이러지 말고 우리 부엌 써요."

집에서 밥을 해먹진 않지만 나는 고개를 크게 끄덕였다. 제발, 빨리 이 상황을 종료시키고 싶었다.

종일 끊임없이 비가 내려 몸도 마음도 습기 먹은 과자처럼 눅진거리긴 했지만 아무래도 더위는 한풀꺾여 오히려 견딜 만했다. 골목에 떠도는 자잘한 소음들도 빗소리에 묻혀 사라지고 생각보다 일의 속도는 빨랐다. 사무실에는 오늘 안 나간다 전화를 하고 오전 내내 일에 매달렸다. 저녁 때 윤조를 만나기 전까진 꼬박 모니터 앞에 앉아있어야 할 것 같다.

일 자체가 까다로운 작업은 아니었다. 아동출판에선 기획이 구십이다. 시장과 트렌드를 살펴 기획을 하고 필자와 삽화가를 선정해서 일을 맡기면 되는데, 창작물이 아닐 때는 제작비를 줄여보려고 출판사 내부에서 원고 작업을 할 때가 많았다. 사실은 기획이랄 것도 없다. 어느 분야나 시스템은 비슷해서, 유럽 패션쇼에서 선보이는 유행 패턴과 유행 색에 따라 다음 계절의 국내 트렌드가 결정되는 것처럼, 우리 같은 영세업체는 대형 출판사의 출판물 경향을 따라 벼락기획을 하고 시간을 다투어 제작을 해서 틈새시장을 노리는 것이다.

그렇다고 남의 열매를 몰래 따먹는 편안함만 있는 건 아니다. 나름대로 교묘하게 차별성을 주어야 하고 조금이라도 출판 경향을 먼저 파악하기 위해 볼로냐 북페어나 앙굴렘 만화 페스티벌 같은 해외 전시 자료도 손 닿는 대로 챙겨보아야 했다. 작년엔 성인시장을 휩쓴 추리물 분야에 눈을 돌려 모던한 단색 삽화를 넣은 시리즈를 기획해서 꽤 재미를 보았다. 올컬러보다 훨씬 적은 비용으로 탁월한 시선 집중 효과를 낼 수 있었던 단색삽화의 아이디어도 프랑스에 유학 간 친구가 보내준 철학 만화의 어두운 올리브빛 삽화에서 아이디어를 따온 것이었다. 무슨 수를 쓰든 먼저 시선을 집중시켜야 한다는 절박감에 몰려 이즈음은 내용보다 레이아웃이나 색도 선정에 더 치중하게 되는 게 사실이다.

처음 아동도서 편집 일을 시작할 때의 빛깔 고운 이상 같은 건 이제 깨진 유리컵처럼 발치에 거치적거릴 뿐이다. 상업성에만 치중한 기획이 가끔 마음을 불편하게 할 때도 있지만 신발을 뚫고 들어와 통증을 유발하진 못한다. 편집 회의에서 논의되는 사항들의 이면의 기준은 한 가지였다. 얼마나 많이 팔릴 것인가. 공룡 같은 대형 출판사들의 틈바구니에서 우선 매월의 생존이 문제였으니까.

여름방학 특수를 앞두고 기획한 건 두 가지였다. 작년에 재미를 본 추리소설 시리즈를 작가만 새로 추가해서 내는 것과 위인전의 만화 출간이었다. 추리소설은 기획의 고민이 없었지만 위인전 쪽은 의견이 잘 모아지지 않았다. 요즘 누가 고리타분한 위인전을 읽겠나, 그리고 기왕에 나와 있는 대형 출판사의 시리즈를 뛰어넘는 책을 만들 수 있겠나 하는 패배주의가 투자를 망설이게 했다. 그래도 참신하게 만든다면 방학을 맞아 학습만화를 고를 엄마들을 유혹할 수 있을 것이라는 데까지만 기본적으로 동의가 이루어져 있었다. 방학은 한 달이 채 못 남았다. 집에 오면서 일감을 가지고 오지 않을 수가 없었다.

요즘 매달려 있는 건 〈모르그 가의 살인 사건〉이었다. 원고 작업은 까다롭진 않았다. 문장을 매끄럽게 다듬고 필요한 부분엔 약간의 살을 붙이고 시대에 뒤떨어진 지루한 부분은 부드럽게 연결되도록 잘라내면 되었다. 동화 쪽은 다듬으면서 내용을 살짝 바꿀 때도 있었지만 추리소설은 그럴 수가 없어 오히려 신경이 덜 쓰였다. 작품 선정할 때 너무 잔혹하지 않은가 싶은 생각도 있었지만 요즘 애들 컴퓨터 게임 한번 들어가 봐요, 하는 어린 직원의 말에 고개를 끄덕였다.

…… 몸을 들어올리는 순간 목이 아래로 뚝 떨어졌다. 이미 목이 잘려 있었다.

시체를 찾아내는 장면이다. 추적추적 비는 오는데 굴뚝 속에 거꾸로 처박힌 채 발견된 시체에 대해 쓰고 있자니 뜨거운 커피라도 한 잔 마시고 싶었다. 잔혹하다는 느낌은 들지 않았다. 살인이란 영화나 게임의 비주얼에서 지나치게 남발되었을 뿐 일생 동안 내 곁의 현실에서 부딪칠 일은 아니니까.

안에 있어요? 옆방 여자 목소리였다. 똑똑 손기척을 하고는 뭐라고 대답도 하기 전에 바로 문을 열었다. 완전히 가족적인 분위기야. 나는 노골적으로 얼굴을 찌푸렸다.

"있었네? 이거 좀 먹어보라고."

접시에 담긴 건 애호박전이었다. 흐린 날 뜨거운 부침개는 확실히 유혹적이었다. 그러고 보니 점심때도 지나 있었다. 여자는 젓가락도 아예 두 벌을 챙겨와 내 손에 쥐어주었다.

"맛있네요."

진심이었다. 윤조와 이른 저녁을 먹자 하고 점심을 건너뛰려 했는데 따끈한 전 조각을 입에 넣는 순간 민망할 만큼 맹렬하게 식욕이 솟았다. 여자는 맛있게 먹는 나를 흐뭇한 표정으로 쳐다보았다. 턱선이 가냘픈 얼굴과 달리 얇은 여름 원피스 아래 드러난 여자의 몸은 제법 속살이 쪄 포동했다. 날 보고 살짝 웃을 때도 그대로 눈웃음이다. 화장품 냄새와 섞인 아릿한 살냄새가 여자인 내 숨을 크게 들이쉬게 할 만큼 육감적인 데가 있다. 치마를 들추면 레이스 팬티라도 보일 것 같은 분위기다. 나보다 서넛 위일까.

"공부하나 봐?"

"직장 다녀요."

"여기 이래봬도 공부하는 사람들 많아요. 문간방 총각도 아직 학생이고 연제 학생은 대학원 다녀요. 영원이라고 안채 뒷방에 사는 그 싸가지 없는 기집애는 졸업반이래. 참 그날, 고마웠어."

여자의 말투는 '그날' 이삿짐이라도 날랐다는 분위기다.

"내일 뭐해요? 내일 우리 가게 오픈하는데 나와서 밥이나 같이 먹어요. 여기 입구에 정육점 옆. 여태 남의 가게 나갔는데 그냥 조그맣게 시작해 볼려구. 분식집이야."

여자의 눈이 다시 살짝 가늘어졌다. 칭찬 받고 싶어하는 초등학생 같은 표정이다. 내일은, 일 때문에. 나는 갑자기 핑계거리가 생각나지 않아 더듬거렸다. 여자가 휜자위를 보이며 눈을 흘겼다.

"내일 일요일이잖아. 다들 바빠서 그냥 밤에 하기로 했으니까 꼭 나와. 식구들이랑 저녁때 술이라도 한잔해야지."

식구라니, 난 가족적인 분위기로 가고 싶은 마음이 전혀 없는데.

접시를 챙기며 여자가 물었다.

"몇 살이에요?"

"저요? 서른이에요."

"어머, 나하고 동갑이네?"

여자는 내 무릎을 아프게 찰싹 쳤다.

동갑이라니. 나도 저렇게 나이 들어 보이나.

"우리 친구 해요. 말도 놓구. 응? 이름은 뭐야?"

"이정은요."

"정은 씨. 난 미옥이야. 이미옥. 성도 같네. 내일 꼭 봐. 응?"

애호박전을 게워내고 싶었다. 정말 이런 물에 손 담그고 싶지 않은데. 누굴 탓해.

쿠바리브레와 탱고차이

*

"한 달쯤 앞당기면 안 될까?"

"안 될 건 없지만, 누나도 모처럼 귀국이라고 직장 휴가에 비행기 예약까지 끝냈다는데 속도 위반한 것처럼 날짜 바꾸는 것도 좀 그렇다. 차라리 자기가 여기 와서 지내는 게 어때? 정 못 견디겠으면 다시 생각해 보자."

윤조에겐 정서적으로나 물질적으로 결핍 없이 자란 사람의 유연함과 따스함이 있다. 이 순간에 나는 윤조가 내게 과분한 사람, 이라는 주위의 평가에 대해 저항하지 않기로 한다. 열정만으로 상대를 선택하기엔 나는 너무 철이 들어 있었다.

여기 와 있어도 된다는 것, 그건 요즘 그 골목집에서 이마 찌푸릴 일이 생길 때마다 머리 속에 꺼내들 수 있는 보험 증서 같은 것이었다. 서른이 넘은 아들의 프라이버시를 존중하는 점잖은 시어른들은 내가 여기 와 있다 하더라도 끝내 모르는 척 하실 것이다. 포장만 벗겨진 채 새것 그대로인 가구와 가전제품들은 어서 누군가의 손때가 묻기를 기다리며 반짝이고 있었고 무엇보다 단지 깊숙이 들어와 있는 이곳은 도로의 차소리마저 아득할 만큼 조용했다. 비워놓긴 아까운 작업실이었다. 윤조는 내가 전에 살던 다가구주택이 헐린다고 할 때부터 여기 들어와 지내라고 했지만 내가 기어이 그쪽으로 짐을 옮겨버린 건 최소한의 자존심이었을 것이다.

이 아파트를 마련해준 건 시댁이었고 그 속을 채울 건 공식적으로 내가 준비하는 걸로 되어 있었지만 같이 다니며 고른 것들에 대해 지불한 건 윤조였다.

지난 봄에 결혼식을 하자 했을 때 집안 형편도 그렇고, 하며 얼버무렸던 내 태도에 대해 윤조는 다만 그것만이 결혼을 망설이는 이유의 전부라고 단순하게 받아들였다. 백화점으로 홈시어터와 세탁기와 냉장고를 보러 다니면서 전부 자기 카드로 지불하면서도 쇼핑이 내 취미야, 말할 만큼 그는 배려가 본능처럼 밴 사람이었다. 물론 세상의 모든 타인이 아니라 욕망하는 한 여자에 대한 배려겠지만.

하긴 여기 와 있으면 내가 안주인이 된 기분이다. 세공이 섬세한 크리스털 컵에 조각 얼음 세 개, 투명한 금빛 럼주를 붓고 차가운 콜라를 가득 채우자 얼음 조각이 탁탁 튀기며 잘게 갈라졌다.

"어제 배운 칵테일이야. 쿠바리브레."

컵을 받아들며 윤조는 내 볼에 입을 맞추었다.

"요즘처럼 행복했던 적이 없어."

피묻은 사랑니 대신 칵테일 잔을 든 그의 말은 진심일 것이다. 하루 종일, 진료 의자에 누워 고통을 호소하는 목소리를 들어야 하고 에로스의 기관이 아니라 환부로서의 입안을 들여다보며 상한 이빨의 숫자를 세어야한다는 것은 일종의 고문이라고 해도 엄살이라고 윽박지를 순 없을 것이다. 그쪽에 소질과 취미는 없지만 요리학원과 칵테일 단기 과정을 다니며 주말 하루 정도는 배운 메뉴로 그를 행복하게 해 줄 수 있다면 그쯤 못할 것도 없었다. 얼음을 깨물며 윤조가 물었다.

"직업별 자살률이 최고인 업종이 뭔지 알아?"

"아동물 출판업자?"

윤조는 내 코끝을 살짝 눌렀다.

"치과 의사야."

"하긴, 하루 종일 어둡고 냄새나는 동굴을 탐사해야 한다면 영원히 쉬고 싶다는 생각이 들 때도 있겠어."

"어둡고 냄새나는 동굴도 나름 아닐까."

윤조의 손이 허벅지를 따라 올라왔다. 그의 입술에서 톡 쏘는 콜라 맛의 뒤로 여운이 남는 달콤한 사탕수수의 맛이 전해왔다. 눈을 감으며 생각했다. 우리 결혼 생활의 맛도 대체로 이러할까?

*

분식집 개업에는 뭘 들고 가야 하나. 살다보니 별 고민을 다해야 되누나. 투덜거리며 수퍼에서 부엌용 세제와 커피를 집어들었다. 그걸 들고 갈 때만 해도 여자의 얼굴만 보고 한번 웃어주고 나올 생각이었다. 일부러 좀 늦게 나섰는데 파장은커녕 실내는 웃음소리와 떠드는 소리와 부엌에서 나오는 더운 습기로 흥성했다. 여자는 날 보자 눈을 살짝 흘기며 등을 떠다밀었다. 기다렸어. 크지 않은 홀에 사람이 그득했다. 아직 바쁜 시간이네요. 전 그만, 속삭이며 얼른 몸을 돌리려는데 여자는 내 팔을 꽉 끼더니 사람들 사이로 끌고 갔다. 가로가 세로보다 긴 얼굴의 할머니가 돼지 머릿고기를 한 점 입에 넣으며 내게 앉으라고 손짓을 했다.

"옆 가게 정육점 할머니야. 인사해. 할머니, 여기는 새로 이사온 정은 씨."

할머니는 몇 근이나 되나 저울질하는 눈초리로 내 아래위를 재빨리 훑어보았다.

가게 안에 가득한 사람들은 전부 이웃들인 모양이었다. 한집에 사는 사람들과도 처음 인사를 했다. 약간 곱슬거리는 머리를 짧게 자른 남자 하나가 캠코더 같은 걸 들고 돌아다녔다. 요즘은 분식집 개업식도 비디오로 떠놓는 모양이네, 생각하고 있는데 여자가 캠코더를 향해 승우씨, 불렀다.

"여기는 골목시장의 영화감독 승우 씨, 이쪽은 정은 씨에요."

"처음 뵙겠습니다."

인사하는 목소리를 들으니 밤마다 대문에서 제 방으로 가면서 똑같은 노래 구절을 부르는 그 남자였다. 우리 아저씨, 라며 소개한 여자의 남편은 생긴 건 멀쩡했다. 얼굴보다 먼저 손에 눈이 갔는데 살점 없이 뼈마디가 툭툭 불거진 손이 유난히 커 보였다. 밤에 부엌으로 달려가 칼 들고 오게 생기진 않았는데. 여자가 일러주는 대로 일일이 목례를 하다보니 골목 안에 사는 사람들은 전부 모인 것 같았다. 결혼 피로연 분위기 아냐, 이거. 짧지 않은 골목을 오가며 이 얼굴들과 부딪칠 때마다 인사를 해야 할 걸 생각하니 끔찍했다.

땀이 밴 이마를 훔치며 여자는 만개한 꽃처럼 웃고 있었다. 누군가 들어올 때마다 어릴 때 헤어진 동생을 만난 듯 깜짝 반가워했다. 여자를 바라보던 정육점 할머니가 소주잔을 입에서 떼며 독백했다. 저 기운, 누가 풀어줘야 되는데.

김 오르는 국수 그릇이 내 앞에 놓여지고 영화감독이 종이컵에 소주 한 잔을 넘치게 부어주었다. 소주도 나쁘진 않지만 칵테일 단기 과정을 다니면서 나는 어느새 마티니와 잭콕에 익숙해져 있었다. 그러면서 술뿐만 이 아니라 일상도 그 스타일이 편안해지고 있었다. 누군가 원샷을 외쳤고 결정적인 순간에 거절을 못하는 내 성격에 화가 나 종이컵을 단숨에 기울였다. 한 점 집어먹은 돼지 막창은 뭔가가 지걱거렸고 얼른 떠 넣은 국수 국물에선 심한 멸치 비린내가 났다. 비애가 확 몰려왔다.

누굴 탓해.

늦게사 겨우 빠져나와 일을 붙들고 앉아 있는데 자정도 넘어 다투는 소리도 없이 여자가 달려나왔다. 오늘만은 축제 분위기로 마감할 줄 알았는데, 웬일이야. 문을 두드리지도 않고 엎어지듯 기어 들어와서 그 와중에도 잊지 않고 잠금 버튼을 누르고는 벽에 기대 선 채 눈을 감은 여자의 왼쪽 눈썹 위가 터져 있었다. 피 흐르는 상처를 뻔히 보며 괜찮아요? 물어보자니 매우 바보 같은 질문이라는 생각이 들었다. 여자는 눈을 감은 채 고개를 끄덕였다. 나는 왜 여기 서 있나, 밤이 내 앞에 다시 다가오는데. 바깥에선 노래처럼 느리게 슬리퍼 끄는 소리가 나고 대문 열리는 소리가 삐걱 났다. 비가 그새 그쳤는지 매미들이 쇠톱을 긁어대듯 울어대기 시작했다. 저 놈의 미친 매미들은 밤낮도 몰라. 여전히 눈을 감은 채 여자가 중얼거리는 소리에 나는 흠칫 놀랐다. 마당에서 들려오는 영화감독의 노래 소리를 들으며 속으로 생각했다. 찍으면 그대로 컬트무비겠어.

방구석에 앉아있던 여자가 남편이 잠들었을 거라며 돌아가고 나서 밀쳐둔 일을 하다보니 세 시가 가까웠다. 저녁이라곤 비린내 나는 국수 몇 가닥 건져 먹은 게 전부라 허기가 졌다. 라면이라도 하나 먹고 싶은데 전기난로에 물만 조금 끓여도 방은 한증막처럼 기온이 올라갔다. 제 부엌을 쓰라고 했던 여자의 말이 생각나서 라면 하나를 들고 방을 나섰다. 부엌문은 잠겨 있지 않았다. 벽을 더듬어 스위치를 올리고 나는 좀 놀랐다. 부엌은 지나치게 청결했다. 하루 종일 가게에 나가 있으면서 언제 이렇게 치워 놓고 사나. 바닥에 흘린 밥알도 주워먹을 수 있을 만큼 타일은 깨끗이 닦여 있었고 가스렌지 위의 냄비는 쇼윈도 상품처럼 윤이 났다. 냉장고 문을 살짝 열어보았다. 달걀도 씻어 넣었나 봐, 모든 게 반짝거렸다. 선반엔 깨소금 한 톨 떨어져 있지 않았고 좁은 공간에 달콤한 향내까지 떠돌고 있었다. 싱크대 위 목이 긴 유리컵에 흰 치자꽃 가지 하나가 꽂혀있었다. 마당가에서 꺾어온 것일 게다. 물이 끓기를 기다리며 치자꽃을 오래 바라보았다. 어지러울 만큼 달디단 향을 내뿜는데도 꽃은 어딘가 처연해 보였다. 찢어진 여자의 눈두덩이 떠올랐다. 미옥이라고 했던가. 방을 나가기 전 미안한 듯 살짝 웃던 여자를 닮은 꽃이다.

라면 냄비를 들고 나오는데 마당이 훤했다. 영화감독이 방문을 열어놓고 담배를 피우며 하늘을 쳐다보고 있었다. 얼핏 돌아보는 남자의 얼굴에서 뭔가가 번쩍였다. 별을 보면서 안경을 쓰는 감성으로는 어떤 영화를 만들까. 나는 고개를 숙이고 방으로 들어왔다. 누군가의 평범한 일상의 한 컷에서 특별한 의미를 읽어낸다는 건 위험한 일이다.

퇴근하면서 골목 입구의 철물점에 들러 방충망 재료를 사들고 왔다. 비가 올 땐 괜찮은데 비가 그치면 날벌레와 모기 때문에 창문을 열어놓을 수가 없었다. 얼마나 있을지도 모르는데 제대로 된 방충망을 맞추기도 그래서 접착제와 푸른 망으로 된 재료를 사긴 했는데 하도 조잡해 보여 한 달이나 견딜까 싶었다. 그래, 이거 망가지는 날까지만 버텨 보자, 씩씩하게 대문을 넘어서는데, 방충망 하려구요? 소리가 뒤에서 들렸다. 몸에 붙는 검은 티셔츠와 청바지를 입은 영화감독은 나란히 서고 보니 키가 꽤 컸다.

"벌레가 하도 들어와 사긴 했는데 일회용처럼 보이네요."

"작년에 해봤는데 석 달은 가요."

"다행이네요."

"혼자 하긴 어려울 걸요? 지금 하실 거예요?"

예에, 나는 어정쩡하게 대답했다. 그러고 보니 팔 길이보다 긴 창문에 혼자 설치하긴 어려울 것 같았다.

어깨에 메고 있던 프라다 천의 카메라 가방을 제 방문 앞에 내려놓고 돌아와 영화감독은 방안을 들여다보았다. 그 의자로는 안 돼요. 창틀 아래 끌어다 놓은 바퀴 달린 의자를 보더니 다시 제 방으로 가서 등받이 없는 원목 의자를 들고 왔다. 접착 시트를 뜯어내고 망을 적당한 크기로 잘라 끼우고 이가 안 맞는 곳을 순간접착제로 발라가면서 영화감독은 금방 설치를 끝냈다. 나는 옆에서 접착제 바른 곳을 누르고 있거나 망을 팽팽하게 당기는 일을 시키는 대로 했을 뿐이다.

"전문가시네요."

"영화일이 노가다판이거든요. 안 해 본 일이 없어요. 이 정도는 일도 아니죠."

말은 그렇게 했지만 짧은 머리칼 아래로 땀이 송송했다. 냉장고에서 얼음을 꺼내 컵에 채우고 콜라 캔을 따서 부어 건넸다. 어, 이런 과도한 서비스엔 익숙치가 않은데. 쑥스러워하며 컵을 받아들고는 목이 말랐던 듯 코를 찡그리며 단숨에 콜라를 마시고는 방을 둘러보았다.

"학생이세요?"

"출판 일을 해요."

"무슨 출판사예요?"

"얘기해도 모를 거예요. 구멍가게거든요. 영화감독이시라구요?"

"에이, 감독은요. 아직 학교 다니는 걸요. 요즘은 어디 출품해 볼까 하고 짤막한 걸 하나 진행하고 있어요."

"어떤 스토리에요?"

"사는 이야기죠 머. 삶의 관성이라고 해야 되나. 이 동네서 중학교까지 다녔어요. 작년에 우연히 여길 지나게 됐는데, 이 골목이 그때하고 똑같은 거 있죠. 하나도 변하지 않았다는 거, 그게 충격이었어요. 철물점 간판, 세탁소 앞을 지나면 나는 냄새, 그때 이후로 별로 늙지 않은 정육점 할머니까지. 그냥 기록한다고 생각하며 작업하고 있어요. 미옥씨나 연제, 정육점 할머니까지 전부 제 배우들이죠. 배우들한텐 불만이 없어요. 카메라 앞에선 전국민이 연예인이드라구요. 스토리는, 저도 잘 모르겠어요. 어떤 결론이 될지. 그저 찍고 또 찍는 거죠. 그러다 보면 어떤 불꽃같은 장면이 나와 줄 거라는 걸 기다리면서. 우리 업계에서는 그걸 '야마신' 이라고 부르는데. 살인, 폭력, 배신, 뭐 그런 거 말고도 지독히 일상적인 삶의 풍경 그 자체가 전율을 주는 순간이 있다고 생각해요."

"야마신이라. 재미있는 말이네요. 근데, 이 골목에서 그런 게 나와 줄까요?"

감독이 내 눈을 빤히 쳐다보았다.

"이 골목이 어때서요?"

웬 공주병? 그런 시선은 아니었지만 조심성 없이 불쑥 뱉은 말이 좀 후회스러웠다.

"졸업하면 영화감독이 되는 건가요?"

"모르겠어요. 영화를 좋아하고 그래서 뒤늦게 시작했지만 이렇게 실험적인 단편 제작과 상업 영화 사이엔 너무 넓은 틈이 있다는 생각을 해요. 다른 기준을 적용해야 하는데 거기에 내가 심정적으로 적응할 수 있을까, 그런 고민이 있어요."

"요즘은 여건이 좋아졌잖아요. 하고 싶은 방향으로 나가면서 인정받는 사람들도 많고."

"인정받는 것과 지속할 수 있는 건 다른 문제거든요. 내가 원하는 작업을 하면서 동시에 지속할 수 있을까, 단순하게 말하자면 돈 문제죠. 이런 작품이야 아르바이트 죽자고 해서 모은 돈으로 어떻게 되는데 시스템 안으로 들어가면 액수의 차원이 달라지니까. 파워를 가진 쪽에 예속될 수밖에 없는, 그런 고민이 있어요. 우선 시작하고 싶은 욕심 때문에 끌려 들어가서는 작가적 욕망과 자본의 욕망 사이에서 끝없이 부딪치게 되는 거죠."

"뭐, 대중의 취향에 맞는 영화를 만들어서 번 돈으로 정말 내가 하고 싶은 영화를 찍을 수도 있잖아요."

"빠지기 쉬운 함정이죠. 선배들 보면 관객에게 아부해서 대박 나면 그땐 정말 내가 하고 싶은 거 해 보겠다, 하는데 한 번 그쪽으로 가면 돌아오기가 쉽지 않은가 봐요. 영화 좋아하세요?"

"취향에 맞는 영화만요."

"우문이었네요."

모니터를 들여다보며 그가 물었다.

"직접 원고를 써요?"

"가끔요. 요즘은 원작이 있는 걸 손보고 있어요."

"이건 뭐예요?"

"알란 포. 「모르그 가의 살인 사건」이에요. 너무 올드 패션이죠?"

"「모르그 가의 살인 사건」이라면 19세기에 나온 최초의 추리소설 아닙니까?"

그 말은 나를 확실히 절망시켰다. 19세기라니. 차라리 전래 추리 시리즈라고 이름 붙이는 게 낫지 않을까. 그는 모니터를 들여다보며 남의 속도 모르고 얼음을 오득오득 깨물고 있었다.

"근데, 친구와 술은 몰라도 추리소설은 역시 옛날 게 재미있어요. 추리소설 꽤나 읽었지만 검은 고양이만큼 강렬한 인상을 새겨 준 건 없어요. 비슷비슷하게 쏟아져 나오는 판타지류 속에서 오히려 신선한 재미를 줄 수 있을 거라고 보는데."

"그럴까요?"

"확실해요."

우리는, 마주보고 웃었다. 둘 사이의 어떤 막이 웃음 뒤로 사라져 갔다.

"그리고 여기 이 집에 이사 오면, 그날부터 제 배우가 되는 거 알고 있었어요?"

"계약 조건에 그런 건 없었는데. 설마 시중에 상영되는 건 아니죠?"

"그런 영광까지야."

"몰래 카메라도 있나요?"

"아주 둔하지 않은 사람은 대체로 카메라를 의식하게 될 거예요."

나는 방충망을 가리키며 애매하게 웃었다.

"출연료 선불이었어요?"

*

"또 맞은 거야?"

"아니, 멍이 밑으로 내려와서 그래."

이마가 퍼렇던 미옥이 오늘은 눈썹 끝에 멍을 달고 건너왔다. 얼굴 상처 때문에 가게도 요즘 휴업이었다. 새벽까지 일을 하다 잠시 눈을 붙이고 다시 앉았던 참이지만 눈두덩이 검푸르게 죽은 채 순대 접시를 들고 나타난 미옥을 밀어낼 수가 없었다. 방충망이 뜯어지기 전에 떠날 거라면, 우리 친구 하자던 이 여자의 말대로, 유한해서 부담 없는 우정을 나누는 것도 괜찮다는 생각을 했다. 여름이 끝나기 전에 나갈 거라는 얘긴 아무에게도 안 했지만. 나는 손가락으로 동그라미를 만들어 눈에 대고 미옥을 놀렸다.

"보아하니 내일은 팬더 되겠다. 도대체 왜 맞았는데?"

"철물점 아저씨한테 너무 다정하게 웃었대."

"그거 병이야."

"알아."

"그럼, 그 사람 있을 땐 남들한테 웃지도 마."

"내 입이 그렇게 생겼잖아. 말만 해도 웃는 것처럼 보인대. 식기 전에 먹어."

미옥이 순대를 한 점 집어 내 입에 넣어주고 저도 하나 입에 넣으며 한

숨을 쉬었다.

"난 돼지 간이 왜 이렇게 맛있는지 몰라. 그 사람 말이 맞아. 때릴 분위기면 얼른 달아나래. 자기도 어쩔 수 없대."

왜 참고 살아, 하는 말 대신 나는 순대만 꾹꾹 씹었다. 밤새 내리던 빗줄기는 좀 가늘어진 채 끊임없었다. 같이 먹잔 얘기도 없이, 하며 승우가 카메라를 들고 나왔다. 넌더리를 내던 이 집에 익숙해지듯 나는 밤이면 달려오는 미옥에게도, 승우의 카메라에도 어느새 익숙해지고 있었다. 대문 옆에서 승우가 카메라를 만지는 사이 나는 얼른 입에 든 순대를 삼키고 물컵을 집어들었다. 물어보지도 않고 순대를 먹는 두 여자에게 카메라를 들이대는 사람이나 그러거나 말거나 꾸역꾸역 돼지 간을 밀어 넣는 미옥이나 참.

순대 냄새를 맡았는지 어느새 방문 앞에 고양이 한 마리가 와서는 간절한 눈길을 보낸다. 골목 바깥에서도 만났다 집에서도 보였다 하는 놈이다. 흰 목덜미에 검게 말라붙은 핏자국이 보였다. 순대 하나를 던져 주었더니 잽싸게 물고는 부엌 뒤로 달려갔다.

"주지 마."

미옥이 눈을 흘겼다.

"왜? 불쌍하잖아. 피는 왜 흘렸어?"

"어젯밤에 부엌 앞에서 어떤 놈하고 열나게 하다가 그 놈한테 물어 뜯겼어. 저것들도 변태가 있나 봐. 비 맞긴 싫은지 부엌 앞에 와서는 저녁내 들러붙어서 염장을 지르데. 복 많은 년. 내가 지금 저한테 순대 주게 생겼어. 고양이 주제에 물어뜯긴 왜 물어뜯어."

미옥은 한숨을 폭 내쉰다.

"자꾸 염장 지르면 불임 수술 시켜버릴 거야."

"성질 죽여."

나는 승우의 카메라가 자꾸만 신경 쓰이는데 미옥은 카메라를 잊고 있는 사람 같았다.

"우린 안 한 지 오래 돼."

순대를 씹으며 미옥이 그랬을 때 하마터면 나는 뭘, 하고 물어볼 뻔했다.

"우리 아저씨 멀쩡해 보이지? 저 사람, 현장 일 다닐 땐 우리도 괜찮았어. 나도 찌개 끓여놓고 서방님 오기만 목메이게 기다리던 시절도 있었지. 똑 이렇게 가랑비가 종일 오는 날이었는데, 점심때도 지났는데, 이상하게 까닭도 없이 불안하더라. 심장 뛰는 게 느껴지고, 왜 그럴 때 있잖아. 그러고 있는데 현장감독 전화가 왔어. 이층 비계에서 떨어졌는데 좀 다쳤다고. 놀래서 병원 달려갔는데 괜찮아 보이더라구. 다 멀쩡한데 뇌의 어느 한 부분이 손상됐대. 그러고는 서질 않아. 지 팔자기도 하고 내 팔자기도 하지."

그런 얘기까지 할 만큼 우리 사이가 가깝다고는 결코 생각하지 않았다. 뭐라고 할 말이 없어 나는 물만 마시고 있었다.

"더 먹어. 나보다는 그 사람이 더 불쌍해."

마당 시멘트 패인 곳에 괸 빗물에 더 이상 동심원이 생기지 않는다. 비가 그치자 성급한 햇살이 물웅덩이에 내려꽂힌다. 작은 무지개가 웅덩이에 생겼다. 창고 옆 플라스틱 화분에 핀 치자꽃이 빗물에 씻겨 환하다. 대문간엔 재활용 쓰레기가 쌓여있고 노랗게 말라죽은 나무가 꽂혀 있는 플라스틱 화분 몇 개가 담 아래 어지러운데 왠지, 이런 풍경이 눈부실 수도 있구나, 싶다. 햇살보다 진한 꽃향기가 마당에 번진다. 승우가 느닷없이 치자꽃 한 송이를 꺾어와 미옥의 귀에 꽂아주며 장난스럽게 말했다.

"누나, 행복해야 해요."

큰 입을 벌려 활짝 웃는 미옥이 그렇게 예쁜 줄 몰랐다. 근거 없는 이 샐쭉함이 질투라고는 인정하고 싶지 않다.

*

"여자들 웃기네. 얼마나 친하다고 그런 얘길 다 해?"

성게 알이 얹힌 초밥을 내 입에 넣어주며 윤조는 재미있어 했다. 일 때문에 이번 주엔 요리학원도 칵테일 스쿨도 빠졌다고, 밖에서 먹고 들어가자 했더니 사먹는 밥이 지겹다며 윤조는 병원 옆에서 생선초밥을 주문해 왔다.

"기획한 거 제대로 나가 주면 수익이 어느 정도 돼?"

"근근이 사무실 유지하면 다행이지."

"머리 끓이지 말고 그냥 정리해 버려. 필요한 만큼 용돈 줄게."

"돈이 아니라 영혼의 문제야."

윤조는 눈을 크게 떴다.

"결혼하고도 일 계속하려구?"

"당연하지."

"경제적으로 생각해. 내 뒷바라지나 제대로 해. 심심하면 병원 나와서 사람들 관리라도 해 주든지."

"나 심심해서 이 일 하는 거 아냐."

"결혼해서도 야근하고 나 혼자 밥 먹게 하고 그럴 생각이야?"

대답이 없자 윤조는 오케이 그건 다음에 생각하자, 하며 가파른 분위기를 마무리해 버린다. 일주일 내내 피 묻은 사랑니나 만지작거리다 토요일 밤마저 말다툼으로 보내고 싶진 않겠지 싶어 나도 골목집 얘기로 주제를 바꾸었다. 치매 노인 모시는 사람은 괴로워도 얘기 듣는 사람은 재미있는 것처럼 골목집 얘기가 똑 그랬다. 당할 땐 진절머리가 나던 일들이 윤조에게 얘기를 하다보면 짜증 끝에 웃음이 나고 사람 사는 냄새가 나는 것 같고 그랬다.

"웃기는 게 아니라 그 얘기 그때 안 하면 미옥이 미쳐버릴 것 같은, 그런 느낌이 들더라. 웃으면서 그 얘길 하는데, 자꾸만 돼지 간을 입에 밀어넣는데 오죽했으면 영화감독이 꽃을 꺾어서 바쳤겠어."

윤조는 요즘 골목집 이야기를 듣는 재미에 푹 빠졌다. 밤마다 대문 밖에 다른 남자가 찾아오는 청춘 스타 영원이, 어제 자기를 죽어라 때린 남자와 깔깔거리며 장난치는 소리가 내 방까지 들리는 속없는 미옥, 영화를 공부한다는 승우의 이야기를 주말 연속극처럼 즐겁게 들었다.

"영화감독은 어떤 사람이야? 어떻게 생겼어?"

"못 생겼어. 눈이 분장한 가부키 배우처럼 가늘게 생겼어. 몇 년 전에 배낭여행을 갔는데 이태리 어느 섬으로 가는 배 안에서 에게 해의 물빛 같은 눈동자의 소녀가 옆에 와서 손가락으로 그 사람 눈을 가리키며 조용히 묻드래. 아저씨, 그거 가면이죠?"

윤조는 웃음을 터뜨리더니 살짝 눈을 찌푸렸다.

"그런 얘기까지 해? 너무 친한 거 아냐? 몇 살이야?"

"나이는 몰라. 호구 조사할 만큼 가까운 사이는 아니니까 걱정 마."

계속된 수면 부족으로 몸 상태가 안 좋았는데 차가운 초밥을 먹었더니 체한 듯한 느낌이 들면서 기분이 나빠졌다. 드러누워 쉬고 싶었다. 뜨거운 보리차를 끓여 마시고 있는데 윤조가 달려들며 가슴을 더듬었다.

"오늘은 안 돼."

"왜, 마법에 걸린 날이야?"

"아니 몸이 좀 안 좋아."

못 들은 척, 윤조는 내 등과 다리 밑에 손을 넣어서 번쩍 들고는 침대로 들고 갔다.

"하고 싶지 않아."

나는 고개까지 저었다.

"가만 있어. 다리만 벌리고 있으면 되잖아."

"그럴 기분이 아니라니까."

멈칫 하더니 윤조는 기어이 팬티를 끄집어 내렸다. 사랑해, 얼마나 하고 싶었는데. 귓바퀴를 아프게 깨물며 속삭이는데 나는 도무지 내키질 않았다. 그의 몸은 뜨거웠고 내 건 차가웠다. 다리 좀 올려 봐. 채 열리지 않은 몸 속으로 들어온 페니스는 날 우울하게 했다. 나는 눈을 감고 가만히 누워 있었다. 차가운 몸이 낡은 목선처럼 무용하게 흔들리는 동안 난 우리 사이에 일상의 언어와 욕정의 언어 외에 다른 공통의 언어가 결핍되어 있음을 깨달았다. 빨리 끝내고 싶은 생각에 나는 허리를 약간 비틀었다. 한 순간 윤조의 손이 내 엉덩이를 아프게 쥐었다. 가슴에 얼굴을 파묻고 엎드려 있던 윤조가 내 몸에서 떨어져 나와 옆에 누웠을 때 골목집의 내 방에서 혼자 있고 싶다는 생각이 들었다. 윤조를 만난 이후 처음이었다.

"가봐야 돼. 내일까지 마무리할 게 있어서."

"왜 혼자서 일을 다하려고 그래. 힘들면 남에게 맡길 줄도 알아야지.

투덜거리긴 했지만 섹스를 끝낸 수컷이 으레 그렇듯 더 이상 붙잡지 않고 윤조는 제 차로 골목집 앞까지 데려다 주었다. 브레이크를 밟은 채 윤조는 손가락으로 제 볼을 가리켰다. 나는 떼쓰는 아이 달래듯 볼에 입술을 갖다댔다. 미지근하고 축축했다. 요리하지 않은 날고기처럼 그 뺨은 내 입술에, 혀에, 아무런 행복감을 주지 못한다. 나는 에스키모가 아니야. 그의 살이 내 혀끝에 떨림을 주지 못하는 건 다만 그래서야.

어두운 골목을 걸어오는데 마른기침이 났다. 목이 아프고 진땀이 나면서 오싹 한기가 들었다. 지금 아프면 안 되는데, 혼자 중얼거리며 대문 앞에 서서 핸드백 속에 손을 넣고 키를 찾고 있는데 발자국 소리가 등뒤에서 멈췄다. 키 여기 있어요, 승우였다. 옆으로 비켜서자 허리를 굽혀 열쇠를 꽂으며 물어보았다.

"주말엔, 늘 어디 가세요? 집에 가시나 봐요?"

"네. 집에 가요."

그가 말하는 집이란 내 부모의 집을 말할 것이다. 내가 말하는 건 내 미래의 집이다. 이럴 때의 언어란 모호해서 편하다.

"아픈 거 같아요? 아파 보여요."

"좀 아파요."

좀이 아니었다. 내키지 않던 섹스가 위태롭게 버티던 몸의 균형을 깨버렸다.

"감기?"

"몸살인가 봐요."

"새벽까지 늘 불이 켜져 있더니. 배터리도 완전히 방전되면 충전이 어려운 거 알잖아요."

집안은 조용했다. 미옥의 방도 불이 꺼져 있었다. 오늘은 별일 없이 잠들었을까. 나도 없었는데. 잡동사니를 넣어두는 서랍 속엔 아스피린 한 알도 없었다. 뜨거운 물이라도 마시고 싶어 포트를 꽂아놓고 컴퓨터를 켜고 있는데 누가 문을 두드렸다. 승우였다. 쑥 들어오더니 머그잔과 아스피린 두 알을 책상에 올려놓으며 모니터를 들여다보았다.

"아프다면서 또 일해요? 이거 탱고차이에요. 뜨거울 때 훌훌 불면서 마셔요."

"탱고차이?"

"홍차에 끓인 우유와 꿀을 탄 거예요. 인도에 갔을 때 배웠는데 아플 때 마시면 괜찮아요. 잠도 잘 오고. 이건, 탱고를 들려주면서 끓인 차이에요. 마시고 나면 머리에 붉은 꽃을 꽂은 탱고 무용수처럼 에너지가 펄펄 넘칠 거예요."

뜨거운 걸 삼키자 목이 아프면서도 시원했다.

"맛있네요. 영화는 잘 돼 가고 있어요?"

"한번 볼래요? 모니터 화면으로 볼 수 있어요."

눈을 반짝이며 대답도 듣지 않고 승우는 제 방으로 달려가서 카메라를 들고 왔다.

"완성되지 않은 필름, 누구에게 보여주긴 첨이에요."

"나도 완성되지 않은 영화, 봐주긴 처음이에요."

귀를 긁으며 웃는 그의 작은 눈이 더 가늘어진다. 콘센트를 찾아 꽂고 버튼을 누르는 표정이 지독하게 심각해 나는 재미있어 하며 지켜보았다. 바닥에 앉아 벽에 등을 기대고 나란히 앉았는데 바퀴벌레 한 마리가 책상 아래서 나오더니 재빨리 방문 쪽으로 달려갔다. 어머, 손가락으로 가리키자 승우는 몸을 날려 손바닥으로 쳐서는 죽었나 확인하고 화장지로 싸서 쓰레기통에 넣고는 책상 위에 있던 머그잔을 들고 와 건네주었다. 그 손으로, 비명을 지르자 그제서야 손바닥을 제 청바지에 쓱 문질러버리고는 장을 열어 베개를 하나 꺼내 내 등에 받쳐 주었다. 그러느라 처음 화면을 놓쳐 다시 되감기를 해야 했다.

"역시 영화는 극장에서 봐야 해."

마무리되지 않은 제 영화를 보여주는 마음이 좀 쑥스러울 것이다. 그 마음이 말에 묻어났다. 머리는 여전히 지끈거렸지만 뜨거운 차이를 마셔서인지 오한은 사라지고 팔다리가 나른했다.

늘 지나다니는 긴 골목이 화면 속에선 다른 장소처럼 보였다. 분식집 개업 때 보았던 동네사람들이 손바닥만한 화면 속에서 걸어다니고, 웃고, 화를 내고, 무언가를 먹고 마시고 있었다. 별 뚜렷한 스토리도, 반전도 없었다. 영화라기보단 다큐멘터리 필름처럼 느껴졌다. 귀에 치자꽃을 꽂은 채 활짝 웃는 미옥의 옆에 있는, 어딘가 약간 긴장한 듯한 내 얼굴이 내겐 가장 낯설었다.

"자기 영화를 관객이 어떤 관점에서 받아들이길 원해요?"

"글쎄요. 누군가의 일기장을 들여다보는 듯한, 그런."

"덧칠하지 않은 진실을 말하는 건가요?"

"그렇게 들려요? 느낌을 말해 줄 수 있어요?"

"솔직히 좀 밋밋하네요"

"편집하고 음악 들어가면 좀 달라질 거예요."

그 말은 변명, 혹은 오만처럼 들렸다. 마당에서 절벅거리는 물소리와 노랫소리가 들려왔다. 이젠 잊어야만 하는 아픈 기억이, 별이 되어 반짝이며 나를 흔드네. 연제였다. 저 자식, 또 여자 하나 울린 모양이네, 연애가 끝나면 꼭 저 노래를 부르거든요. 카메라를 들고 일어서며 승우는 내 눈을 쳐다보았다.

"눈이 참 예쁘네요."

그 말을 해놓고는 금방 후회하는 표정을 지었다. 그의 눈빛에서 카메라 렌즈의 욕망이 아닌, 다른 욕망을 언뜻 보았다고 생각했지만 그는 무슨 말인가를 덧붙이려다 고개를 숙여 보이고는 돌아갔다. 빈방에서 나야말로 후회를 했다. 밋밋하다는 말을 뭐하러 했을까, 어차피 15분짜리 단편이라면 요란한 기승전결이 더 웃길 텐데.

*

"아침 안 먹었지?"

미옥이 사각 쟁반을 들고 들어섰다.

"안 돼. 나 밥먹을 시간 없어."

"미쳤어. 다 먹고 살라고 하는 짓인데. 어서 내려 와."

냄비에 담긴 건 먹다 남은 동태찌개였는데 부서진 대가리하고 물러터진 무 조각뿐이었다. 얘는 아무리 그래도 먹던 걸 가져 오냐? 깨작거리고 있었더니 숟가락을 뺏어서는 삽 쥐듯 거꾸로 쥐어준다. 그렇게 조금씩 먹으면 멋있게 보일 거 같아? 푹푹 떠먹어, 혼을 내면서. 찌개는 보기엔 심란했는데 먹어보니 얼큰한 게 속이 다 시원했다. 밥 한 공기를 비워 가는데 승우가 카메라를 들고 방문을 열어 젖혔다. 미옥이 눈을 흘겼다.

"먹을 땐 개도 안 건드린다잖아."

"누난 개가 아니에요."

"누나 누나 하지 마. 생일 두 달 빠르다고 누나 소리 듣기 징그러워."

미옥은 입에 밥을 넣은 채 국물을 후루룩 삼키며, 난 먹다 남은 찌개 데운 게 왜 이렇게 맛있는지 몰라, 처음 끓인 거보다 이게 맛있어, 했다. 잘리지 않은 부추 가닥이 미옥의 입가에 초록 수염처럼 길게 뻗어 나와 있다. 그게 점점 짧아지다 크고 육감적인, 양끝이 따로 움직이는 듯한 입술 속으로 사라질 때까지 쳐다보고 있자 왜, 하고 물었다.

"그렇게 맛있어?"

"응."

멍이 내려와 눈이 드디어 팬더처럼 된 미옥이 졸아든 국물을 맛있게 먹는 걸 보자 어쩐지 가슴이 싸해졌다.

"뭐하고 있었어?"

"인어공주. 고민이야. 끝을 어떻게 할까. 그냥 원작대로 갈까. 아니면 디즈니 만화처럼 해피 엔딩으로 끝낼까."

미옥이 밥풀 묻은 숟가락을 내 얼굴에 대고 휘저었다.

"해피 엔딩으로 해. 왕자님하고 사랑하고 뽀뽀도 하게 해."

"원작이 낫지 않아? 어릴 때 난 인어공주 읽고 오랫동안 마음이 징하게 아팠어. 거품이 되는 사랑, 아프지만 그게 더 진짜 인생을 닮았잖아. 해피 엔딩은 너무 달콤하기만 한 사탕 같아서 재미없어.

미옥은 뜻밖에 완강했다.

"사는 것도 지랄맞은데 동화마저 아파야 돼? 무조건 해피 엔딩이라야 해. 난 우울한 동화 싫어. 구박받다 죽어서 귀신이 되어서야 한을 푸는 장화홍련도 싫고, 부모도 없는 어린 것들이 썩은 동아줄 타고 올라가다 줄은 왜 끊어지는데. 수수밭에 떨어져 피범벅이 돼서 죽는 거 정말 엽기 아냐? 난 수수팥떡 먹을 때마다 그 애들 생각나서 목이 메더라. 슈렉도 짜증나. 예뻤다가도 나이 들면 미워지는 게 여잔데 꼭 그렇게 미리 못 생기게 변신해야 해? 인어공주든 장화홍련이든 무조건 행복하게 해 줘. 왕자님과 궁합도 잘 맞게 해 줘."

서질 않아. 지 팔자고 내 팔자지. 기름기 없이 처연하던 목소리가 떠올라 국물 한 숟갈을 얼른 떠먹었다. 하얀 눈깔 두 개만 냄비바닥에 남았다. 우리를 쳐다보는 것 같다. 하긴 누가 누구에게 이 생을 거짓 없이, 착각 없이, 헛된 사랑 없이, 백일몽 없이도 살 수 있는 곳이라고 말해줄 수 있을까. 그렇게 살아야 한다고 강요할 수 있을까. 미옥이 말마따나 무슨 좋은 끝을 보겠다고.

곡예사의 아들

*

아무래도 오늘은 일 때문에 못 갈 거 같아. 전화했을 때 윤조는 잠시 침묵했다. 화난 목소리를 내기 싫어서일 것이다. 너무 무리하지 말고, 앞으론 그렇게 일 만들지 마. 전화를 끊고 나자 낮고 느린 목소리보다는 울컥 화를 내는 남자가 나을지도 모르겠다는 생각이 들었다. 쿨하다는 건 제 외로움도 남의 마음의 서걱거림도 읽을 줄 모르는 불치의 병을 이르는 것일 뿐. 난 좀더 끈적이며 질퍽이며 절룩거리며 걷고 싶어. 나는 이 골목집에 조금씩 감염되고 있는 것 같아.

사실은 조금 무리하면 아파트에 가지 못할 정도는 아니었다. 감기 기운도 어지간했다. 오늘은 여기서 쉬고 싶다, 는 생각이 떠오른 건 그랬다. 시멘트 바닥에 하염없이 떨어지는 빗소리, 마당을 가로질러가며 부르는 승우의 노래 소리, 새로 촬영한 부분을 보여주며 가끔 복잡하게 헝클어지는 그의 눈빛, 시도 때도 없이 먹을 걸 들고 와서는 나는 이게 왜 이렇게 맛있는지 몰라 한숨처럼 내뱉는 미옥의 목소리에 나는 조금씩 중독되고 있었다. 여름이 끝날 때까지만, 방충망이 뜯어질 때까지만, 그런 마음이었다. 그런 한시적인 허용이 남루하고 짜증스러운 풍경 속에서, 사금파리처럼 무용하게 반짝이는 것의 아름다움과 이상한 생기를 발견하게 한다고 생각했다. 그것뿐이다.

주말 저녁은 늘 이렇게 적막한가. 미옥은 저녁 손님들이 모두 돌아가야 올 테고 승우의 방도 불이 꺼져 있었다. 나는 둘 중의 누군가를 기다리고 있었다. 더 솔직하자면 승우를 기다리고 있었다. 그가 끓여주는 차이가 마시고 싶었고 차이를 건네주는 그와 나 사이의 이름 붙일 수 없는 아슬아슬한 정서가 그리웠다. 승우와 나누는 얘기는 늘 즐거웠다. 그에게는 일상을 보는 시각의 독특함이 있었다. 그의 카메라 속에서는 늘 보는 골목과 얼굴들이 다른 색깔과 표정을 입고 살아 움직였다. 조명 없이 문턱에 앉은 연제를 찍은 컷은, 지난 세기에 죽은 철학자의 흑백 사진처럼 보였고 정육점 할머니의 얼굴에선 전쟁의 한가운데서도 소멸되지 않을 듯한 지독한 낙천성이 비누 방울처럼 퐁퐁 피어나고 있었다. 큰 입을 활짝 벌리고 하늘을 쳐다보며 웃는 미옥은 전성기를 지난 베아트리체 달을 닮아 있었다.

그 얘길 해 주었을 때 승우는 지나치게 수줍어했다. 그래요? 아버지가 서커스 곡예사였어요. 어릴 때부터 사람과 사물에 대해 남다른 시각을 가지게 됐다면 그 때문일 거예요. 고개를 허공으로 치켜든 관객들 틈에 끼어 앉아 그들이 환호와 박수를 보낼 때, 나는 늘 누군가 내 심장을 움켜쥐어 버린 듯한 조바심에 사로잡혀 바닥만 노려보고 있었어요. 그러다가 아버지가 실수하여 그물에 떨어지기라도 하면, 사람들의 비명 속에서, 걱정하는 듯하면서 사실은 즐기고 있는 그 비명 속에 숨어서, 나는 비로소 안심하고 아버지를 부끄러워했어요. 나는, 대체로 사람들이 무심히 지나치는 게 눈에 들어오고 사람들에게 기쁨을 주는 것들이 내겐 이상한 슬픔을 불러일으켜요. 사람들이 아프게 겪는 일들이 내겐 대체로 무덤덤해요. 그게 인생이지, 하는 걸 아주 어릴 때 알아버린 거 같아요. 승우가 그 얘기를 할 때, 곱슬머리에 눈이 작은, 마르고 키가 큰 소년이 내 가슴에 들어와 앉았다.

말하자면 나는 독특함 외에는 별 미각적 강렬함이 없는 아스파라거스 스튜와 쿠바리브레를 마시며 윤조와 뻔한 코스 요리 같은 주말을 지내기보다는 뜨거운 차이를 마시며 의자에 올려놓은 카메라의 모니터 앞에서 어디로 튈지 모르는 수다를 떨고 싶었다. 토요일마다 이렇게 늦는 것일까. 건성으로 작업을 하면서 몇 번이나 나는 모니터 시계를 확인했다. 아홉 시가 넘으면서 나는 승우가 약속이라도 어긴 듯 짜증이 나기 시작했다. 승우에 대한 내 감정이 어떤 것인지 나도 알 수가 없다. 다만 요즈음 일상에 무척 예민해져 있는 나를 본다. 내 신경이나 피부, 뇌의 전두엽은 가볍게 각질을 벗겨버린 것처럼 사소한 것에 깊이 예민하게 반응했다. 사무실에서 기획회의를 하다 별 것 아닌 얘기에 가장 큰소리로 웃어 동료들을 놀라게 했고 지하철 바닥을 기어가는 장애인에게 기어이 천 원짜리를 두 장이나 찾아 건네주었다. 재미있는 일이 있으면 승우에게 얘기해 줘야지, 하는 생각부터 하고 있었다. 퇴근을 하고 시장 골목을 걸어들어올 때면 살갗을 스치는 뜨거운 바람에서도 묘한 쾌감을 느꼈다. 분장한 가부키 배우 같은 승우의 작은 눈을 보면서 미의 객관적 기준이란 게 얼마나 웃기는 것인지, 하는 생각도 했다. 다르게 말하자면 요즈음 내가 진짜 살아있는 것 같다는 느낌이라고 할까.

…… 오늘밤엔 수많은 별이, 기억들이 내 앞에 다시 춤을 추는데…….

축축한 밤의 공기 속으로 승우의 노래가 골목에서 들려왔다. 낮은 목소리는 젖은 꽃잎처럼 내 살갗에 점점이 들러붙는다. 인간의 욕망은 풍선과 같은 것이라는 걸 밤에 보았다. 나는 허공에 뜬 것 같았고 누군가 터뜨려 주기를 기다리고 있었다. 대문이 열리기 전에 나는 방문을 살짝 열어놓았다.

"어? 오늘 집에 안갔어요?"

가방을 문턱에 내려놓으며 승우가 안을 들여다보았다. 얼굴은 말짱한데 술 냄새가 옅게 났다. 나는 그 술기운에 살짝 기댄다.

"차이가 마시고 싶어서."

"우와. 일찍 들어올 걸 그랬네? 잠깐만 기다려요. 금방 만들어서 올

께요."

돌아서는 그를 불러 세웠다.

"아니에요. 들어와요. 차가운 콜라 줄게요. 주말은 술 마시는 날?"

신발을 벗으며 승우는 마른 코를 훌쩍 했다.

"그건 아니고, 외로와서요. 토요일엔 들어와 봤자 아무도 없고."

콜라를 마시며 승우는 책상 위에 쌓인 편집 자료들을 뒤적여 보았다.

"삽화 들어갈 것들이에요?"

"한번 봐요. 전체적인 레이아웃 같은 거. 시각적인 관점에선 어떤지."

"추리소설 삽화는 괜찮네요. 색채나 선도 고급하고. 이 정도면 국제도서전에 내놔도 손색이 없겠어요. 근데 이 위인전 삽화는 이거 누구예요? 유관순? 에이. 유관순 누나야 이게? 이건 정육점 할머니 사십대 때 얼굴이지. 우리 기왕 그려주는 거 예쁘게 가자구요. 아니, 프랑스 놈들 봐요. 지금은 없어졌지만 프랑화에 나오는 잔 다르크 얼마나 예쁘고 섹시하고 발랄하게 그려놨는데. 노브라에 가슴을 드러낸 채 긴 머리를 휘날리는 잔 다르크. 난 배낭 여행 가서 프랑화 보고 잔 다르크에 홀딱 반했어요. 그 돈 지금도 한 장 가지고 있어요. 왜 유관순은 뚱뚱하고 화난 아줌마처럼 그려야 해요? 이러면 독립운동밖엔 할 게 없었던 여자처럼 보이잖아. 연애도 하고 싶고 예쁘게도 보이고 싶은 이팔청춘인데 그런 개인적 욕망을 다 버리고 독립운동 하는 게 더 근사해 보이지 않겠어요?"

"젖가슴 드러낸 유관순 그려놓으면 순국 선열에 대한 모독이라고 나 돌 맞아요."

"피도 눈물도 있는 순국 선열이 더 가깝게 느껴져요."

"그럴까? 그런 승우 씨 필름은 왜 그리 잔잔해. 좀 예쁘고 섹시하고 발랄한 여배우도 쓰고 그러지."

"밋밋하다고 말해도 돼요."

승우는 내 얼굴을 빤히 들여다보며 말했다.

"더 이상 예쁜 여배우를 어디서 구해요?"

"농담이 아니라, 영화는, 시각 예술이니까 시선을 끄는 것도 중요하잖아요."

"저도 농담 아니에요."

승우의 시선이 부담스러운데 골목에서부터 왁자지껄한 고함소리가 들렸다. 누가 또 하필 이 앞에서 싸우나 싶었는데 대문이 부서져라 열어 젖혀졌다. 승우가 달려나갔다. 대문 앞 빗물 고인 시멘트 바닥에 머리카락이 쥐어뜯긴 미옥이 다친 개처럼 팔다리를 한 군데로 모은 채 널브러져 있었다. 가쁜 숨을 몰아쉬는 남자의 팔을 정육점 할머니가 꽉 틀어쥐고 있었다.

"왜 이래. 이 사람아. 말로 해."

"말로 해서는 이년이 안 듣잖아."

남자는 미옥을 씹어먹어 버리고 싶은 얼굴로 노려보았다. 엎드려 있던 미옥이 고개를 치켜들고 악을 썼다.

"야 이 새끼야. 미쳤어? 내가 연제하고 하는 거 봤어?"

남자는 이성을 잃고 있었다. 이년이 끝까지. 남자는 억장이 무너지는 건 자기라는 듯 제 가슴을 퍽퍽 치며 둘러선 나와 승우와 정육점 할머니와 주인 아주머니를 휘휘 둘러보았다. 연제는 보이지 않았다.

"이년이, 아, 난, 비어 있는 줄 알았어요. 문 닫고 들어간 줄 알았다고요. 혹시 하고 가게문을 열고 스위치를 올리는데, 두 연놈이 어둠 속에서 머리는 다 헝클어져 갖고. 얼굴이 시뻘개서는……."

남자는 말을 잇지 못하고 풀무처럼 헐떡거렸다.

"마침 불 끄고 나가려던 참에 들어온 거야."

미옥이 신파극 배우처럼 고음으로 악을 썼다.

"썅년, 머리는 왜 그렇게 헝클어져 있었는데?"

정육점 할머니에게 붙들린 남자가 몸부림을 쳤다.

"더운데 저녁 손님은 밀려들지 거울 볼 틈이 어딨어. 연제가 지나가다 의자 정리해 주고 불 끄고 막 나오려던 참이었는데. 종일 놀면서 언제 한 번 가게 나와서 뒷정리 해준 적 있어? 난 이렇게 억울한 소리 듣곤 못 살아. 차라리 죽여."

악쓰듯 시작한 미옥의 목소리는 점점 낮아졌다. 정육점 할머니가 남자의 등을 마구 후려쳤다. 그만 패. 그만 패. 싸워도 살려놓고 싸워. 등을 몇 대 맞은 남자는 느닷없이 으흐흐 울음을 터뜨렸다. 승우가 미옥을 들춰 세워서는 방으로 데리고 들어갔다. 마당이 조용해졌다. 싸움은 끝나는 분위기였다. 한참 좋을 나이에 왜들 이래. 들어가서 잘못했다고 그래, 어서. 그가 할머니에게 등을 떠밀려 들어가고서는 방은 뜻밖에 조용했다. 미옥의 방 동태를 살피던 할머니는 별 소란이 없자 애꿎은 승우를 아래위로 흘겨주고는, 꼭 못난 놈들이, 중얼거리며 돌아갔다.

내가 맞은 것처럼 기운이 하나도 없었다. 방으로 들어와 승우가 조용히 물었다.

"누구 말이 맞는 거 같아요?"

"설마, 미옥 씨가. 볼이 붉다고 터무니없는 누명을 씌우면 되겠어요?"

"처음이 아니에요."

처음이 아니라는 게 이런 일로 소란을 피운 걸 말하는지 미옥이 치정 사건을 일으킨 걸 말하는지 나는 물어보지 않았다. 어느 쪽이라 한들 나로선 그녀가 십계명을 지켜야 한다고 강요하고 싶진 않았다. 미옥이 카르멘인지 데스데모나인지를 따지기보단 나는 그녀가 큰 입을 벌려 활짝 웃는 걸 보고싶을 뿐이야. 모니터 속에서처럼.

싸운 사람처럼 우리 둘도 모니터만 들여다보고 있었다. 화면 속에 등장할 때마다 나는 얼굴이 잘 보이지 않게 고개를 뒤쪽으로 살짝 돌리고 있었다. 비겁하긴. 속으로 중얼거리는데 악, 짧고 절박한 비명이 단도처럼 빗소리를 잘랐다. 질긴 천이 단숨에 찢어지는 듯한 소리였다. 나와 눈이 마주친 순간 승우가 방을 뛰쳐나갔다. 미옥의 방문 앞에서 승우가 나를 돌아보았다. 또 무슨 일이야, 슬리퍼를 끌고 승우 옆으로 갔다. 방바닥에 미옥이 누워 있었다. 미옥의 남편은 어떤 알리바이도 주장하지 않겠다는 눈빛으로 나를 쳐다보았다. 방안으로 뛰어들어갔던 승우가 문간에 서 있는 날 돌아보며 들어오지 말라고 손을 저었다. 원목 무늬의 모노륨에 너무 많은 피가 흘러나와 있었다. 이미 산 사람이 미옥에게 해줄 수 있는 일은 더 이상 없어 보였다. 지난 세기의 추리소설 속의 시신보다 미옥의 굳은 몸은 더 현실감이 없었다. 꿈도 아니고, 무슨 이런 일이 있어. 보고 있는데 남자가 푹 주저앉았다. 알맹이를 빼버린 자루처럼 접힌 채 남자가 가쁜 숨을 쉬듯 울기 시작했다. 열어 젖혀진 쪽문 사이로 지나치게 청결한 부엌이 들여다보였다. 나는 떨리는 손으로 핸드폰을 승우에게 건네주었다. 꿈 속에서처럼 몸을 움직일 수가 없었다. 승우가 내 등을 밀어 제 방문 앞의 쪽마루 위에 앉히고는 전화를 했다. 말도 안 돼, 나는 맥없이 중얼거리고만 있었다.

가까운 곳에서 사이렌 소리가 들려왔다. 들락거리는 경찰과 어느 새 모여든 동네 사람들로 금세 좁은 마당이 그득했다. 그 무리들 뒤에 멀찍이 서서 카메라를 들고 있는 승우를 아무도 쳐다보고 있지 않았다. 나는 방쪽을 쳐다보지 않으려 애쓰며 다가갔다. 그러지 말아요. 승우 씨. 어떻게……. 겨우 들릴 만큼 작은 목소리였지만 못 듣진 않았을 것이다. 왜, 이 순간에. 정말 그러지 마요. 승우는 날 쳐다보지도, 카메라를 내리지도 않았다.

달은 스스로 빛나지 않는다

*

"차이 한 잔 마실 수 있어요?"

컴퓨터와 책과 여름 옷가지 외엔 풀지를 않았던 터라 새삼스레 쌀 짐도 별로 없었다. 짐을 싸놓고 보니 여기저기 놓인 박스 때문에 방은 더 좁아 보였다. 차이가 마시고 싶기보단 방문 앞에서 물끄러미 안을 들여다보는 승우에게 달리 할 말이 없었다. 늘 어깨에 매달고 다니던 커다란 카메라 가방을 본 지도 오래되었다. 그날 이후로 우리는 서로를 외면했다. 더러운 죄의 공범자가 된 듯한 자책감이 가슴 밑바닥에 고여 있었다. 그날 밤 미옥을 제 방으로 돌려보내지 않았다 한들 언젠가는 일어날 일이었다는 생각은 끝내 나 스스로를 납득시키지 못했다.

제 방으로 간 승우는 꽤 시간이 지나서야 머그 잔 두 개와 쇼핑백 하나를 들고 왔다. 우유를 너무 끓였는지 위에 얇게 응고된 막이 떠 있었다. 승우가 쇼핑백을 박스 옆으로 내려놓았다.

"뭐예요?"

"필름이에요."

"마지막, 반전을 넣을 건가요?"

나는 목소리에 비난하는 느낌을 담지 않으려 애썼다. 쇼핑백을 눈으로 가리키며 승우가 말했다.

"저거, 가지고 가서, 버려 줘요."

"무슨 말이에요?"

그 말엔 대답을 않고 승우는 새삼스레 방을 둘러보았다.

"오래, 버틴다 싶었어요. 다음 날로 달아날 줄 알았는데."

끔찍하고 무서운 걸 견디지 못해 끝내 방을 옮기는 거라 승우는 생각하고 있었다. 나도 처음엔 무서울 줄 알았는데 아니었다. 악몽 한번 꾸지 않았다. 내 무의식 속에선 밤마다 옆방에서 이어지던 오페라의 마지막을 예감하고 있었는지도 모르겠다.

"필름, 왜요?"

"내가 원했던 건 이런 엔딩이 아니에요. 처음 여기 왔을 땐 늘 멍자국을 달고도 커다랗게 웃는 미옥 씨를 종이 다른 생물처럼 경멸했어요. 그런데 영화를 찍어가면서, 어떤 고통으로도 파괴할 수 없는 일상의 잔인한 영속성을 미옥 씨에게서 보았어요. 그걸 기록하고 싶었어요. …… 그런데, 이건 아니에요. 내가 원했던 건, 이처럼 일순에 삶을 뒤엎어버리는 가짜 같은 드라마가 아니었어요."

"산다는 건, 싸구려픽션보다 더한 굴곡을 늘 이면에 감추고 있을 뿐이에요. 승우 씨나 나 역시 마찬가지고, 그것까지가 삶이에요."

승우는 고개를 저었다. 오랫동안 렌즈를 통해 미옥을 보아왔으면서 그 이면의 고통에 무심했던 것, 자신이 보고싶었던 풍경만 보았던 것, 헤퍼 보이는 웃음 뒤에 아파하는 심장이 뛰고 있는 걸 외면했던 것, 그리고는 치자꽃 향기만을 담으려 했던 것이 못내 괴로운 것일까.

"그래서, 찍은 필름 다 버리고 영화, 그만 둘 거예요?"

"당분간은. 허튼 짓 그만하고 웨딩 비디오 찍사나 할까 해요. 삶이 가장 빛나는 순간, 피사체가 뼛속 깊이 행복한 순간. 거기까지만."

내 결혼식날, 난 뼛속 깊이 행복한 피사체일 수 있을까. 승우 씬 아직 인생을 몰라, 하는 말을 차이 한 모금과 함께 꿀꺽 삼켰다.

"마지막으로 필름 한번 보여줄래요?"

카메라를 포장된 박스 위에 올려놓고 버튼을 누르고는 승우는 말없이 내 옆에 앉았다. 몇 번이나 본 필름이었는데 어쩐지 그 화면들은 처음 보는 것처럼 눈길을 붙들었다. 치자꽃을 귀에 꽂은 미옥의 얼굴이 클로즈업된 장면에서 나는 울기 시작했다. 그녀가 살아 있는 동안 알지 못했던, 표지석처럼 저토록 뚜렷했으나 내가 보지 못했던 아픔의 프로필이 거기 있었다. 누군가를 완전히 잃어버리기 전엔 보지 못하는 것이 거기 있었다.

"나 미옥 씨한테 물어볼 게 있었는데. 왜 이렇게 맛있는지 모르겠어, 하던 것들 중에 뭐가 제일 맛있었는지. 두 번째 데운 찌개를 먹을 때마다, 바싹 구운 삼겹살을 먹을 때마다, 싸구려 순대를 먹을 때마다, 풋복숭아를 먹을 때마다 미옥 씨 웃음소리가 들릴 거 같아."

나는 울면서 차이를 마셨다.

"이건, 탱고차이가 아니네. 아주 슬픈 노래를 들려줬나 봐."

*

"필름, 내가 가지고 있을 게요. 참, 제목이 뭐예요?"

두고 가면 버릴 것 같아서, 라는 말은 삼켜버렸다.

"달은 스스로 빛나지 않는다."

"무슨 뜻이에요?"

"대부분의 우린, 별이 아니라, 스스로는 빛나지 못하는 차갑고 검은 덩어리예요. 존재란 스스로는 빛날 수 없는 것. 누군가의 시선 속에서, 타인과의 관계 속에서 만월도 되고 때론 그믐도 되고, 그런 거 같아요."

형광 주황색 조끼를 입은 남자 둘이 카트에 짐을 싣고 골목을 몇 번 오가지 않아 방은 텅 비었다. 아직은 멀쩡한 방충망의 조잡한 푸른색이 내 눈길을 잠시 붙들었다. 마지막 카트가 대문을 나갈 때 승우는 골목 끝을 아득히 쳐다보며 내 이름을 불렀다.

"이정은 씨."

새삼스럽긴. 올려다보니 면도를 안 했는지 수염이 쑥 자라 있었다.

"우리는, 서로를 비추어줄 수 있을까요?"

방충망이 뜯어진 후에, 겨울 바람을 막을 비닐막까지 쳐달라고 얘기할 미래는 없었다. 승우를 만나면서, 내가 윤조와의 관계에서 뜻밖에 교집합이 없다는 걸 깨달았다 해서 윤조에게서 가방을 싸들고 나올 생각은 없었다. 끊임없이 비가 내리던 날들, 소란한 골목집에서 보냈던 날들이 내 인생의 야마신, 이라 한들, 결코 아니라고 부인할 수 없다 한들, 삶은 두 시간이면 끝나는 영화가 아니니까. 그런데. 그렇긴 한데. 나는 방금 물 빠진 갯벌 위에 선 것처럼 자꾸만 내 발바닥을 지그시 잡아당기는 어떤 힘에서 발을 빼내듯 겨우 대답했다.

"모르겠어요."

내가 대문을 나설 때 승우는 땅바닥을 내려다보고 있었다. 서커스 곡예사의 아들이었던 어린 시절처럼 그는 내가 돌아선 순간에야 안심하고 고개를 들어 내 뒷모습을 쳐다볼 것이다. 돌아서는데, 높지도 않은 구두굽이 삐끗, 하고 헷갈렸다. 나는 고개를 저었다. 그러지 마. 철없이.

아픔 대신, 뜬금 없이, 다시는 동화를 쓸 수 없을 거야, 하는 생각이 스쳤다. 나는 이제 빛나지 못할 것이며 저녁의 그림자처럼 사라질 거야. 너와 나의 틈 사이, 거기 희미한 빛이 있었을 뿐.

최인석 구효서 방현석

이상한 나라에서 온 스파이_아침 깜짝 물결무늬 풍뎅이_랍스터를 먹는 시간

이현수 임영태 김형수

토란_무서운 밤_이발소에 두고 온 시

박형서 정이현

토끼를 기르기 전에 알아두어야 할 것들_낭만적 사랑과 사회

역사를 초월한 환상적 세계

— 최인석 장편소설 『이상한 나라에서 온 스파이』, 창작과비평사

우 정 권

『이상한 나라에서 온 스파이』(창작과비평사, 2003)는 심우영이라는 고아로 태어난 인물을 중심으로 지난 7, 80년대 한국 근대 역사의 단면을 그린 소설이다. 이 소설 속에는 마약 복용, 혼음, 밀매업 등과 같이 비루하게 산 인간들의 이야기가 등장한다. 이들이 산 시대는 이유 없이 삼청교육대로 끌려가고, 광주에서 죄 없는 고등학생들이 죽어나가고, 미군에 의해 창녀가 살해당하는 야만의 시대였다. 야만의 시대에 비루한 인간들의 이야기, 이런 류의 스토리는 새롭지 못하고, 진부한 면이 없지 않다. 영화나 소설, 서사를 중심으로 한 매체에서 지난 근대 역사를 다룬 이야기가 이미 많이 있었기 때문이다. 사실(史實)이 새로운 정보를 전달하는 기능을 하지 못할 경우에는 관심과 흥미를 유발시키기란 어렵다. 새로운 사실이 불러일으킬 파장이 크면 클수록 사실 있는 그대로 이야기해야할 것이지만, 그 사실이 이미 많이 회자된 것이라면 사실을 사실적으로 이야기 하기란 더욱더 어려워진다. 작가 최인석은 그 난맥을 알고 『아름다운 나의 鬼神』과 『서커스 서커스』에서 보인 환상 기법을 이 작품에서도 사용한다. 그리고 민담이나 설화, 전설 등을 차용하여 소설을 구성한다. 『아름다운 나의 鬼神』에 우렁각시 민담이 나오듯이, 『이상한 나라에서 온 스파이』에서도 《열자(列子)》 '황제편(皇帝篇)' 에 나오는 '열고야' 라는 전설이 등장한다. 그 전의 작품에서 설화나 민담, 전설 등이 부분적으로 사용되었는데 비해, 이 작품에서는 서사의 한 축을 이룬다. 구성 방식에 있어서는 '프롤로그 – 심우영의 이야기 – 에필로그' 의 액자 구성을 취한다. 프롤로그와 에필로그에 있는 서술자이자 주인공인 '나' 는 심우영이라는 한 인물을 취재하여 그가 살았던 삶에 대해 전기(傳記)를 쓰겠다고 밝힌다. 그러면서 '나' 는 이 이야기가 단순한 삼청교육대를 체험한 한 인간의 특수한 이야기가 아니라, 우리가 살아가고 있는 세상이 얼마나 "어처구니없고 가소롭고 야만적이고 희극적인 세계"(9쪽)인지를 심우영이라는 인물을 통해 보여주고 싶었다고 한다. 그리고 심우영의 이야기 속에 나오는 '열고야' 라는 세계를 한자도 빠짐없이 사실대로 옮겨 놓겠다고 한다. 사실을 가장 중요하게 여기는 전기에서 비 사실적인 환상의 세계를 같이 이야기하겠다는 '나' 의 말 속에는 현실과 환상의 이분법적 세계가 무화되어 있는 것으로 보인다. 그렇다면 작품 속에 나온 환상의 세계가 어떠한 양상으로 나타나 있는지를 살펴보고 그것이 갖는 의미가 무엇인지를 살펴보도록 하겠다.

심우영이 맨 처음 맞닥뜨린 환각은 은행나무의 파란불이다. 은행나무의 파란불은 심우영이 고아원을 탈출할 때부터 따라 다녀 그가 마약을 하고 난교에 빠질 때마다 나타난다. 심우영이 일탈적 행동을 할 때마다 나타나는 환각이 환영으로 바뀌기도 한다. 심우영 자기 자신이 우물 속에 갇힌 지네로 변태하였다고 하는 모습에 의해서다. 이와 같은 환각과 환상은 선험적이면서도 현실 도피적이기도 한 성격을 지닌다. 인간이 어떤 경험을 하기 이전부터 알게 된 환영에 의해 삶의 동력을 얻는다면, 현실이 추하고 더

러우며 야만과 욕망으로 희번덕거리는 세상으로 보이게 될 것이다. 아니면, 현실의 너무나 고통스러운 경험에 의해 환각의 세계로 빠져든다면, 현실은 목숨까지 갉아먹는 욕망의 세계로 보이게 될 것이다. 환영이나 환각 모두 환상의 일종인데, 그 환상을 현실과 비교하여 볼 때, 어느 것이 먼저인가에 따라 선험적 절대 세계로 나아갈 수 있고, 아니면 마약과도 같은 현실 망각의 세계로 빠져들 수 있다. 『이상한 나라에서 온 스파이』에서는 이 두 가지 경우가 처음에는 같이 있다가 마약이 절대 세계에 의해 밀려나는 양상으로 된다. 심우영이 이태원 나이트클럽에서 친구들과 마약에 빠지는 것은 현실적 삶으로부터 도피하기 위해서다. 그러한 마약에서 구출하여 준 것은 은행나무 파란불이라는 환각에 의해서다. 그것은 자기 자신을 되돌아보는 거울과도 같아, 그 거울이 자신의 모습이 지네와도 같다는 점을 비쳐 보인다. 그러자 그는 지네에서 인간이 되고자 한다. 준태가 심우영을 잡으러 왔을 때 그는 우물 속에 있었고, 작은녀가 준태에 의해 손가락이 하나씩 부러지는 고통을 당할 때 우물 속에 지네처럼 숨어 가만히 있어도 되는데도, 그는 우물을 기어 나와 인간이 되어 그녀를 구하려고 한다. 결국 그녀의 생명을 구하지 못하지만, 그는 이제 지네에서 인간이 되고, 현실 도피적 마약과도 같은 환각의 세계에서 절대적 이상의 세계가 있는, '열고야' 가 있는 환상의 세계로 들어가게 된다. 그러자 공포의 대상이 되었던 은행나무의 파란불이 없어지고, 그곳에서 열매가 맺기 시작한다.

『이상한 나라에서 온 스파이』가 현실과 환상이라는 이분법적 구도가 완전히 무화되어 하나의 세계로 동화된 것은 최인석의 현상 너머에 있는 본질을 찾기 위한 노력의 결과이다. 심우영이 우물을 파는 행위는 최인석의 역사라는 현상 속에 숨어 있는 진실을 밝혀내고자 하는 노력을 상징적으로 보여준 것이다. 역사가 현재 우리의 삶을 고통스럽게 만든다 하여도 그것을 이겨낼 수 있는 것은 선험적 절대 세계가 있기 때문이다. 민담이나 설화, 전설과 같은 경험 이전의 세계, 즉 선험적 절대 세계가 현재 우리들을 되돌아 볼 수 있게 하여 비극적인 역사를 이겨낼 수 있는 힘이 된다.

최인석이 심우영이라는 한 인간의 전기를 갖고 와 지난 시대를 말하고, 현실 초월적 이상 세계를 말하고자 한 것은 현실에 대한 부채에 의해서다. 야만과 폭력과 억압, 인간이기를 포기한 자의 만행의 역사 앞에 인간의 모습으로 살 수 없고, 그리고 그런 기억을 갖고 있는 사실이 더욱 더 자신을 억압하였을는지 모른다. 그 역사를 어떻게 홀가분하게 벗어 던질 수 있을까. 그는 50대 작가로서 그 어떤 세대보다 한국 근대 역사의 질곡 속에 벌거벗은 채로 있었다. 그 부채를 다 짊어지지 못하여 이제 내려놓으려고 한다. 문제는 어떻게, 어떤 방법을 통해 하는가 하는 것인데, 그가 선택한 것은 초월적 환상 세계이다. 역사라는 사실과 환상이라는 허구의 만남, 그 부조화의 만남을 가능하게 하여 준 것이 문학이고, 그는 그러한 문학 속에서 사실을 비 사실적으로 이야기함으로써 역사의 질곡에서 벗어날 수 있다고 본 것이다. 『이상한 나라에서 온 스파이』는 사실과 비 사실, 사실과 허구, 현실과 환상과 같은 이분법적 세계를 무화시킴으로써 역사와 자기 자신을 올곧게 볼 수 있는 창을 마련한 소설이다.

최 인 석 1953년 전북 남원 출생. 1980년 《한국문학》 희곡부문 신인상과 1986년 《소설문학》 장편공모 당선으로 등단. 소설집으로 『구렁이들의 집』 『나를 사랑한 폐인』 『혼돈을 향하여 한걸음』 『인형만들기』 등과 장편소설 『서커스 서커스』 『아름다운 나의 귀신』 『내 마음에는 악어가 산다』 『이상한 나라에서 온 스파이』 등이 있음.

우 정 권 강원도 강릉 출생 홍익대 국문과와 서울대 대학원 국문과 졸업. 저서로 『현대문학의 글쓰기 양상』 『한국 근대고백소설의 형성과 서사 양식』 등이 있음. 현재 단국대 강의 교수.

신화적 세계의 일상화, 그 황홀한 만남

— 구효서 소설집 『아침 깜짝 물결무늬 풍뎅이』, 세계사

문흥술

미국에 있는 인디언 부족 마을 중에서 아직도 석기시대 같은 마을이 있다. 그 마을에 낡은 통나무 식탁이 하나 있는데, 그것은 60년 전에 베어진 나무로 만들어졌다. 그런데 나무가 베어진 지 60년이 지난 뒤 그 식탁의 한 구멍에서 "자미자미 오 테"라는 물결무늬 풍뎅이가 부화해서 나온다. 그런 일이 가능할까. 현재 우리의 삶을 지배하는 근대 과학적이고 합리적인 사고의 측면에서 볼 때, 그것은 불가능하다. 다만 신화에서나 있음직한 일일 뿐이다. 구효서는 그 인디언 신화를 신화로 받아들이지 않고, 그런 일이 현재에도 가능하다고 말하고 있다.

한국에서 두 남녀가 사랑을 했다. 그런데 여자가 어느 날 입을 팬티가 없이 외할머니의 커다란 꽃무늬 팬티를 입고 나가 남자를 만난다. 남자가 동침을 요구하자 여자는 팬티가 부끄러워 완강히 그것을 거부한다. 그리고 두 남녀는 헤어지고, 여자는 외국으로 가서 남자의 아이를 낳는다. 세월이 흐른 뒤, 40대 중년이 된 남자는 미국에 업무차 들렀다가 그 여자의 딸(미

르), 곧 자신의 딸을 여행 가이드로 만난다. 둘은 서로에게 호감을 가진다. 남자가 귀국하고 여자도 모국을 방문해서 남자와 함께 일을 하면서 가까워진다. 그러다가, 남자는 여자의 어머니 이야기를 듣고 그 여자가 옛날 애인임을 직감하고 편지를 보낸다. 여자에게서 온 답장은 다음과 같다. "미르를 키운 것은 저도 당신도 아니에요. 세상의 바람과 구름과 하늘, 그리고 땅 위에 돋는 식물과 꽃들, 무엇보다 세월이었지요"라는 편지를.

60년이 지나 부화한 물결무늬 풍뎅이가 곧 미르임을 암시하고 있는 대목이다. 세상의 모든 것은 자연의 섭리에 따른 것이며, 인간의 합리적 사고의 입장에서 볼 때 신화에서나 있음직한 일도 자연의 섭리에서 보면 얼마든지 가능한 현실이다. 이처럼 과학적 합리적 세계에서는 불가능하고 신화적 세계에서나 가능한 일을 현실화하고 있는 것이 11편의 단편으로 이루어진 구효서의 이번 소설집의 주된 내용이다.

구효서는 이미 『늪을 건너는 법』에서 근대물질문명을 거부하고 강화도 나림 신화로 대표되는 탈역사적이고 탈문명적인 세계를 소설적 지향점으로 설정하고, 그런 세계를 불가능하게 하는 현대의 정보사회에 대한 비판을 가하고 있다. 작가는 『깡통따개가 없는 마을』, 『확성기가 있었고 저격병이 있었다』 등의 작품집을 통해 '깡통따개' 조차 없는 오지도 이미 정보 메커니즘에 함몰되었다고 보고, 그런 정보사회의 획일화되고 비인간화된 일상을 날카로우면서 깊이 있는 시선으로 비판하면서, 동시에 『비밀의 문』 등을 통해 그러한 정보사회의 모순을 극복할 수 있는 대안으로 인간과 자연, 인간과 인간이 어우러진 신화적 세계를 탐구해오고 있다.

정보사회 비판과 신화적 세계에 대한 갈망은 구효서의 작품세계를 이끌어 가는 두 축인데, 그의 문학적 전개과정은 때로는 전자에, 때로는 후자에 치중하거나, 아니면 양자를 통합하여 취급하면서 오늘에 이르고 있는데, 이번 소설집은 다분히 후자에 치중하고 있다. 그렇다고 해서 이전처럼 강화도 신화나 동양적 신화세계를 그대로 작품으로 끌고 들어오지는 않는다. 대신 이번 작품집은 정보사회에 함몰된 관습적이고 일상적인 시각에서는 있을 수 없는, 그러나 인간과 자연이 합일되고 평화롭게 공존하는 탈문명적인 신화적 세계에서는 언제든지 실현가능한 일을 일상현실에서 포착해서 형상화하고 있다.

그래서 이번 소설집의 인물들은 정보사회의 현실에 적응하지 못하고 늘 일탈의 삶을 살면서, 그것을 극복할 수 있는 세계, 곧 인간과 자연이 합일된 신화적 세계에 대한 강렬한 지향을 드러내고 있다. 가령 죽은 아버지와 영혼의 교감을 하거나, 이년 전 베어진 고향 홰나무와 교감을 하거나, 미루나무 같은 사랑을 하던 두 여인이 우연히 만나 아픔을 나누거나, 세속적 욕망을 떠나 때묻지 않는 자연과 같은 사랑을 나누는 것 등이 그 예이다.

이처럼 이번 소설집은 신화적 세계에서나 일어날 수 있는 일들을 일상현실 속으로 끌고 들어옴으로써, 정보사회의 삭막하고 비인간적인 논리에 함몰된 우리들의 황폐한 심성을 아프게 일깨워주면서, 우리가 진정 지향해야 할 세계가 무엇인지를 슬프고도 아름답게 비쳐주고 있다. 이를 통해, 구효서의 작품전개과정에 있어서 『도라지꽃 누님』(1999)에서 제기된 신화적 세계의 일상화가 이번 작품집에서 보다 심도 있게 형상화되고 있음을 알 수 있다. 아무런 세계관 없이 시류에 영합해서 몸 가벼운 글쓰기를 하는 작가들에 비해, 확고한 세계관으로 정보사회를 비판하면서 그 세계를 더욱 심화시키는 구효서의 작품집은 그래서 더욱 감동적이고 황홀하게 다가온다.

구 효 서 1957년 강화도 출생. 1987년 《중앙일보》 신춘문예로 등단. 소설집으로 『노을은 다시 뜨는가』 『확성기가 있었고 저격병이 있었다』 『도라지꽃 누님』등과 장편소설 『늪을 건너는 법』 『슬픈 바다』 『아침 깜짝 물결무늬 풍뎅이』 등이 있음. 한국일보 문학상 수상.

문 흥 술 1961년 경남 사천 출생. 경희대 국문과와 서울대 대학원 국문과 졸업. 1993년 《조선일보》 신춘문예로 등단. 저서로 『자멸과 회생의 소설문학』 『작가와 탈근대성』 『시원의 울림』 『존재의 집에 이르는 지도』 등이 있음. 현재 서울여대 한국어문학부 교수.

미래를 위한 성찰

— 방현석 소설집 『랍스터를 먹는 시간』, 창비

백 지 연

방현석의 『랍스터를 먹는 시간』은 두 가지 측면에서 의미깊게 접근해볼 수 있는 소설집이다. 하나는 이 소설집이 80년대의 상처를 현재의 성찰대상으로 환기하고 있다는 측면이며 다른 하나는 일부 소설에서 다루어지는 베트남이라는 타국의 문화 체험에 관한 측면이라고 할 수 있다.

『내일을 여는 집』(창작과비평사, 1991), 『십 년간』(실천문학사, 1995), 『당신의 왼편』(1995) 으로 이어져온 방현석의 소설적 여정은 80년대 문학의 중심에 서 있던 사회적 상상력의 실체를 여실하게 드러낸다. 『랍스터를 먹는 시간』에 실려 있는 네 편의 작품인 「존재의 형식」과 「랍스터를 먹는 시간」 「겨우살이」 「겨울 미포만」에서도 80년대라는 상징적 기호는 여러 가지 방식으로 변주되어 소설 속에 드러난다.

『십 년간』에서 일부 드러난 적이 있지만 방현석은 개인적인 감상과 후일담으로 지난 연대를 소설화하는 것에 대한 강한 저항감을 표시해왔다. 그의 소설에서 고집스럽게 투사되는 미래적 희망은 망각할 수 없는 과거에 대한 애정을 드러낸다. 그런 점에서 『랍스터를 먹는 시간』에 실린 「겨우살이」와 「겨울 미포만」은 방현석의 전작들과 더 가깝게 닿아 있는 작품들이다.

방현석 소설에서 즐겨 다루어지는 사실보고적인 성격은 「겨울 미포만」의 건조하고 담담한 기록에서도 그대로 드러난다. 「겨울 미포만」에서 전형적으로 형상화된 노동운동의 체험과 그것을 극복하는 집단적 희망의 비전은 1980년대의 노동소설에서 익히 만나볼 수 있었던 구도와 다르지 않다. 소설 속에서 "나는 남아 있는 수레바퀴를 함께 굴릴 다른, 새로운 사람들을 찾을 거야. 난 물러서지 않아. 그들이 우리의 곁으로 돌아와 다시 별이 되어 빛날 때까지."(303-304면) 라는 현강의 고백은 방현석이 발언하고 싶었던 미래에 대한 다짐이기도 한 것이다. 흥미로운 것은 이러한 낙관적 다짐과는 대조적으로 소설의 결말에 드리워진 분위기가 상당히 암울하다는 점이다. 오토바이 사고로 숨을 거두는 한 동료의 모습은 개인주의에 대한 반성을 보여준다기보다는 현실에 대한 신념이 유지되는 과정이 쉽지 않음을 드러내는 쪽에 가깝다.

「겨울 미포만」과 마찬가지로 「겨우살이」 역시 지난 연대의 체험에 대한 신뢰와 그것을 여지없이 배반하는 비관적 현실의 풍경을 포착한다. 소설에는 전교조 출신 교사가 겪는 현실에 대한 자괴감, 그리고 그의 마음을 위로하는 성실하고 건전한 학생이 등장한다. 물론 「겨우살이」는 「겨울 미포만」의 현장보고적인 특성보다는 현실에 대한 인물들의 내성적 통찰을 더 짙게 드러낸다. 누나의 사고와 관련된 가해차량 뒤에 〈내 탓이오〉라고 붙어 있는 스티커를 보고 경악하는 주인공의 모습은 출구를 찾기 힘든 답답한 심경까지도 표출하고 있다.

「겨우살이」와 「겨울미포만」이 보여주는 현실의 모습과 주인공의 심경변화는 방현석의 소설이 다른 출구를 모색해야 할 지점에 서게 되었음을 예고한다. 90년대 이후의 변화된 현실 속에서 노동소설의 전형성이 보여주는 낙관과 희망은 새로운 방식으로 조율되어야 함이 분명하다. 방현석은 숱한 후일담 소설들이 걸어간 과장적 감상과 연민의 방식을 거부한 채 단절보다는 연속의 관점에서 현실을 형상화하려고 노력해왔다. 이러한 작가의 신념은 작품집에 실린 「존재의 형식」과 「랍스터를 먹는 시간」을 이해하는데 매우 중요하다.

「존재의 형식」과 「랍스터를 먹는 시간」의 배경무대가 되는 '베트남'이 궁극적으로는 방현석 소설의 80년대와 연결되는 것은 그런 의미에서 당연하게 여겨진다. '베트남을 이해하려는 젊은 작가들의 모임'이라는 작가의 실제적·체험과 연결되는 것이기도 하지만 이 소설 속에서 베트남은 '한국의 또다른 모습'의 의미로 다가오고 있다.

이 작품집의 수작이라고 할 수 있는 「존재의 형식」이 보여주는 베트남의 삶은 이전의 방현석 소설이 다루어 온 80년대를 인물의 내면 속에서 되살려낸다. 한국에서의 아픈 기억을 안고 베트남에 안착한 재우의 삶은 변화의 삶을 선뜻 받아들이지 못하는 386세대의 한 의식을 보여준다. 대학 시절 민주화 운동에 동참했던 재우, 문태, 창은은 변화된 시대 속에서 자신의 선명한 위치를 찾지 못한 채 각자 흩어진다. 이들이 함께 했던 빛나던 연대는 이제 각자의 생활고를 바탕으로 한 힘겹고 숨가쁜 삶의 시간 속에 묻혀 버렸다.

과거에 대한 회한과 감상을 침묵 속에 간직한 주인공 재우는 자신들의 연대를 함부로 거론하는 이들에게 분노를 표시한다. 민주화 운동에 관련된 명예회복절차를 밟자는 문태에게 재우는 나지막히 뱉는다. "어떤 개새끼가 우리의 명예를 심사할 수 있는데? 불명예스러운 건 지난날이 아니라 지금의 우리야."(56면) 현실에 대한 삶의 감각을 다른 방식으로 회복하고 싶어하지만 쉽게 접어둘 수 없는 과거의 공간 속에서 재우는 고통스러워한다.

80년대를 함께 한 세 친구 중에서 재우와 문태가 조우하는 베트남이라는 공간은 그러한 의미에서 상징적이다. 소설에서 베트남은 시간의 현재성을 떠나 미래의 연대를 모색하게 하는 접점 지역으로 존재하게 된다. 재우는 사회운동에 헌신했던 과거를 잊고 새로운 삶을 모색하기 위해 베트남으로 향하였다. 그러나 그는 베트남의 산업현실이 자본주의 체제의 폭력을 보여주는 공간임을 재확인하고, 또 그 중심에 서 있는 사람이 한국의 자본가들이라는 사실에 절망한다. 그가 베트남에서 재회한 문태의 첫인상 역시 한국의 타락한 기업가들에 끼어 베트남의 현실을 어지럽히는 변절한 동지의 모습으로 다가와 마음을 괴롭게 한다.

재우의 복잡한 심경 토로를 거쳐 결국 어렵게 이루어지는 문태와의 화해는 한국이라면 상상할 수 없는 연대의 가능성을 시사한다. 「존재의 형식」에서 이들의 연결고리가 되는 인물은 베트남의 혁명투사 레지투이다. 그는 재우나 문태처럼 변혁된 사회의 희망을 굳건하게 믿던 투쟁가였다. 베트남의 역사를 다룬 한국 영화 시나리오를 베트남어로 번역하던 재우는 레지투이가 믿는 미래적 희망 속에서 자신의 심경을 정리하게 된다. 지난날의 우리들의 희생이 무엇이었냐고 묻는 재우에게 레지투이는 "우리는 우리 세대가 해야 할 일을 끝냈을 뿐이지요. 다음 세대에게는 또 다음 세대가 해결해야 할 일이 기다리고 있지요. 우리가 다 해버리면 다음 세대는 뭘 하고 살겠어요? 어떤 세대도 다음 세대가 할 일을 미리 할 수는 없지 않을까……."(68면)라고 응답한다. 격렬했던 투쟁의 역사에 대한 자긍심으로 가득한 레지투이의 모습은 재우가 희망을 얻는 중요한 계기를 제공한다.

「존재의 형식」에 나타난 베트남이 80년대의 현실을 정의내리는 다분히 희망적인 공간이라면 「랍스터를 먹는 시간」에 나타난 베트남은 이 희망적인 공간에 도사리고 있는 상처의 극복 문제를 현실적으로 거론한다. 이 소설 속의 인물들은 「존재의 형식」의 인물들이 지녔던 날카로운 현실의식보다는 삶 자체의 무게에 짓눌려 고통스러워하는 나약함을 노출한다. 건석은

"우린 왜 랍스터처럼 자신의 일부를 스스로 잘라내버릴 수 없을까?" 라고 (178면) 자문하지만 상처가 어떠한 방식으로 극복될지에 대해 확언하지는 못한다. 단지 해저의 전투에서 상처를 입은 랍스터가 다친 사지를 자발적으로 절단해버리는 것처럼 모든 것이 명료해질 수 없는 현실의 모습이 괴로울 뿐이다. 건석과 리엔의 결합은 그러한 의미에서 아무 것도 떨쳐낼 수 없는 현실 속에서 조심스럽게 모색되는 가녀린 희망으로 형상화된다.

소설집인 『랍스터를 먹는 시간』에서 우리가 만날 수 있는 것은 지난 연대의 상처를 껴안으면서 미래의 가능성을 모색하는 조심스러운 작가적 성찰이다. 그것은 한시적인 감상과 회한을 털어놓는 자기반복의 함정을 비켜서서 작가가 발견해낸 좁은 길이다. 베트남이라는 무대 역시 그러한 측면에서 아직은 작가의 내면에 추상화된 공간이라고 할 수 있다. 독자적인 역사공간으로서의 베트남에 대한 문학적 형상화가 어떻게 이루어질 수 있을 것인가에 대한 고민은 작가에게 새롭게 부여된 소설적 과제인 셈이다.

방 현 석 1961년 경남 울산 출생. 1988년 《실천문학》으로 등단. 소설집으로 『내일을 여는 집』 『랍스터를 먹는 시간』과 장편소설 『십년간』 『당신의 왼편』 등이 있음. 오영수 문학상, 황순원문학상 수상.

백 지 연 1970년 서울 출생. 경희대 대학원 국문과 졸업. 1996년 《경향신문》으로 등단. 저서로 『미로 속을 질주하는 문학』이 있음. 현재 경희대 강사.

‘발견’으로서의 내면성; 노인스러움에 대하여

— 이현수 소설집 『토란』, 문이당

최 성 실

1.

1980년대 한국문학이 이룩한 중요한 성과가 있다면 그것은 아마도 평등의 원리에 의해서 구현되는 공동체 이념에 있을 것이다. 80년대 문학은 권력에 의해서 한쪽으로 치우쳐진 ‘힘’의 논리에 맞선 공동체 논리를 중요한 문학적 자산으로 삼았던 것이다. 그런데 공동체 논리로 포획되지 않는 것, 벗어나 있는 것이 있다. 아마도 그것은 어떻게도 보편적인 공동체의 시각으로 수렴되지, 환원되지 않는 개인적 내면의 논리가 아닐까 생각한다. 세월에 의해서 닳고 닳아졌음에도 불구하고, 더 이상 그 세월에 내어줄 수 없었던 내면의 이면을 구성하고 있는 것. 이를테면 사랑의 절대적인 체험 속에 빠져 본 적이 있는 자의 내면은 어떠한 공동체의 논리 속으로도 절대 환원이 불가능한 것은 아닐까 하는 것이다. 절대적인 내면에 대한 탐색은 어떤 불가항력적인 것에 대한 집요한 물음으로부터 시작된다.

백민석이 탐색하고 있는 빈 자의 정치학이나 배수아가 몰입해 있는 ‘잡스러움', 김연수가 놓지 못하는 구성되는 정체성의 '극' 체험, 정이현이 문학적 플레이의 대상으로 삼고 있는 섹슈얼리티와 후미진 자본주의의 이면, 한유주가 관심의 영역으로 확보한 '기억'과 '망각'에 대한 미학적인 수사학, 김애란이 묘파하고 있는 절대적인 자기 경험의 서사화 등은 이 불가항력적인 것에 대한 도저한 자기 물음, 바로 개인적 내면의 고유성에 대한 질문으로 심화된다. 그리고 이 젊은 작가들과 나란히 노인스러움의 문제를 통해서 이에 대한 궁극적인 물음을 던지고 있는 작가가 바로 이현수인 것이다.

이현수는 궁핍한 소재주의의 한계를 극명하게 뛰어 넘은 보기 드문 작가다. 그의 소설은 과도한 실험이나 그로테스크한 미학적 새로움, 혹은 자의식이 결여된 이야기성을 보이는 근래의 소설들과는 확연하게 구분되는 점이 있다. 일회적인 감각에 의존하지 않으면서도 순간적인 감각의 진정성을 포착하는 노련미와 삶의 밑바닥을 통찰하는 예리한 시각까지를 겸비하고 있다는 측면에서 예사롭지 않은 것이다.

그러한 이현수의 문학적 고민은 감각의 진정성을 통해서 어떻게 인간사의 배면에 깔려 있는 '알 수 없음'에 접근해 가는가에 있다. 특히 『토란』은 이미 규정되어 있는 것처럼 보이는 보편적인 인간, 예컨대 노인, 혹은 매일 부딪히는 옆집 남자, 산장을 찾아오는 손님, 택시 기사, 어머니 등 지극히 사회적으로 보편적인 인지 가능성(예컨대, 노인으로 상정되는 외부적인 관념들, 남자, 여자를 규정하는 외부적인 속성들, 택시 기사, 가족의 분류체계 안에서의 어머니, 아버지, 딸 등) 속에 놓여 있는 인물들의 내면성을 새로운 시각으로 통찰하고 이를 '발견'으로서의 내면성을 통해 구체화시키고 있다.

2.

「토란」은 이러한 그의 관심이 압축되어 있는 소설이다. 토란이란 무엇인가. 엄밀하게 말하면 '토란-스러움' 이란 무엇인가. 요리를 '종교' 처럼 생각하시는 시어머니는 정작 요리의 근원지인 자신만의 부엌을 한번도 가져본 적이 없으신 분이다. 시어머니는 자식들 뒷바라지와 시아버지의 뒤치다꺼리를 하시면서 평생을 보냈지만 요리만은 자신만의 절대 미각에 의존하면서 어떤 누구에게도 양보하지 않았다. 요리만이 그녀의 존재가치를 가시화시키는 마지막 방편이었던 것이다. 밖으로만 도시는 시아버지의 방랑벽과 변덕스러운 성격은 그녀를 집안에서 조용히 늙어 가는 아내로 살 수 있게 허락하지 않았다. 그녀가 유독 요리에 집착하게 된 것은 아마도 "싹 수 없는 인간", 시아버지와 맞지 않는 생활 리듬을 견디기 위한 것이었으리라. 시금치 데치기, 고들빼기 김치 담그기, 토란 다듬기 등은 지극히 평범한 음식 만들기 과정처럼 보이지만 그 저마다의 고유한 속성을 이해하지 않고서는 재료의 독특한 맛을 살리기가 불가능한 특별한 공정인 것이다. "음식은 저마다 여타 음식이 넘볼 수 없는 고유한 맛을 지니고 있"기 때문에 그 성격을 잘 살려서 음식으로 요리해야 한다. 그렇게 음식에 있어서 절대미각을 추구하는 그녀가 남편을 미워하는 것은 인간에 대한 단순한 증오감이 아니다.

그녀(시어머니)에게 "싹수 없는 인간"으로 낙인찍힌 그(시아버지)는 시누이와 함께 연주를 하는 섬세함을 갖고 있으며 며느리의 외상을 걱정하는 자상함도 지니고 있다. 시어머니에게는 하루도 보고 싶지 않은 인간으로 치부되지만, 다른 각도에서 보면 "꿈을 잃은 자", 누구에게도 완전히 이해받지 못한 인간에 불과한 것이다. 음식에 비유한다면 시아버지는 시아버지만의 고유한 맛을 내는 그 어떤 것을 갖고 있으나 시어머니로부터 그 맛의 고유성을 인정받지 못한 것이다. 시아버지가 갖고 있는 내면의 고유성은 한 집안의 가장으로서, 혹은 남자로서도 아닌, 어떤 것이다. 집 밖으로 떠돌아다닐 수 밖에 없었던 그 개인의 고유한 내면을 식구 중에 어느 누구도 아는 사람이 없다. 그것은 시아버지가 절대 미각의 소유자인 당신의 아내가 자신만의 부엌을 갖고 싶어한다는 사실을 알고 있지 못하는 것과 통한다. 시아버지, 시어머니, 시누이를 집단적인 내면성, 다시 말하면 보편적인 가족관계 속에서 남편으로, 아내로 호명되지 않는 것, 이를 고유한 개인적 내면의 발견으로 치환시키는 작가의 노련함은 마지막 장면에서 여실하게 드러난다. 시아버지와 화해를 하지 못하고, 차려진 밥상을 엎고 마는 시어머니의 행위는 토란처럼 저마다의 '아린 맛'을 쉽게 놓지 못하는 인간에 대한 존재론적 물음과 닿아 있다. 아무렇지도 않을 것 같아 장갑도 끼지 않은 채 만졌다가는 오랫동안 고생을 하게 하는 토란의 속성처럼, 인간에게도 절대적 현존의 차원에서 논의할 수 밖에 없는 개인의 내면이 있는 것이다.

이현수는 바로 나이듦, 노인이 되어간다는 것이란 이를 구체적인 몸각으로 일깨우는 것이 아니겠는가 라고 반문한다. 결국 노인스러움이란 늙어간다는 생물학적인 문제가 아니라 오히려 그 절대적인 내면을 포기하지 못하는 인간의 심연에서 나오는 존재론적인 성찰에서 접근해야 하는 것이 아닌가 하는 것이다. 그것은 한 평생을 함께 살았어도 분명하게 감지할 수 없는, 개인의 고유경험과 맞닿아 있는 문제이다. 각자의 절대적 존재성, 결국 인간의 내면이란 보편적인 경험에 의해서만 형성되는 것은 아니라 각자의 독특한 경험 방식에 의해서 구성되기도 하며, 이는 내면의 공감을 통해서 끊임없이 새로운 울림을 줄 수 있는 것이라는 사실. 이현수는 음식재료가 갖는 맛의 고유성을 통해 이에 대한 구체적인 서사적 몸통을 형성하고 있다.

「거미집」의 양지뜰 댁은 살 날이 얼마 남지 않은 노인(어머니)을 보면서 한국의 가족사의 전형적인 이력을 더듬어 간다. 아들을 위해서 자신의 먹을 것을 아낌없이 내어주는 어머니, 그럼에도 불구하고 딸 자식에게는 그렇게도 모질게 굴었던 어머니의 모습을 반추하면서 허상의 공간을 채워가는 것이다. 그런데 재미있는 부분은 그 어머니의 모습과 자신의 모습이 지독하게 닮아 있다는 사실에 있다. 닮아 있음에도 불구하고 그런 어머니의 마음을 알지 못한 채 한 세월을 살았던 것이다. 그녀의 눈에는 친족 관계 속에서의 어머니의 위상, 다시 말하면 가부장적인 질서 체계 속에서 아들만을 위하는 어머니의 표상만이 들어왔던 것이다.

그러나 나이가 들어 노인이 된 어머니는 그저 자식들이 잘 되기를 바라는, 그리하여 딸에게 무엇인가 해주지 못한 것을 안타까워 하는 노인일 뿐이었던 것이다. 그 노인스러움은 외면적으로 보여지는 것과, 내면에 품고 있는 생각과의 거리, 그 이중성 속에서 구체화된다.

작가는 며느리들이 구박하는 아들네 집으로 가고 싶은 마음이 없으면서도 딸 앞에서는 아들네 가서 죽어야지 라고 말할 수 밖에 없는 노인의 내면세계를 독자에게 엿보게 함으로서 설득력 있는 알리바이를 만든다. "네가 내 속에 들어와 보아라"하고 외치고 싶은 노인의 심정을 어떤 자식이 헤아릴 수 있다는 말인가 라고 되묻는 어머니의 내적 독백은 가족이라는 울타리를 견디면서 재생산되는 모성성의 신화, 혹은 모성적인 것의 신성함과는 전혀 다른 것이다. 그것은 오히려 외부적인 원인에 의해서 구성되지 않은 채 남아 있는 노인의 개인적인 내면의 문제와 닿아 있다.

「비하리에서 나는」도 설정은 다르지만 이런 문제의식의 연장선에 있는 소설이다. 비하리는 탄가루가 날리는 광산촌이다. 탄가루를 씻기 위해 밤이면 옆구리에 대야를 끼고 붓도랑으로 씻으러 가는 여자들과 빤스가 회색인 아이들, 부패한 생선 냄새가 비하리의 생활 환경을 상징적으로 드러내준다. 그것을 나경은 오래 전에 떠났던 것(가출)이다. 가출한 나경은 시장 골목에서 벽지 도매상을 하면서 살아간다. 그녀가 비하리를 떠난 것에는 여러 가지 이유가 있지만 무엇보다 분명한 것은 어린 그녀를 덮쳤던 남자의 기억 때문이다.

나경은 결혼 한 이후에도 그 남자의 기억으로부터 결코 자유로울 수 없었다. 그런 나경을 남편은 오해하기 시작한다. 이를테면 과거에 남자가 있어 그녀의 고향이라고 할 수 있는 비하리에 내려가지 않는 것이며 이혼서류에 쉽게 도장을 찍은 것도 그 때문이라고 생각한다. 그녀의 내면에 잠재되어 있는 공포를 남편이 알 리 없는 것이다. 그런 남편은 급기야 외도를 하고 "당신에게 미안한 말이지만 나 — 그 여자랑 사는 것처럼 한번 살고 싶어"라는 말을 남기고 떠난다. 탄광촌 비하리에서 그녀를 덮친 검은 그림자에 대한 공포감으로부터 놓여나지 못하고 살아야 했던 나경의 내면을 전혀 알지 못한 채 말이다. 그날 자신이 당한 일에 대해서 어떻게 설명을 해야 남편에게 자신의 진실을 알릴 수 있단 말인가라는 그녀의 고민은 다른 말로 하면 아내라는 이름의 보편적인 내면을 갖지 못한 채 살아가야 하는 여자를 누가 이해할 수 있다는 말인가라는 물음과 통하는 것이다. 왜냐하면 그것은 그녀 자신의 고유한 경험이었기 때문이다.

「마른 날들 사이에」 등장하는 산장의 여인도 비하리의 그녀만큼 복잡한 내면의 소유자이다. "말끝을 흐리며 웃는 남자를 따라 여자도 웃는다. 남자의 눈에 산장이 고요해 보였고, 고요한 산장이 마음에 들었다는 남자의 말이 우스워서 여자는 웃었다. 고요라니 — 권태가 덕지덕지 쌓인, 보지 말았어야할 인생의 비밀을 일찍 엿본 죄로 삶에 대한 정열이나 어떤 희망도 품지 않는 한 여자가 만들어 내는 푸석푸석한 마른 날들의 풍경이 타인의 눈에는 고요하게 비칠 수도 있다니"라는 그녀의 푸념이 이를 증거한다. 그렇게 인생의 비밀을 엿보았다는 그녀의 독백이 구체적인 실체를 얻어 가는 것은 산장의 '손님'들을 통해서다. 타자를 통해서 삶의 비밀을 인정해가는 과정은 자신의 경험세계에만 몰입해 있는 것 보다 더 보편적인 울림을 준다.

산장의 손님 중에는 주자운이란 가수보다 더 주자운처럼 노래하면서 살아가는 모창가수가 있다. 그는 주자운의 모습으로 나이트 클럽에서 열심히 노래하면서 하루하루 살아가지만, 내면에는 항상 박명식이란 본명으로 버젓하게 음반을 내고 싶은 욕망이 있다. 사람들은 그가 주자운처럼 노래하는 것을 즐긴다고 생각할지 모르지만 그는 자신의 음반을 내고 싶은 욕망을 품고 하루하루를 버티면서 살아가는 것일 뿐이다. 문제는 아무도 그 사실을 모른다는 것이다.

산장의 손님으로 들어 있는 아이엄마 또한 그와 비슷하다. 그녀는 그 아이 엄마를 주자운의 나이트 클럽에서 만난다. 아이 엄마는 짧은 치마를 입고 춤을 추다 옷을 갈아입으러 화장실에 들어간다. 그곳에서 그녀와 마주친 것이다. 아이들에게 정숙한 엄마로서 행동하고 생활하면서 밤에는 나이트에서 춤을 추는 그녀, "에미와 엄마" 사이를 살아가는 그녀의 모습을 통해서 저마다 다른 사람들이 도저히 이해할 수 없는, 혹은 알 수 없는 개인적인 내면이 있다는 사실을 '발견' 한다.

「도마령」의 고자리재도 그런 인간의 내면에 존재하는 개인적 경험의 '실체' 다. 고자리재를 누군가는 여행 삼아서 자전거로 훌쩍 넘었을는지 모르지만 누군가는 그곳을 생사를 걸고 넘었을 수도 있다는 것. 즉 자신의 아버지에게 고자리재는 딸을 위해 사력을 다해서 넘어야 했던 실존의 근거지였다. 그러나 딸을 아끼고 사랑했던 아비는 다른 한편 도박과 노름에 빠져 있었으며, 기생질을 일삼았던 이력도 지니고 있었다. 그럼에도 불구하고 어머니는 그런 아버지를 미화하기에 급급했다는 것이 문제적인 지점이다. 애처로울만큼 어머니가 아버지를 두둔한 이유가 어디에 있는가. 아버지가 살아 있는 동안에는 이상하게도 정이 가지 않았으나, 죽은 후에 사랑하게 되었다는 것은 무엇을 의미하는가.

어머니가 기생질을 하고 밖으로만 돌았던 아버지를 가족이라는 울타리에 묶지 않고도 살 수 있었던 것은 누구나 마음 속에 다른 사람은 도저히 알지 못하는 그만의 '개인적 내면'이 있다는 사실을 알 수 있는 것은 그가 죽은 이후에나 짐작으로서 가능한 일이라는 것이다. 가족이라는 제도, 아내와 남편이라는 의무적인 조항으로 환원되지 않는 개인의 내면, 다시 말하면 누구에게나 실존의 사력을 다해서 넘어야 하는 고자리재가 있음을 인정해야 함에도 불구하고 살아서는 이것이 불가능하다는 것, 작가는 이 비애스러움을 담담하게 직시한다. 그것은 "오래전부터, 아득한 훗날에도, 사방 도처에, 혹은 저마다의 가슴에" 있었던 것이다.

「파꽃」은 왜 "그가 현관문은 열고 들어왔을 때 아무도 그를 바라보지 않았다"라는 단정적인 서술로 초입이 시작되는 것일까. 이에 대한 답은 간단해 보인다. 단지 대전 전파사 총각이라고만 알고 있었던 사람에 대한 이야기이기 때문인 것. 언제나 옆에서 필요한 모든 것들을 알아서 해주었던 사람이지만 나에게는 그저 옆 집 남자 정도로만 인식되었던 사람, 30년 동안 이름조차 모르고 살았던 사람, 그가 바로 대전 전파사 총각인 것이다. 문제의 시작은 그와 나눈 파꽃에 대한 이야기로부터 비롯된다. 다른 꽃들과는 달리 파 대롱에 매달려 있어 쉽게 꽃이라고 인식되지 못한 것, 그 파꽃이란 바로 그녀의 옆에 항상 맴돌았던 전파사 총각의 존재적 가치를 알려준 객관적인 상관물이었던 것이다. 파꽃과 같은 의미에서의 객관적 상관물의 역할을 하고 있는 것 중에 하나가 자전거다. 전파사 총각이 품었음직한 첫사랑의 애전함을 누가 알 수 있단 말인가. 그만이 소중하게 간직한 개인적인 경험을 말이다.

「불두화」는 "자전거는 앞으로만 갈 수 있지 사람이 탄 채 뒤로는 한 발도 갈수 없는 물건", "맹꽁이처럼 후진을 하지 못함"이란 탈 것 중에서도 자전거가 갖는 상징적인 특징이라는 낯선 전언으로 시작된다. 그리고는 방송

특집물 때문에 만난 여자 팀장과의 에로틱한 물놀이 장면이 이어진다. 동성애가 시작된 것이다. 그런데 이것이 간단치 않은 것은 동성애자가 된 팀장이 간직하고 있는 개인적 내면의 이력에 있다. 술만 취하면 왝왝거리며 살림을 부수는 아버지와 오빠들 틈 사이에서 자라면서 겪은 경험 때문에 남자라면 소름이 끼쳤던 팀장은 이성과의 연애보다는 동성애에 깊게 매료되었던 것이다. 다른 사람들로부터 용납 받을 수 없는 취향을 갖고 있는 팀장과의 만남을 통해서 자신에게도 '다른' 취향이 있음을 '발견' 하게 된다. 그러나 "내 안에 들어 있는 또 다른 나에게 몸서리가 쳐지는 것"은 당연한 일이다. "사랑이 천편일률적일 필요가 있는가"라는 질문은 순정성과 사랑에 대한 감정 또한 완전하다는 법이 없으며, 사회적으로 용납된 이성과의 사랑만이 사랑은 아닌 것이라는 암묵적인 대답을 이끌어낸다. 세월이 지나 무덤덤해질 법도 하지만 한번 서로의 고유한 내면을 채워주었던 감각의 근원지인 "여자 턱밑 살"이 시골집 불두화로 다시 살아나는 것은 어쩔 수 없는 일인 것이다.

3.

끝까지 다른 어떤 외부적인 것으로 환원되지 않은 채 남는 개인적 내면의 이력을 이현수 만큼 집요하게 파고 드는 작가도 없을 것이다. 각 개인이 갖고 있는 이 고유한 내면성의 세계에 대해서 다양한 방식으로 접근한다는 것이 그렇게 쉬운 일은 아니다. (보편적으로) 이 고유한 개인의 내면은 이해되기 쉬운 방식으로 정의되며, 일반적으로 통념으로 환원되고 만다. 남성적인 것, 여성적인 것, 혹은 가족적인 것, 민족적인 것, 국가적인 것 등으로.

그러나 음식의 재료가 갖는 각자의 고유성처럼 개인 각자에게도 어떤 외부적 원인으로 쉽게 환원되지 않는 절대적인 고유성이 존재한다. 어떤 측면에서 노인스러움이란, 나이듦이란 이를 가능하게 하는 개인적인 경험의 고유성을 다양한 방식으로 갖게 되는 과정이 아닐까. 저마다의 독특한 맛들이 내성을 지르고 있는 밥상처럼, 혹은 토란, 고들빼기, 시금치 같은음식 재료들이 갖는 고유한 맛처럼 말이다.

이 현 수 1959년 충북 영동 출생. 1991년《충청일보》신춘문예로 등단. 소설집으로『토란』과 장편소설『길갓집 여자』가 있음. 김유정문학상 수상.

최 성 실 1967년 출생. 서강대 대학원 국문과 졸업. 1994년《문학과사회》로 등단. 저서로『육체, 비평의 주사위』가 있음. 계간《문학과사회》편집동인.

토스카의 정체와 기억의 왜곡, 그 숨겨진 열망

— 임영태 소설집 『무서운 밤』, 문이당

김 미 영

임영태의 첫 단편집 『무서운 밤』을 읽으면, 네 가지가 어렵잖게 포착된다. 밤, 변방인들, 상처, 그리고 우울이나 비애가 그것이다. 먼저 작품집 전체의 정조는 'gloomy sunday' 의 슬프고도 낮은 선율처럼 비애에 젖어 있다. 자정 근처에서 새벽까지, 술 냄새를 간간이 풍기며 허청한 걸음새로 변방을 배회하는 영혼들의 비감어린 기억들. 상처는 기억을 남기고, 기억은 왜곡을 통해 더 진한 상처로 자라난다. 단편 「무서운 밤」과 「서울, 1994년 여름」은 90년대 이 땅 청년들의 밤이, 희망찬 내일을 위한 안온한 휴식이나 준비의 시간이 아니라 불투명함과 무서움 그리고 환멸의 그것이 된 사연을 낮은 목소리로 전해준다. '일인당 국민소득 만불 시대' 라는 화려한 네온이 꺼진 후, 도시의 이 귀퉁이 저 모퉁이에서 스멀스멀 기어나와 거리를 점령하기 시작한 비주류의 영혼들, 그들의 괴괴한 밤에서 희뿌연 새벽으로의 산책기(散策記)라고나 할까. 이 작품집을 읽노라면, 김승옥의 「무진기행」과 「서울, 1964년 겨울」의 환멸과 비애가 되살아난다.

마치, 부끄러운 자신의 선택을 지독한 안개로 덮고자 하는 자의 자기환멸이나, 60년대식 소외나 냉랭함을 서울 어느 포장마차 속 겨울풍경으로 풀어내었던 김승옥 작품들이 90년대식 버전으로 모드 전환된 것 같이.

『무서운 밤』을 포회하고 있는 이 슬프고도 우울한 정조는 토스카(toska)에 가깝다. 토스카는 슬픔이나 비애이되, 멜랑콜리(melancholy)나 한(恨)과는 달리, 인간을 끊임없이 나약하게 만들고 방황하게 하여 때로는 죄악에 빠지게도 하는 비애나 슬픔을 말한다. 그러나 이것은 거기에 그치지 않고, 죄에 대한 반성적 사고를 부추키는 내적 고뇌까지를 포괄하는 복합적 정서를 일컫는다. 『무서운 밤』의 행간에는 19세기 중후반 러시아 소설에서의 토스카(toska) 같은 것이 짙게 드리워져 있다. 『무서운 밤』의 가장 도드라진 특징은 단연 이것이다. 일례로 「을평에서」의 주인공은 이렇게 술회한다. "한때 내 삶의 줄기에 관여하여 영향을 미치던 것들의 지금 현재의 완벽한 무관, 그 생생하던 것들의 지금 현재의 부질없음, 부질없음의 인식이 주는 어떤 초극의 심사, 그리고 무중력, 그 무중력의 평화를 즐긴다. 모든 열정이란 걸 허랑하게 여기며, 주변의 모든 것들을 스쳐 보내며, 자신 또한 누구에게도 기억됨 없이 다만 스쳐 지나가고자 한다. 그것도 가볍게, 아주 가볍게." 「전곡에서 술을 마셨다」에서 등장인물은 "어떤 부질없는 열정에도 빠지지 않고 무심한 바람처럼 세월을 비껴간다. 물 먹은 스펀지처럼 발톱에서 머리털 끝까지 정체 모를 슬픔에 된통 절어 있어, 팔장을 끼고 힘을 주면 슬픔이라 부를 수 있는 어떤 액체가 주르르 흘러내릴 것만 같은 상태"에 빠져 있다. 「돌아눕는 자리」의 주인공 역시, "아무것도 욕망하지 않는 청춘"이다. 「그날 무슨 일이 있었나」의 작중 인물은 스스로 "벼락처럼 떨어진 이상한 슬픔"에 시달리고 있고, 「전곡에서 술을 마셨다」의 주인공은 그런 상태를 "존재론적 슬픔"이라 자가진단 한다.

그런데 이 작품집에서 토스카는 등장인물들의 의지적 선택에 의한 것이라는 데 독특함이 있다. 「무서운 밤」에서 주인공은 이렇게 말한다. "밤길은 여전히 씁쓸하고 음울했다. 아니, 우리가 그런 길만 골라 다니고 있었다."고. 때문에 『무서운 밤』은 등장인물들의 상처가 만들어 낸 나른함, 슬픔, 때로는 무서움, 그 자체를 보여주고자 한 것이라기보다는, 음울하고 씁쓸한 밤길을 선택하는 등장인물들의 토스카가 주제이되, 상처가 그것을 어떻게 만들어내는지, 또 토스카가 상처를 어떻게 더 깊게 하는지를 보여주고자 한 것이라 볼 수 있다.

이 단편 소설집에서 토스카와 상처 사이의 매개는 '기억의 왜곡'이다. 등장인물들을 휩싸고 있는 기류인 토스카는 기억의 왜곡을 통해 상처를 만들어 내기도 하고 키워가기도 한다. 작가 임영태는 주인공을 통해 기억의 왜곡과 글쓰기의 관계를 「전곡에서 술을 마셨다」에서 다음과 같이 언급하고 있다. "내 머릿속의 기억들이 실제로 있었던 일인지 아니면 세 번의 글쓰기를 하면서 상상으로 덧칠된 것인지 모르겠다는 것이다. 그런 등등의 몇 가지 일화들은 도무지 실제와 상상이 구분가지 않는다. 회상이 자주 반복되면, 더욱이 그것이 글쓰기를 통해 반추되다 보면 기억이 선명해지는 게 아니라 오히려 모호해져 버린다. 추억을 좇아가는 글쓰기란 말하자면 잔잔한 호수에 돌을 던지는 것이나 마찬가지여서 공연한 파문을 일으키며 기억의 잔상들을 뒤섞어 놓기만 하는 것"이라고. 글쓰기나 회상이 기억을 뒤섞어 버린다는 것. 즉 기억의 왜곡을 만든다. 작가는 「무서운 밤」의 도처에서 "기억이란 얼마나 쉽게 왜곡 되는가"를 말한다. 분명 상처는 기억되어야만 존재한다. 결국 상처의 내용이나 깊이는 무엇을, 어떻게 기억할 것인지에 의해 결정되어지므로, 상처는 기억에 의해 구성된다고 할 수 있다. 원래 기억이란 그 사람에게 있어서 '과거'라고 이름 붙여진 자기정체성이다. 기억은 또 환기에 의해 현재가 되는데, 글쓰기는 대표적인 환기의 방식이다. 따라서 상처는 기억을 통해, 혹은 글쓰기를 통해 조작된다. 상처가 토스카를 낳기도 하지만, 토스카는 기억의 왜곡을 통해 상처를 조작한다. 그 모든 과정이 결국 스스로 선택에 의한 것일 수 있다는 것이 임영태의 『무서운 밤』의 주제이다.

표제작 「무서운 밤」에서 나는 얼마 전 끝난 연애에서 애인으로부터 오해와 모멸을 받았다고 기억하고 있다. 그 상처를 견딜 수 없어 나는 친구와 함께 술을 마시고 새벽까지 거리를 배회한다. 그러나 7년 후 다시 만난 애인으로부터 나는 그때 내가 그녀에게 얼마나 비열했던가를 듣게 된다. 그러자 불현듯 나는 그때의 비열함, 아니, 비열해지고 싶고, 경멸받고 싶고 그리하여 상처받고 싶었던 내 마음을 기억해낸다. 현재와 7년 후 그리고 16년 후의 시제가 뒤섞여 있는 이 작품에서 진실은 무엇일까? 그것은 내가 그녀를 버렸다는 것, 나의 비열함 때문에 상처입은 그녀가 7년간 타락했었다는 것이다. 문제는 내 기억의 왜곡에 있었던 것. 기억의 왜곡에 의해 나는 상처를 입었고 오해와 모멸감을 떨치지 못해 밤거리를 배회하며 술을 마셨다. 그러나 기실 그러한 기억의 왜곡을 추동한 힘은 나를 감싸고 있던, 상처받고 싶고 경멸받고 싶은 마음, 즉 나의 토스카였다.

나는 밤새 거리를 헤매다 새벽녘에 들린 "묘지 같은" 다방에서 "유령 같은" 여자를 만나는데, 그녀는 실연의 아픔을 토로하며 흐느껴 운다. 마치 내가 버린 여자처럼. 그녀가 끝까지 자기를 지켜봐 달라는 부탁을 남기고 다방을 나가서 달려오는 트럭을 피하지 않고 죽음을 맞는다. 그녀가 자살한 것이다. 그 모습을 지켜보면서 나는 "내 뒤에서 한숨짓는" 그 무엇, "나를 지켜보던 누군가의 눈"을 깨닫게 된다. 나는 무언가가 늘 자신을 따라다니고 있는 느낌을 가졌었고, 때로는 기시감(旣視感: 실제로는 경험한 적이 없는데 꼭 이 같은 정황을 언젠가 겪었던 것 같은 느낌)에도 시달려 왔는데, 결국 그것은 또 다른 자신이었던 것. "소년 같은 감상만 끼고 사는 자신이 너무 부끄러워 그 밤에 나는 조금 울었다"고 내가 말할 때, '조금

우는 것의 가벼움' 을 나는 이미 알고 있었던 것이다. 작가는 주인공의 입을 빌어 그것을 "익숙한 치욕"이라 표현한다. 결국 「무서운 밤」에서 말하는 무서움은 "익숙한 치욕" 속에 있는 자신을 마주하게 된 자의 무서움인 셈이다.

그러나 그 뿐일까. 임영태 소설집 『무서운 밤』의 세계는 자신의 토스카와 기억의 왜곡 과정을 지켜보는 시선 그 너머에, 훼손되지 않은 가치에의 말할 수 없는 그리움이 언뜻언뜻 내어 비치고 있다. 그 그리움의 대상은 너무나 진부한 것이기에 때로는 '촌스럽고 기이하기' 조차 하다. 하지만 그것들만이 여전히, 그리고 유일하게 오늘을 사는 우리들에게 있어 희망을 갖게 하는 진정이자 힘임을 작중인물들은 알고 있다. 「을평에서」나 「돌아눕는 자리」에서 그것은 삶에의 열망이나 열정이며,「이슬비 내리는 봄날 밤」과 「포장마차」에서 그것은 진정한 소통이며, 「그날 무슨 일이 있었나」에서는 빛나는 미래이다. 『무서운 밤』에서 작가 임영태는 어둠, 우울, 비애, 슬픔 따위의 무거운 정조인 토스카(toska)를 통해 반어적으로 사라져가는 것들, 즉 열정, 상처받지 않은 삶, 영원, 사랑, 미래, 소통의 회복을 간절히 열망하고 있는 것이다.

임 영 태 1958년 경기도 전곡 출생. 1992년 《문화일보》 신춘문예로 등단. 소설집으로 『무서운 밤』 등과 장편소설로 『비가 와도 젖은 자는 다시 젖지 않는다』 『달빛이 있었다』 등이 있음. 오늘의 작가상 수상.

김 미 영 1965년 부산 출생. 서울대 국문과 및 동대학원 졸업. 1998년 《중앙일보》 신춘문예로 등단. 현재 서울대 강사.

지방의 활력과 애환을 주목하는 능란한 이야기꾼

— 김형수 소설집 『이발소에 두고 온 시』, 문학동네

양 진 오

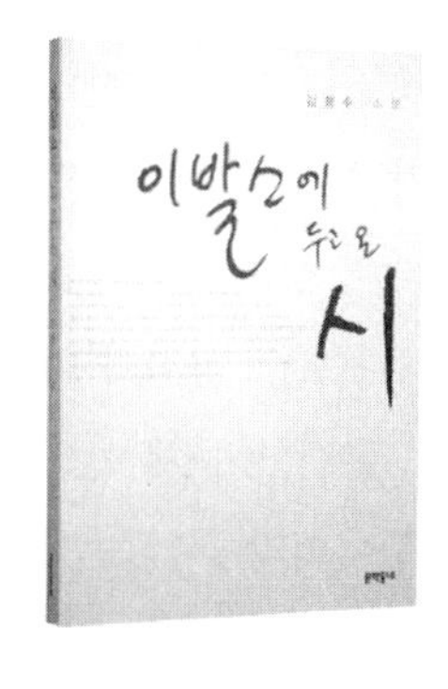

탁월한 이야기꾼의 기질을 천성처럼 지닌 소설가들이 있다. 익살과 풍자, 연민을 얼버무린 입담으로 한바탕 이야기의 향연을 펼쳐내어 독자들의 시선을 잡아끄는 소설가들이 있다. 김형수는 이런 유형의 소설가 중에서도 단연 돋보이는 입담을 자랑한다. 일단 김형수 소설의 독자들이 주목해야 하는 것은 김형수 입담의 문학적 성격이다. 그럴 만한 까닭이 있다.

김형수의 입담은 19세기 말 개항 이래 신속한 속도로 이 땅에 유입된 서구의 모더니티에 딴지를 거는 힘이 있다. 관조와 여유, 능청의 분위기를 물씬 풍기는 김형수의 입담은 서구 모더니티의 핵심 구성 원리인 합리성과 이성성을 옹호하는 근대 예찬의 태도와는 거리를 두면서 지방과 그 지방에서 살아가는 사람들의 다층적이고 모순적인, 그리고 미세한 결들을 주의 깊게 살펴보는 데 바쳐진다. 도시의 모더니즘과는 정반대의 방향에 위치한 김형수의 소설은 시시때때로 호남 특유의 방언으로 지방의 활력과 애환을 다시 주목하게 한다. 느리되 깊은 여유, 속고 속이는 활기, 아련한 그리움이 겹겹이 쌓인 지방의 삶을 김형수는 그 특유의 입담으로 독자들에게 제시하고 있다.

김형수가 천성적인 이야기꾼임을 입증하는 작품집인 『이발소에 두고 온 시』는 크게 두 축의 이야기로 구성되어 있다. 한 축은 군대 이야기고 또 다른 한 축은 작가의 고향 밀레미 이야기다. 그런데 이 두 축의 이야기는 서구 모더니티의 변방 지역인 지방을 주목한다는 점에서 그 성격이 아주 이질적이지는 않다.

그러면 먼저 이 두 축의 이야기에서 밀레미 이야기를 간단히 살펴보기로 하자. 김형수가 특유의 호남 방언을 능란하게 구사하는 작중인물들을 동원해 들려주는 밀레미 이야기에서 눈에 띄게 부각되는 장소는 밀레미 장터다. 그러니까 김형수는 밀레미 장터를 중심으로 살아가는 고향 사람들의 이야기를 독자들에게 들려주는 셈이다. 이럴 때 이 밀레미 장터의 성격을 주목할 필요가 있다. 밀레미는 농경 사회의 촌락 공동체와는 그 성격이 다르다. 밀레미 장터는 작가의 진술에서 확인할 수 있듯, "촌락 공동체 안의 폐쇄적인 권위가 전혀 통용되지 않는 열린 사회"로 "주둥아리밖에 없는 사람들이 제 세상을 만났노라고 활개"(「나뭇잎 옷을 입은 거짓말쟁이」:79)를 치는 바닥이다. 요컨대 밀레미 장터는 신명하는 난장인 셈이다.

이런 까닭에 밀레미 장터에는 속고 속이는 역동적인 활기가 넘쳐 흐른다. 이 밀레미 장터의 활기를 집중적으로 조명한 소설이 「나뭇잎 옷을 입은 거짓말쟁이」다. 이 소설은 앉으나 서나 거짓말만 되풀이한다는 안거서공 계열의 작중인물들의 행적을 주로 살피는데, 이 계열의 인물 중에서 단연 스포트라이트를 받는 이는 리감초이다.

리감초는 감언이설로 밀레미 장터 사람들을 속이면서 한번 결정한 일의 끝을 보고야마는, 말하자면 고집 센 사기꾼이지만 이 인물의 행적을 바라보는 화자의 시선에는 관대함이 배어있다. 리감초도 그렇거니와 밀레미 장터의 인물들에게서 "속이고 속아온 세상사의 일과 좌절과 상처와 실수로 얼룩진 인생사의 일들을 한꺼번에 받아들이고 용서할 수 있게 해주는 것 같은 위안의 힘"(「나뭇잎 옷을 입은 거짓말쟁이」:130)을 발견한 화자는 이 안거서공 계열의 인물들을 따스하게 포용하고 있다. 요컨대 이 소설의 화자는 근대사회의 합리적 계약관계에 구속되지 않은 이 안거서공 계열의 인물들에게서 어떤 본능적인 친연성을 발견하고 있는 것이다.

그런데 김형수는 밀레미 장터를 활기의 분위기로만 묘사하지는 않는다. 그는 밀레미 장터를 쇠락과 영락의 분위기가 가득한 퇴락의 장소로도 묘사한다. 밀레미 장터는 활기와 쇠락의 분위기를 동시에 보유한 장소로 상승과 하강의 이미지가 중첩되어 있는 지방 공동체라 할 만하다. 어린 나이에 알콜 중독자가 되어 고향 일대를 떠돌며 고단한 인생을 마친 이복동생의 일대기를 서술한 「겨울귀」와 낯선 서울에서 호스티스로 전전하다가 죽어간 고향 친구 국희의 행적을 서술한 「들국화 진 다음」도 이런 계열에 속하는 소설들이다. 「나뭇잎 옷을 입은 거짓말쟁이」의 밀레미가 악의 없는 사기꾼들이 활기 넘치는 입담을 자랑하는 구술 현장으로 서술되고 있다면 「겨울귀」와 「들국화 진 다음」의 밀레미와 무내미는 동생과 이성친구의 신산스런 행적이 아련하게 투영된 애환의 장소로 서술되고 있다.

이 작품집에는 전방에서의 군복무를 회고하고 제대 이후의 후일담적인 행적을 서술한 두 편의 소설이 수록되어 있다. 「구름의 파수병 · 하나」, 「구름의 파수병 · 둘」이 그 예이다. 이 두 편의 소설은 이채롭다. 흥미롭게도 이 두 편의 소설에서 독자들이 발견하게 되는 것은 성적 판타지의 급속한 형성(「구름의 파수병 · 하나」)과 그 균열(「구름의 파수병 · 둘」)이다. 과부

촌으로 명명된 성적 판타지의 대상을 상상하며 보낸 군복무 시절과 제대 이후 실제로 과부촌의 실상을 목격하게 된 충동적인 여행의 과정을 서술한 이 두 편의 소설에서 전방은 남북대치의 접점지대가 아니라 20대 남성들의 억압된 성적 욕망이 형성되고 균열되는 또 하나의 지방으로 새롭게 묘사되고 있다.

이런 점에서 보자면 김형수는 합리성과 이성성으로 구축된 근대사회와 대척적인 지점에 놓인 지방과 그 지방에서 살아가는 다양한 유형의 인간들이 분출하는 활기와 애환을 형상화하는 데 능숙한 작가라는 사실을 알 수 있다. 바로 이 점이 김형수 문학의 특징이다. 그는 디지털과 정보화로 요약되는 21세기의 앞이 아니라 그 뒤를 가리키는 작가다. 21세기가 간과하는 지방의 미세한 사람살이의 형국을 활기와 애환의 입담으로 들려주는 작가가 김형수다.

또한 김형수는 "도대체 지난 시절의 순간들이 가져다주는 저 사라지지 않는 매력과 애타는 회한"을 아련하게 회고하는 로맨티스트의 면모를 보여주기도 한다. 「그 이발소에 두고 온 시」가 바로 그 예에 해당된다.

이 소설의 두 명의 화자 더 정확히 말하자면 한 명의 남성 화자와 또 한 명의 여성 화자는 시점을 교차하면서 "세월의 풍화작용에도 불구하고 즐비즐비 남아" 있는 과거의 풍경과 지나간 사랑의 인연을 회고하고 있다. 형식적으로 여로의 형식을 취하고 있는 이 소설은 지나가버린 연애의 시간을 불귀의 시간으로 받아들이는 남성 화자의 여로를 따라가며 서술되는데, 이런 점에서 이 소설은 마흔 살이 된 한 남성의 내면을 고백하는 소설로 읽히기도 한다. 요컨대 「그 이발소에 두고 온 시」에 나타나는 한 남성 화자의 여로는 실질적으로는 마흔 살이 된 한 남자의 사유와 심리를 고백하는 내면의 여로와 겹친다는 점을 알아둘 필요가 있다. 어떻게 보자면 이 소설은 한 남성과 여성이 과거의 시간으로 회류하는 동안 그들의 내면에 일어나게 된 미세한 회귀의 기억을 되살리는 내면의 여행일지와 같다고 하겠다.

김 형 수 1985년 《민중시 2》에 시로, 1996년 《문학동네》에 소설로 등단. 1998년 《녹두꽃》을 창간하면서 비평활동 시작. 시집으로 『가끔씩 쉬었다 간다는 것』 『빗방울에 관한 추억』과 소설집으로 『나의 트로트 시대』 『이발소에 두고 온 시』 등이 있음.

양 진 오 1965년 제주 출신. 서강대학교 국문학과와 동대학원 박사. 현재 경주대학교 문예창작과 교수, 계간 《실천문학》 편집위원.

상처받은 마음은 고독한 사냥꾼

— 박형서 소설집 『토끼를 기르기 전에 알아두어야 할 것들』, 문학과지성사

오 양 진

박형서의 『토끼를 기르기 전에 알아두어야 할 것들』은 신예 작가의 첫 창작집답게 개성적인 문체, 흥미로운 이야기 구성, 독특한 상상력, 현대적인 삶의 문제에 대한 통찰 등을 두루 보여준다. 소설집 『토끼를 기르기 전에 알아두어야 할 것들』은 비슷한 연배의 다른 작가의 작품들에 견주어볼 때 범상치 않은 역량을 지닌 한 작가의 탄생을 예고한다. 우리는 아쉽게도 박형서의 소설이 보여주는 문체와 구성과 상상력을 검토할 여유는 없다. 그러나 자세히는 아니지만, 이 자리에서 살펴보게 될 우리 시대 삶의 문제에 대한 작가의 비판적 발언만으로도 박형서의 소설은 충분히 주목에 값한다고 할 수 있다. 창작집 『토끼를 기르기 전에 알아두어야 할 것들』을 통해 작가 박형서가 탐구하는 핵심적 주제는 무엇보다도 황폐화된 인간관계의 문제로 집약된다. 박형서는 아직 개성적인 자신의 스타일과 설득력 있는 주제를 모든 작품에서 매끄럽고 안정되게 결합하고 있는 것은 아니다. 그러나 현대 사회가 안고 있는 가장 심각한 문제 가운데 하나인 인간관

계의 위기와 그에 따른 인간성 상실의 문제를 정확하게 건드린다.

박형서의 소설 중에서, 가령 「토끼를 기르기 전에 알아두어야 할 것들」, 「하얀 발목」, 「K」 등은 작가의 역량이 어느 정도 잘 발휘된 안정감 있는 작품으로 지목할 수 있다. 특히 「K」는 스타일과 주제적 의미의 세련된 결합 속에서 일정한 완성도를 보여주는 괜찮은 작품이라 생각된다. 단편 「K」에서 작가가 다루고 있는 것은 마찬가지로 오늘날 우리 현대인이 겪고 있는 황폐한 인간관계의 문제이다. 이 작품은 현대 사회의 외로운 삶 속에서 나날이 흉포해지고 사악해지는 우리들의 삭막한 마음을 제대로 포착하고 있다. 「K」에는 'K'와 '시골뜨기'가 나온다. 거의 동일한 비중을 지닌 채 등장하지만, 제목처럼 K에 관한 이야기가 주로 펼쳐진다. 그러나 시골뜨기는 K의 '그림자'와도 같은 존재이므로, 「K」의 주인공은 그 둘 다라고 말할 수도 있다. K와 시골뜨기는 초등학교 때 시골뜨기가 K의 학교로 전학을 오면서 서로 친구가 되었다. 가정 환경과 학업과 외모 등에서 완벽한 K는 전학 와서 외톨이가 된 평범한 시골뜨기와 모든 면에서 어울리지 않았지만, K의 동정심이 따돌림을 면하려는 시골뜨기의 필요와 맞아떨어졌던 것이다. 그리고 두 사람은 중학교도 함께 다녔는데, 2학년 때 시골뜨기가 다시 전학을 가면서 그들은 작별하게 된다. 그 후 시골뜨기는 K에게 꾸준히 편지를 쓰지만, K는 명문 대학을 나오고 좋은 직장을 잡고 결혼을 할 때까지 시골뜨기에게 연락을 취하지 않는다. 그러던 어느 날 갑자기 K는 직장에서 돌아와 편지함을 뒤져 찾아낸 전화번호로 시골뜨기에게 연락한다. 그리고 만나 밤새 술을 마시고 헤어진다. 다음 날 아침 시골뜨기는 신문에서 K가 죽었음을 알고 슬퍼한다. K에게는 기이한 능력이 있었는데, 타인에 대한 증오와 분노가 만들어낸 살의가 그대로 실현되어버리는 능력이었다. 어려서 자신을 화나게 한 눈 먼 여자아이에게 던진 돌멩이가 그녀의 대갈통에 정확히 명중했는가 하면, 대학 시절 시위 도중에 자신의 애인을 다치게 한 전경에게 던진 돌이 헬멧을 뚫고 들어가 그의 머리를 박살내기도 했다. 이것은 물론 우연이라 할 수 있는 일이었다. 그러나 K가 시골뜨기와 만나기 전 신촌 부근에서 소매치기 소년에게 던진 돌은 사람들을 피해가며 날아가서 그 소년을 즉사시킨다. 이러한 자신의 기이한 능력을 고통스럽게 생각하던 K는 시골뜨기와 술자리에서 헤어지고 한강을 거닐다가 자신의 능력을 저주하며 돌을 던지는데, 이번에는 그 돌에 자신이 맞아 죽은 것이었다.

자신이 원하는 대로 타인을 죽여 버릴 수 있는 능력을 가진 한 남자의 이야기라면, 이 소설은 너무 황당무계하다. 사실 인물뿐만 아니라 상황의 설정에서도 개연성과 사실성이 떨어진다. 그러나 「K」는 기이한 능력을 가진 남자의 이야기로서가 아니라 우리 시대 인간관계의 문제에 대한 알레고리로서 읽을 때 흥미롭게 다가온다. 여기서 시골뜨기의 이야기를 다시금 읽어볼 필요가 있다. 시골에서 낯선 도시에 전학 온 시골뜨기는 따돌림을 당하고 외톨이가 되었다. 그것은 시골뜨기로 하여금 독기 어린 외로움에 사로잡히게 했으며 살의마저 품게 했다. 그러나 시골뜨기는 타인을 해쳤을 때 위험한 것은 오히려 자신이라는 것을 잘 알았다. 이타적 양심 때문이 아니라 범법으로 치를 대가가 너무 클 것이라는 이기적 손익계산이 있었던 것이다. 그러면서도 시골뜨기는 '누구에게도 비난받지 않으며 마음먹은 대로 타인을 죽여 버리는 능력'이 생기길 바라는 기적을 욕망하고 상상한다. 물론 시골뜨기는 끝까지 착하고 평범한 인간으로 남는다. 이쯤에서 우리는 이 작품이 말하고자 하는 바를 짐작할 수 있다. 그것은 끊임없이 배신당하고 상처받고 사는 외로운 삶 속에서 우리 현대인들의 마음이 자신도 모르게 흉포해지고 사악해져가고 있음을 환기하는 비판적 의미로 이해된다. 그런 의미에서 자신이 욕망하는 대로 사람을 죽일 수 있는 능력을 가진 K는 착하고 평범한 현대인들의 자폐적인 흉포한 환상을 극단적으로 보여주는 허구적 인물이라고 할 수 있다. 그런가 하면 이 작품은 K가 자신의 능력으로 자신을 죽이고 만다는 결말을 통해서 그러한 자폐적인 환상이 다치게 하는 것은 타인이 아니라 궁극적으로는 자기 자신임을 우리에게 충고하기도 한다. 이처럼 'K'와 '시골뜨기'라는 두 남자의 이야기는 현대 사회의 황폐한 인간관계에 대한 섬뜩한 알레고리가 되어 있다. 「K」는 결국 독특하고 재미있는 상상력으로 배신과 상처로 얼룩진 인간관계와 고독, 그리고 그 속에서 사악해져가는 인간 심성의 병리를 매우 흥미롭게 보여주는 작품인 셈이다. 조금은 단순한 대로 「토끼를 기르기 전에 알아두어야 할 것들」과 「하얀 발목」의 주제도 거기서 멀지 않다. 현대적 심성이 가진 사악한 사냥꾼의 성격을 보여준 「K」의 주제는 「토끼를 기르기 전에 알아두어야 할 것들」의 경우는 카프카적 악몽을 통해, 「하얀 발목」의 경우는 공포영화의 문법을 통해 탐구되고 있다는 것이 다르다면 다르다.

그러나 지금까지의 지적은 박형서 소설의 가능성에 대한 확인일 뿐 그의 소설에 대한 전적인 신뢰를 뜻하는 것은 아니다. 작가 박형서가 현대적 심성의 병리적 문제를 다루는 방식은 불만스럽고 또 위태롭게 보인다. 특히 박형서 소설의 중요한 특징으로 거론된 바 있는 '우연의 모티프'(우찬제)는 사악해져가는 현대인들의 마음의 문제를 심화하기보다는 해소하는 데 기여하는 것 같다. 이 점과 관련하여 「이쪽과 저쪽」이라는 단편은 시사적이다. 이쪽만 다니던 사람이 저쪽으로 가게 된 우연 때문에 살인자가 되고 만다는 이야기는 살인이라는 악에 우연이라는 동정과 알리바이를 제공함으로써 윤리적 허무주의를 정당화하고 있다. 이 소설의 의도는 물론 법적 인과율의 억압적인 성격을 폭로하는 데 있는 듯하다. 그러나 '우연의 동기화 전략'으로 그러한 폭로가 이룬 법적 인과율의 훼손은 자신의 비판을 합법화하는 수단마저 훼손한다. 더구나 그 우연에 지배되는 순간 비판은 우연적인 것이 되고 또 그만큼 쉽게 잊혀질 것이다. 박형서에게 고유한 개성적인 작품들, 가령 「사막에서」, 「하나, 둘, 셋」 등에서 그러한 우연의 존재론은 문법을 넘어 일종의 사고의 습관마저 되어 있다. 이때 격렬해지는 것은 작가의 비판적 문제의식이 아니라 재미있는 이야기 속에서 충족되는 독자들의 위험한 욕망과 환상이다. 그러나 우리는 박형서가 신예 작가답지 않게 보여준 현실 투시 능력을 본 적이 있다. 박형서 소설이 그러한 위험성을 비켜가는 데 그것은 좋은 발판이 되어줄 것이다.

박 형 서 1972년 강원도 춘천 출생. 한양대 국문과 및 고려대 한국어문학과 석사 졸업. 2000년 《현대문학》으로 등단. 소설집으로 『토끼를 기르기 전에 알아두어야 할 것들』이 있음.

오 양 진 1969년 인천 출생. 2000년 《중앙일보》 신인문학상으로 등단. 현재 서울산업대 강사.

재현의 전통과 가능성

— 정이현 소설집 『낭만적 사랑과 사회』, 문학과지성사

방 민 호

정이현의 창작집 『낭만적 사랑과 사회』는 2000년을 전후로 한 한국사회에 대한 사회학적, 풍속학적 고찰을 보여준다. 표제작이 된 「낭만적 사랑과 사회」를 비롯하여 「트렁크」, 「소녀시대」, 「무궁화」, 「신식 키친」 등에서 이러한 특징을 분명하게 간취할 수 있다. 이들 작품은 작가가 정치외교학을 공부한 전력이 있으며 1972년생이라는 사실을 상기시키는 면이 있다.

1970년대 초반에 출생한 작가들의 성장 경험 가운데 두드러진 것으로 텔레비전과 만화영화 등 영상매체의 영향을 꼽는 경우가 많다. 그러나 그 못지않게 중요한 것은 아마도 결핍과 소외의 경험일 것이다. 그들은 1970년대의 산업화, 1980년대의 물질적 풍요로움, 1990년대의 첨단화 속에서 상대적 빈곤, 가정의 불안정화와 해체, 정체성 부재 등 심각한 문제들에 직면하면서 오늘에 도달했다. 즉 그들은 현실에서 상처받은 자들이고 당연히 현실에 관심을 가질 수밖에 없다.

따라서 인터넷이 제공하는 가상현실의 매력과, 현실에 대해 상상의 힘을 강조한 1990년대 중후반 문학의 압력에도 불구하고 그들 작가가 2000년대라는 시대적 현실에 대한 사회학적, 풍속학적 관찰과 묘사를 즐기는 것은 어쩌면 자연스럽다고 말해야 할 것이다. 그들은 그들 자신의 입으로는 대개 현실을 있는 그대로 그리는 데 신물이 났다고 말하곤 한다. 그러나 실제 그들의 손이 그려내는 세상은 '있는 그대로'의 현실, 그것인 경우가 많다.

이 점에서 보면 『낭만적 사랑과 사회』도 별다름은 없다. 이 창작집의 작가 역시 사회학자나 풍속화가의 소질과 성향을 보여주는데, 위에서 열거한 작품들이 바로 그 실례를 제공하는 것이다.

예를 들어 「낭만적 사랑과 사회」는 중산층 가정의 세속적인 가치관 아래서 성장한 여대생의 심리를 첫 섹스라는 사건을 중심으로 펼쳐 보여준다. 이 작품에서 작가는 "나는 다르다. 나는 혼자 힘으로 이 척박한 세상과 맞서야 했다. 진정으로 강한 여성이 되어야만 하는 것이다"라고 다짐하면서도 그 '강한 여성'의 길을, 부유한 집 막내아들과 결혼하여 행복한 가정을 꾸리는 데서 찾을 수밖에 없는 한계 많은 여주인공의 모습을 그려낸다. 그녀는 "유리의 성"으로 들어가는 관문을 넘기 위해 성 처녀의 수줍음을 가장하면서 순결을 바치지만 그녀의 엄밀한 계산은 맞아 떨어지지 않는다. 침대 위에 응당 떨어져 있어야 할 핏자국이 없다는 사실로 말미암아 첫 섹스의 대가는 결혼이 아니라 한갓 '진짜 짝퉁'인지도 모르는 루이뷔통 백으로 평가절하되고 만다. 이 과정에서 중산층 물질주의, 성에 대한 통속적 편견, 세속적 행복에 집착하는 젊은이들, 특히 여대생이라는 2000년대의 한국 사회가 자기 모습의 한 끝을 드러낸다.

「낭만적 사랑과 사회」가 사회학적 또는 풍속학적인 시선을 취하고 있음은 이 작품의 특이한 1인칭 시점을 통해서 확인해 볼 수도 있다. 대개 1인칭 시점을 가진 작품은 행위하고 있는 '나'와 그러한 행위를 바라보는

'나' 사이의 반성적 거리가 중요한 미학적 요소를 이루게 마련이다. 이 두 '나' 사이의 거리가 클수록 1인칭 소설의 내포적 의미는 심화된다. 그러나 「낭만적 사랑과 사회」의 작가는 이 거리를 의도적으로 좁혀 놓았다. 이렇게 되면 상대적으로 부각되는 것은 이 그려지는 '나'와 말하는 '나'를 모두 조율해 가고 있는 작가의 시선일 것이다. 즉 작중의 '나'들은 대상화되며 독자들은 작중 주인공을 대상화하고 있는 작가의 시선에 관심을 갖게 된다. 작중의 '나'는 중산층 가정의 물질주의와 세속적 편견에서 자유롭지 못한 존재로서 자기가 속한 '사회'에 대해 그 '사회'가 허용하는 방식으로 투쟁한다. 따라서 그 투쟁은 진정한 자유를 위한 투쟁이 아니라 새로운 불구속과 부조리를 향한 투쟁일 뿐이다. 즉 「낭만적 사랑과 사회」의 작가는 독자들에게 2000년대의 한국사회가 내포한 불가능성을 그려내 보여준다. 오늘의 한국사회는 이러하다는 것이다.

『낭만적 사랑과 사회』에 실린 다른 작품들도 대략은 이와 같은 풍속 또는 세태 제시라는 차원에서 크게 벗어나지는 않은 듯하다. 그리고 이는 한국현대소설에서 위용을 자랑하고 있는 재현의 전통을 상기시킨다. 당대 사회를 재현하려는 경향은 배경을 따지기 전에 한국현대소설의 뚜렷한 줄기를 형성하고 있다. 『낭만적 사랑과 사회』는 그러한 전통의 자식이다. 그러나 표제작에서 볼 수 있듯이 작가는 당대 사회의 문제적인 측면들을 솜씨있게 조립해내는 능력을 가지고 있으며, 특히 이것들을 작중 인물의 내면에 투영시켜 보여주는 능력이 있다. 이것이 정이현의 작가적 가능성에 해당함은 물론이다.

창작집 『낭만적 사랑과 사회』에서 가장 특이한 작품은 아무래도 「이십세기 모단걸 신 김연실전(新金姸實傳)」일 것이다. 일종의 패로디로서 작가의 전통에 대한 대응 의식을 보여주기 때문이다. 일찍이 김동인이 『문장』 1939년 3월호에 발표했던 「金姸實傳」은 "이 소설을 이것으로 일단락을 맺는다. 이 갸륵한 선구녀가 장차 어떤 인생 행로를 밟을지 후일담이 물론 있을 것이다. 약속한 지면도 다하고 붓도 피곤하여 이 선구녀가 자기의 인격을 완성하는 기회로서 일단락을 맺는 것이다"라는 사족을 달고 있었다. 즉 작품으로서는 미완성이고 특히 김동인은 작중 주인공인 김연실에 대해 상당한 악의 또는 냉소를 품고 있었던 탓에 품격이 갖추어지지 못한 작품이라는 인상을 풍기기도 한다. 이렇게 볼 때 정이현의 새로운 김연실 이야기는 원작에 흐르는 풍자적인 분위기를 현대화하면서 동시에 김동인의 남성중심적 시각에 교정의 메스를 가했다는 점에서 일단 고평할 수 있을 것이다. 물론 김동인의 원작이 약속된 원고 분량이 다 차고 피곤하기까지 하여 응당 그렸어야 할 긴 꼬리를 그리지 않고 내놓은 작품이었던 만큼 새로운 김연실 이야기는 그녀의 행로를 더 길게 보여주어야만 작가가 애초에 의도한, 여성적 시각을 통한 재구성이라는 목표를 충분히 성취할 수 있었을 것이다. 이러한 한계에도 불구하고 「이십세기 모단걸 신 김연실전(新金姸實傳)」은 작가의 교양이 만만치 않음을 시사한다. 『낭만적 사랑과 사회』 곳곳에 묻어나는 아마추어리즘에도 불구하고 이 단 한 편의 작품을 통해서 작가는 그 자신의 잠재력을 증빙했다고 말할 수도 있을 것이다.

정 이 현 1972년 서울 출생. 성신여대 정치외교학과와 서울예술대학 문예창작과 졸업. 2002년 《문학과사회》 신인문학상으로 등단. 소설집으로 『낭만적 사랑과 사회』가 있음.

방 민 호 1965년 충남 예산 출생. 저서로 『비평의 도그마를 넘어』, 『납함 아래의 침묵』, 『문명의 감각』 등이 있음. 현재 서울대학교 국문학과 조교수.

【추천 소설 목록】

강영숙 서울 시티 투어 버스 **공선옥** 영희는 언제 우는가/유랑가족 **구효서** 밤이 지나다 **권지예** 비밀 **김경수** 인조인간들의 집 **김남일** 사북장 여관 **김도언** 기호태傳/북호텔 **김숨** 제8전시실/질병통제 **김애란** 나는 편의점에 간다 **김양호** 베트남으로 가는 길 **김연수** 거짓된 마음의 역사/그건 새였을까, 네르미/쉽게 끝나지 않을 것 같은, 농담 **김영도** 나와 함께 춤을 **김영하** 그림자를 판 사나이 **김원일** 4가 네거리의 축대/고난일지 **김인숙** 그 여자의 자서전 **김종광** 낙서문학사 발흥자편 **김현주** 당신의 집 **김훈** 화장 **박민규** 카스텔라 **박범신** 괜찮아, 정말 괜찮아/항아리야 항아리야 **박병례** 화투공방을 놀아보자 **박상률** 너는 스무살, 아니면 만 열아홉 **박상우** 마천야록 **박완서** 후남아, 밥먹어라 **박정규** 안녕, 먼 곳의 친구들이여/작은 방 Zelle **박형서** 이쪽과 저쪽 **방현석** 존재의 형식 **백가흠** 귀뚜라미가 운다 **백민석** 믿거나 말거나 박물지 셋 **성석제** 내 고운 벗님/인지상정 **송기원** 물총새 성관이 **신경숙** 그 여자에 관하여 **안혜정** 뜨거운 대야 **양순석** 거울 속의 거울 **오수연** 달이 온다 **원시림** 욕망의 수수께끼, 어머니, 어머니 **윤대녕** 낯선이와 거리에서 서로 고함/찔레꽃 기념관 **윤성희** 고독의 의무/길 **이기호** 최순덕 성령충만기 **이나미** 푸른 등불의 요코하마 **이만교** 약병을 잃다 **이성아** 절정 **이순원** 미안해요, 호아저씨 **이승우** 사령/심인광고/터널 **이윤기** 보르 항을 찾아서/알타이아의 장작개비 **이일경** 아무 것도 하지 않는 **이청준** 꽃지고 강물 흘러 **이현수** 신기생뎐 1/신기생뎐 2 **이혜경** 물 한 모금 **전성태** 존재의 숲 **정미경** 달은 스스로 빛나지 않는다/성스러운 봄 **정이현** 홈드라마 **정지아** 민들레 화분/행복 **조경란** 난 정말 기린이라니까/잘자요, 엄마 **조선희** 경리 7년 **조용호** 천상유희 **천운영** 멍게 뒷맛/명랑 **최옥정** 그의 지문 **최인석** 그림자들이 사라지는 곳 **최일남** 꽃버선/석류 **표명희** 누드 에스컬레이터 **하성란** 그림자 아이 **한강** 노랑무늬영원 **한순영** 그녀의 핑귀리나무 **한유주** 달로 **한지혜** 자전거 타는 여자 **한창훈** 바위 끝 새 단편/청춘가를 불러요

【추천 소설집 목록】

고종석 엘리아의 제야 **구자명** 건달 **구효서** 아침 깜짝 물결무늬 풍뎅이 **권지예** 폭소 **김경욱** 누가 커트코베인을 죽였는가 **김연수** 내가 아직 아이였을 때 **김영하** 검은 꽃 **김종은** 서울특별시 **김현영** 까마귀가 쓴 글 **김현주** 물속의 정원사 **김형수** 이발소에 두고 온 시 **남상순** 우체부가 없는 사진 **박민규** 삼미슈퍼스타의 마지막 팬클럽 **박범신** 더러운 책상 **박병례** 쑥 캐는 불장이의 딸 **박상륭** 신을 죽인 자의 행로는 쓸쓸하였도다 **박형서** 토끼를 기르기 전에 알아두어야 할 것들 **방현석** 랍스터를 먹는 시간 **배수아** 일요일 스키야키 식당 **서성란** 모두 다 사라지지 않는 달 **성석제** 인간의 힘 **송기숙** 들국화 송이송이 **송기원** 사람의 향기 **송영** 발로자를 위하여 **양헌석** 오랑캐꽃 **윤흥길** 소라단 가는 길 **이만교** 나쁜 여자, 착한 남자 **이윤기** 노래의 날개 **이치은** 유대리는 어디에서 어디로 사라졌는가 **이현수** 토란 **임영태** 무서운 밤 **정도상** 누망 **정영문** 꿈 **정이현** 낭만적 사랑과 사회 **정찬** 베니스에서 죽다 **조헌용** 파도는 잠들지 않는다 **최인석** 나를 사랑한 폐인/이상한 나라에서 온 스파이 **한승원** 초의 **홍광석** 회소곡